L'inconnu du parc

Wendy Corsi Staub
L'inconnu du parc

Traduit de l'américain
par Martine Fages

Titre original :

THE LAST TO KNOW
Published by Pinnacle Books,
a division of Kensington Publishing Corp., N.Y.

Mardi 9 octobre

Prologue

— Allons, ne fais pas cette tête. Tu sais que tu as de la chance, Janey...

De la chance...

Le mot fait lentement son chemin dans les méandres de son cerveau glacé d'effroi.

De la chance ?

C'est vrai, elle a toujours eu de la chance. Depuis sa plus tendre enfance, ses camarades de classe, ses amies, ses relations, sa sœur elle-même, tout le monde le lui répète...

Quelle chance tu as, Jane, d'avoir ces belles boucles blondes et ces grands yeux bleus... Comme tu as de la chance de pouvoir manger ce que tu veux sans prendre un gramme...

Oh ! Jane, tu as de la chance d'être née dans une famille riche comme Crésus, tu n'auras jamais besoin de travailler !

Ah ! Jane, comme tu as de la chance de sortir avec Owen ! Il t'adore et ton avenir est tout tracé...

Owen.

Comment réagira-t-il, ce soir, en trouvant la maison vide ? Il pensera qu'elle est encore chez *Starbucks* avec Schuyler et ses amies du *Gymboree* et qu'elle a oublié l'heure, comme cela lui arrive fréquemment, ces derniers temps.

Pourtant elle rentre toujours avant la nuit.

Quand Owen revient du travail, elle est généralement en train de donner son bain à Schuyler. S'il manque le train de 18 h 40 et prend le suivant, il retrouve Jane dans la chambre du bébé, chantant une berceuse pour l'endormir.

Seigneur Jésus !

Owen.

Schuyler.

— Je vous en prie, supplie-t-elle.

La réponse fuse instantanément.

— Non, Janey, je regrette, mais c'est ainsi.

— Mais… pourquoi ? balbutie-t-elle en claquant des dents.

Son corps est secoué de violents frissons. Sans oser tourner la tête, elle tente désespérément de conserver son équilibre sur ce muret où on l'a obligée à s'asseoir, au-dessus du vide. Au moindre mouvement, elle risque de basculer en avant et de s'écraser sur les rochers déchiquetés qui bordent l'Hudson en contrebas.

Elle n'ose pas davantage regarder derrière elle. Elle ne peut supporter la vision de son bébé chéri, de sa petite Schuyler adorée, dans les bras de cette silhouette familière qui a surgi quelques instants plus tôt de nulle part, au tournant de la piste de jogging déserte qui serpente à travers le parc paysager.

D'abord surprise de rencontrer quelqu'un, elle n'a pas eu peur en voyant qui c'était.

C'est peu à peu que la peur l'a envahie, qu'elle a pris conscience de sa naïveté, de son aveuglement.

Comment n'avait-elle pas senti la menace que cette âme noire et sinistre faisait planer sur son paisible univers ? La présence à ses côtés de ce monstre sournois, dissimulé sous une apparence innocente et respectable ? Un monstre qui ressemblait à tout le monde, agissait comme tout le monde et n'avait

jamais fait preuve de méchanceté... jusqu'à maintenant.

Mais maintenant il est trop tard.

— Voyons, tu sais bien pourquoi je dois le faire,
Janey.

Jane est soudain prise de nausée, la tête lui
tourne : elle va s'évanouir.

*Non ! Surtout pas ! Si tu t'évanouis, tu tombes. Et
si tu tombes...*

— Tu sais ce que tu as fait, Janey ? Eh bien maintenant, il faut payer.

Si tu tombes, tu meurs.

— Non, je vous en supplie...

— Saute, Janey, c'est tellement simple.

— Non...

— Si tu ne sautes pas, reprend la voix avec un
calme glacial, je la laisse tomber. Je t'ai prévenue.

Elle sent un mouvement dans son dos et aperçoit
du coin de l'œil les mains qui tiennent son enfant
chérie, tendues au-dessus du vide comme pour un
sacrifice rituel.

Schuyler geint, émettant un petit bruit qui ressemble vaguement à « maman ».

Maaan... maaan.

Le cœur déchiré, Jane s'efforce de résister à l'instinct puissant qui la pousse à se retourner pour
arracher son bébé à cette étreinte mortelle.

Mais ce serait vain : elle perdrait l'équilibre et
basculerait par-dessus bord, risquant d'entraîner
Schuyler dans sa chute.

— Vous m'avez promis de ne pas lui faire de mal,
reprend-elle enfin, retrouvant l'usage de la parole.
Vous me l'avez promis, insiste-t-elle, au bord de
la crise d'hystérie.

— C'est vrai. Et tu sais parfaitement que je ne la
toucherai pas... sauf si cela devient nécessaire. Alors

9

tu vas sauter? On va dire au revoir à maman, Schuyler chérie? Après, je la remettrai dans sa poussette, bien au chaud sous sa couverture, comme avant. Je la conduirai même sur la piste pour qu'on la retrouve plus facilement. Je ferai ça pour toi, Janey, ce sera mon cadeau d'adieu. Maintenant, vas-y.

— Ô mon Dieu...

La gorge de Jane se serre à nouveau, nouée par la terreur.

Cela va-t-il donc arriver véritablement?

Est-ce inévitable?

Va-t-elle vraiment mourir?

Oui.

Ici et maintenant.

— Tu sais, Janey... Les autres ont eu moins de chance. Pour toi, c'est... plus propre.

Tandis qu'elle lutte pour endiguer la panique qui l'envahit, ses pensées tourbillonnent fébrilement à la recherche d'une issue, d'un lambeau d'espoir auquel se raccrocher.

Si seulement un autre joggeur pouvait déboucher sur la piste...

Mais elle s'en est trop écartée. Il n'y a ici qu'un fouillis d'arbres et de vignes peuplé d'oiseaux et d'écureuils, et ce petit muret de pierre qui borde la lisière ouest du parc, surplombant le fleuve.

Jamais elle ne survivra à une telle chute.

L'endroit idéal pour se suicider...

Ils découvriront son corps dans la rivière, brisé et gonflé d'eau, comme les autres. Des adolescents, pour la plupart, des enfants découragés qui parfois laissaient une lettre à leurs familles désespérées.

Owen croira-t-il à un suicide?

Schuyler grandira-t-elle persuadée que sa mère l'a abandonnée?

— Réfléchis. Les autres ont plus souffert que toi, Janey.

Quels autres?

Elle n'arrive pas à se concentrer. Elle ne comprend pas.

Elle ne peut penser qu'à sa fille et à Owen.

Ils ont besoin de moi.

Ses mains agrippent le muret de pierre à moitié effondré.

Ne regarde pas en arrière. Ne regarde pas vers le bas.

— Tu ne souffriras pas comme eux. En quelques secondes, tout sera terminé. Tu ne sentiras rien.

Elle ouvre la bouche pour supplier encore.

— Saute! aboie la voix. Finissons-en. Je ne vais pas attendre cent dix ans! Saute!

— Non. Pitié… je ne peux pas… balbutie-elle d'une voix étranglée.

Silence.

Elle ne perçoit pas un bruit, seulement le souffle léger de la brise froide qui agite les arbres.

Puis, dans son dos, un soupir excédé et menaçant.

— Très bien, Janey. Puisque tu ne veux pas sauter, c'est ta fille qui partira la première. Ça t'obligera à te bouger. Essaie d'arriver la première pour la rattraper, d'accord?

Elle tourne la tête alors qu'un rire cruel déchire ses tympans. Le sens de ces paroles traverse la brume qui enveloppe son cerveau et la frappe de plein fouet.

La panique la submerge quand elle voit à nouveau la main qui étreint le petit bras potelé de Schuyler : le bébé est suspendu par un bras au-dessus du vide.

Les vagissements de l'enfant se transforment en hurlements.

Jane doit lui sauver la vie.

Sauve Schuyler. Fais ton devoir. Tant pis. Ne laisse personne lui faire de mal...

— Je te donne une dernière chance, Janey, et puis je la lâche.

La voix est assez forte pour couvrir les cris terrifiés de l'enfant.

— Maaaan... maaaan !

Mon Dieu ! Ô mon Dieu !...

Ne regarde pas derrière toi. Ne regarde pas vers le bas.

— Schuyler...

Lançant vers le ciel une prière pour son enfant et pour son âme, Jane prend appui sur ses mains et se jette dans le vide.

Elle tombe...

Tombe.

Les images défilent dans sa tête, comme un film en accéléré.

La belle maison Tudor de ses parents, à Scarsdale...

Ses chevaux, sa maison de poupée et son lit à baldaquin...

Son papa, si beau, sort de sa Rolls dans la grande allée pour lui tendre les bras. Il la soulève et la fait voltiger dans les airs...

Owen, jeune, lui sourit dans son élégant costume tandis qu'elle remonte l'allée tapissée de fleurs de l'église presbytérienne de Richmond Street...

Leur maison victorienne de Harding Place avec ses six chambres, son grand garage pour abriter leurs trois voitures, les murs de la nursery qu'elle a peints elle-même à l'éponge, en jaune pâle parce qu'ils ne savaient pas si elle attendait un garçon ou une fille...

Schuyler, à sa naissance, encore maculée de sang tiède et gigotant dans ses bras...

La dernière pensée de Jane Armstrong Kendall fut que la roue de la chance avait tourné... Puis son corps gracieux s'écrasa sur les rochers de l'Hudson.

Elle avait toujours su que cela ne pourrait pas durer éternellement.

Mercredi 10 octobre

1

— Les enfants, je vais m'habiller, j'en ai pour deux secondes, lance Tasha Banks par-dessus son épaule, ouvrant prestement la barrière de sécurité qui condamne le haut de l'escalier.

Hunter, âgé de six ans, est assis en tailleur devant la télévision, absorbé par un dessin animé. Ce n'est pas lui qui la préoccupe, mais Victoria, trois ans, pour l'instant très affairée à colorier sur la table : l'autre jour, Tasha l'a surprise en train de taper sur la tête de son frère Max.

— Maman, on joue ! Moi, je suis le marteau et lui, c'est le clou ! avait protesté Victoria tandis que Tasha se précipitait sur le bébé pour vérifier que le petit crâne tendre n'avait pas souffert.

Je peux les laisser seuls trois minutes, pas plus, songe-t-elle en s'arrêtant pour ramasser une chaussette sale dans l'entrée.

Hunter avait toujours été un enfant facile et accommodant, que son statut d'aîné n'avait jamais perturbé. Âgé d'à peine deux ans lorsque Victoria était née, il s'était montré très doux, et avait compris sans rechigner qu'il devrait désormais partager son père et sa mère avec sa sœur. Avec Max, il avait réagi de la même façon : si Tasha était occupée avec le bébé, il attendait sagement, en lisant ou en jouant avec ses cubes, que sa mère soit disponible pour lui.

Victoria, non.

Il était clair que l'arrivée de Max l'avait perturbée : le jour où sa mère était rentrée de l'hôpital, elle avait refusé de lui parler. Elle s'était un peu dégelée au cours des semaines qui avaient suivi, mais chaque fois que Tasha s'asseyait pour donner le sein au bébé, Victoria avait besoin de quelque chose.

Si sa mère la priait d'attendre, elle se mettait aussitôt à trépigner.

Pourtant, jusqu'alors, elle n'avait jamais dirigé sa colère sur son petit frère : c'étaient toujours Tasha et Joël qui en faisaient les frais. Le bébé, elle l'adorait.

Du moins c'était ce que croyait Tasha.

La semaine précédente, Victoria avait poussé Max contre l'angle d'une table basse. Bien entendu, clamant son innocence, la fillette avait juré qu'elle voulait seulement l'embrasser.

— Joël, elle m'a menti, raconta Tasha le soir à son mari, bouleversée par l'incident.

— Tu l'as punie ?

— Je lui ai confisqué sa cassette de Babar pour le reste de la semaine.

— Cruel et innovateur, approuva-t-il. Ça lui servira de leçon.

— Oh ! je ne crois pas qu'elle ait vraiment des remords. Je ne sais même pas si elle a compris qu'elle pouvait vraiment blesser Max.

— La jalousie entre frère et sœur est parfaitement normale, Tasha. Cela lui passera. Et puis Max a la caboche solide, il se jette lui-même la tête la première contre les murs, pour rire.

Quand Joël disparut dans le dressing pour y suspendre son costume, Tasha comprit que la discussion s'arrêterait là.

Elle était frustrée par cette habitude qu'avait récemment prise Joël de s'intéresser plutôt à son travail qu'à la vie de sa famille... mais peut-être n'était-ce qu'une impression. Depuis quelque temps, elle avait une fâcheuse tendance à monter en épingle des incidents sans importance.

C'est ce que lui avait d'ailleurs reproché Joël la veille, alors qu'elle lui rapportait son entretien avec une commerciale du câble concernant une erreur de deux dollars sur la dernière facture. Elle voulait écrire au directeur pour se plaindre de la façon dont on l'avait traitée.

— L'affaire est-elle réglée ? l'avait interrompue Joël.

— Oui, mais la question n'est pas là. Cette fille se comportait comme si je réclamais un passe-droit alors que c'était une erreur de leur part...

— Mais ils ont recrédité notre compte, n'est-ce pas ?

— Oui, mais...

— Alors laisse tomber.

C'est là qu'il avait remarqué que tout prenait pour elle des proportions démesurées depuis quelque temps.

Elle était immédiatement montée au créneau :

— Cite-moi un exemple.

Avec une désinvolture exaspérante, Joël lui avait rappelé que, chaque soir, désormais, il avait droit à un compte rendu des catastrophes de la journée, bêtises des enfants et réparations à faire d'urgence.

— Tu sais, Tash, je ne suis jamais là avant 20 heures, et la plupart du temps je suis claqué quand je rentre. Après ma journée de travail, je dois filer à Grand Central pour me coltiner encore une heure de train...

— Et moi, je ne suis pas fatiguée, peut-être !
avait-elle riposté. Tu crois que c'est reposant de
passer la journée à s'occuper des enfants ?

Leur dispute avait été interrompue par l'arrivée
de Victoria, qui prétendait qu'un monstre violet
avec de grandes dents s'était caché dans son placard. Une fois la fillette recouchée, Tasha avait à
peine eu le temps de mettre Hunter au lit et de
revenir au salon, que Joël ronflait déjà devant un
match de base-ball.

Fuyant ces sombres ruminations, elle se précipite dans la chambre et fait la grimace en s'apercevant que le lit n'est même pas fait et que règne une
franche pagaille. Ce matin, elle n'a eu que le temps
de passer sous la douche avant le réveil des enfants.

Joël pourrait bien faire leur lit de temps en
temps… Mais non, un lit défait ne semble pas le
troubler le moins du monde.

Tasha allume la télévision pour entendre la
météo : aujourd'hui, elle a l'intention d'emmener
Max et Victoria jouer au jardin public de High
Ridge Park après avoir déposé Hunter à l'école.

En attendant que ça commence, Tasha coupe le
son pour écouter ce qui se passe en bas : seul
résonne le faible ronronnement du dessin animé de
Hunter. Lorsqu'elle est montée, Tasha a laissé Max
assis dans sa chaise d'éveil et Victoria installée à
une petite table, à l'autre bout de la pièce.

Et la fillette avait décidé d'aller titiller son petit
frère ? Hunter se débrouille généralement assez
bien pour les surveiller, mais pas avec la télévision
allumée.

Tasha tapote les oreillers en forme de cœurs
avant de les reposer sur le lit pour courir se pencher au-dessus de la barrière.

— Tout va bien, les enfants ?

Silence absolu.

— Hunter ?

— Oui, maman ?

— Tout va bien ?

— Ouais.

— Que fait Max ?

— Il mange son hochet.

— Et Victoria ?

— Elle colorie.

— Bon, je descends dans une minute. Ne quitte pas ton poste, mon gars !

— Quel poste ?

Tasha sourit : Hunter prend toujours tout au pied de la lettre.

— Garde un œil sur les enfants, Hunter, s'il te plaît !

Elle se rue à nouveau dans la chambre et ramasse le pantalon de pyjama et le tee-shirt de Joël pour les jeter dans le panier à linge, qui déborde déjà. Elle comptait faire des machines, hier, mais la journée a filé sans lui laisser le temps d'accomplir la moitié de ce qu'elle avait projeté de faire. Comme d'habitude...

De retour dans la chambre, elle ouvre le store pour regarder le ciel d'un gris laiteux. On se croirait en mars plutôt qu'au mois d'octobre.

La fenêtre donne sur un grand jardin bordé d'une haie de rhododendrons ravagée par les daims, qui sortent volontiers des bois longeant le fond de leur propriété. De son poste d'observation, Tasha embrasse du regard les taches de couleurs vives formées par les chrysanthèmes en fleurs, le beau portique en bois qu'ils ont acheté pour les enfants quand Joël a eu sa promotion, et leur nouvelle Ford Expédition verte garée au bout de l'allée.

Au fond du jardin se trouve le potager. Il y a belle lurette que les daims ont dévoré les tomates et les haricots qui restaient, mais la reine du potager est toujours là : une énorme citrouille que les enfants ont fait pousser à partir d'une simple graine. Après l'avoir couvée pendant des mois, Tasha l'a protégée avec des filets, les enfants ayant l'intention de la présenter au concours de la plus belle citrouille du festival d'automne.

De la chambre, on voit également deux maisons à travers les arbres, de type colonial comme la leur : celle des Martin, leurs voisins, et celle des Leiberman, de l'autre côté de la rue, toutes deux blanches avec des volets noirs. La propriété des Banks, en revanche, est blanche avec des volets verts, une « originalité » qui les a beaucoup fait rire lorsqu'ils ont acheté la maison, deux ans auparavant.

Se détournant de la fenêtre, Tasha repensa avec émotion aux taquineries de son mari, qui la faisaient tellement rire au début de leur mariage... Mais ces derniers temps, Joël se montrait toujours distant, préoccupé par son travail... Et elle-même était si...

Quoi ?

Débordée ?

Bien sûr, trois enfants savent comment s'y prendre pour vous occuper. Mais il n'y a pas que ça... Non, elle n'est pas seulement occupée. Plutôt agitée... incapable de se poser.

Poussant un soupir, elle jette un coup d'œil aux prévisions météorologiques : le soleil fera son apparition dans la matinée et la température maximale tournera autour de quinze degrés. Rien de formidable, mais ça n'est pas trop mal pour un mois d'octobre dans le nord-est des États-Unis.

Tasha sort un jean qu'elle n'a pas mis depuis longtemps et l'enfile en fronçant les sourcils : la fermeture Éclair coince. Voilà bientôt un an que Max est né. Dans quelques semaines, son ventre devrait redevenir plat, d'après ses calculs.

Avec Hunter, elle a pris quinze kilos et retrouvé son poids normal six mois après l'accouchement. Pour Victoria, elle a pris vingt kilos et il lui a fallu près d'un an pour les perdre. Pourtant, même à l'époque, elle rentrait toujours dans son vieux jean et dans ses petites robes d'été bien ajustées, même si rien ne lui allait exactement comme avant.

Cette fois, elle a pris vingt-deux kilos et doit encore en perdre une dizaine. Oh ! elle ne s'est pas vraiment mise au régime ! Avec trois gosses, comment trouver le temps de faire du sport ?

Et puis, de toute façon, les fois précédentes, les kilos sont partis d'eux-mêmes.

À la naissance de Hunter, ils vivaient en ville et elle marchait beaucoup : tous les matins, elle se rendait à pied à la maison d'éditions pour laquelle elle dirigeait une collection. Et elle avait tellement de travail qu'elle se contentait d'une banane ou d'un yaourt pour le déjeuner.

Quand Victoria s'était annoncée, ils avaient déménagé ici, à Townsend Heights. Cette fois, elle n'avait pas repris son travail. C'était irréaliste : son salaire aurait été englouti par les frais d'une garderie. Joël, qui grimpait régulièrement les échelons dans sa compagnie, réussirait rapidement à compenser le manque à gagner.

C'est ainsi qu'elle était devenue mère au foyer. Un choix qui lui convenait parfaitement.

Elle était heureuse alors, ne voyant pas le temps passer, comblée par le bébé, son jeune fils qui commençait à marcher et l'organisation de la maison.

Elle avait d'abord eu l'impression de vivre dans un manoir puis s'était habituée et avait fini par trouver cela normal. D'autant qu'elle avait toujours vécu dans des demeures spacieuses et richement décorées.

L'arrangement de la maison coloniale des Banks est presque le même que celui des autres propriétés de Orchard Lane. Tout est rectangulaire : les pièces, les fenêtres et les portes. Au rez-de-chaussée, la porte d'entrée donne sur un hall dallé qui dessert un salon à droite et une salle à manger à gauche, tandis que la cuisine et la salle de séjour occupent tout l'arrière de la maison. Au premier étage, trois petites chambres, une buanderie et une salle de bains donnent sur un petit couloir de l'autre côté duquel se trouve la chambre de maître, avec sa salle de bains attenante.

Rien à voir avec la propriété dans laquelle Tasha a grandi : la maison de Townsend Heights n'a aucune originalité. Mais la jeune femme a fait de son mieux pour lui donner une âme, tapissant les murs, repeignant les pièces et brodant des rideaux colorés pour les chambres des enfants.

Comme elle avait apprécié cette période de sa vie ! Elle était si heureuse de s'affairer dans son nid douillet et de s'occuper de ses enfants plutôt que de faire la navette entre la ville et la banlieue... Elle avait tout abandonné de bon cœur.

Mais aujourd'hui...

Aujourd'hui, elle se demande si elle n'a pas commis une erreur. Était-ce vraiment si atroce de s'habiller le matin, de se maquiller et de se coiffer pour courir prendre un train qui vous dépose en ville ? Dans le train, elle pouvait lire le journal et siroter un petit café sans être constamment interrompue...

L'herbe est toujours plus verte ailleurs, Tash.

C'est ce que lui avait répondu Joël quand elle avait commis l'erreur de se demander à voix haute si elle ne devait pas retravailler.

— Tu n'as pas besoin de t'y remettre tout de suite, Tasha. Crois-moi, tu as de la chance de ne pas avoir à te soucier d'une carrière.

— Oui, Joël, mais je...

— Écoute, moi je t'envie. Je donnerai tout pour rester à la maison au lieu de courir à Manhattan dans ce stress.

Le stress. Il n'avait que ce mot à la bouche.

À l'époque où il avait commencé à travailler dans son agence de publicité, il n'était que coordinateur des comptes. Il avait gravi les échelons pour devenir cadre, puis responsable des comptes. Au printemps dernier, on l'avait nommé vice-président et il avait récupéré quelques clients : depuis ce jour, il était submergé de travail. Il passait son temps à lui expliquer qu'il devait justifier la grosse augmentation qu'on lui avait accordée.

Il voyageait aussi davantage. Le week-end dernier, il était parti à Chicago le dimanche pour assister à une réunion le lundi matin. Tasha avait toujours eu horreur qu'il parte ainsi, n'aimant pas passer la nuit sans lui. Joël prétendait que c'était parce qu'elle n'avait jamais vécu seule : elle avait quitté le toit familial pour le collège, où elle partageait sa chambre avec une amie, puis avait habité un studio à Manhattan avec trois autres filles. Comme toutes débutaient dans l'édition, elles n'avaient pas eu le choix, et puis ça n'était pas désagréable, après tout : il y avait toujours quelqu'un à la maison si on avait envie de bavarder. Et surtout on n'était jamais seul, la nuit.

Quand Tasha avait rencontré Joël, dans un pub, il lui avait fait le baratin habituel : les filles bien ne rencontrent jamais personne dans les bars etc. Il était avec un groupe d'amis, tous mignons, célibataires, bien sapés et travaillant dans la publicité. Elle était accompagnée par ses copines, de jolies filles travaillant dans l'édition. Elles portaient des colliers de perles ou étaient ornées de triple piercing : l'édition est un milieu finalement assez éclectique…

Ça n'avait pas été le coup de foudre. À l'époque, il n'était même pas vraiment son type. Elle était plutôt attirée par des hommes moins conventionnels, plutôt le genre tignasse ébouriffée et passion artistique, musicien ou sculpteur. Mais elle avait remarqué Joël, plutôt beau gosse, pour son grand sens de l'humour, qui l'avait frappée ce premier soir quand ils avaient tous décidé d'aller danser dans un club en sortant du pub. Voilà pourquoi elle avait accepté de le revoir pour sortir avec lui. Elle était à cent lieues de se douter qu'elle lui plaisait, mais c'était tout Joël : il était d'une subtilité déconcertante.

Avec le temps, elle en est venue à se dire que c'est l'un de ses principaux défauts : comment savoir s'il est distant à cause de son travail ou parce que leur mariage prend l'eau ?

Quoi qu'il en soit, la maison des Banks est beaucoup moins gaie, depuis quelque temps.

Après avoir enfilé un sweat-shirt gris, Tasha secoue ses cheveux bruns encore humides, qui seraient plus beaux si elle avait le temps de les sécher… mais c'est impossible. C'est même miraculeux qu'elle trouve le temps de se doucher.

Cela fait une semaine qu'elle ne s'est pas épilé les jambes, et elle savoure sa chance quand elle arrive à se faire un soin démêlant après s'être lavé les cheveux. Alors, un brushing… Pas la peine de rêver.

Le téléphone se met soudain à sonner et elle jette un coup d'œil sur le réveil de la table de nuit. Ça ne peut pas être Joël, il doit encore être dans le train. Il a bien son portable mais il n'y a aucune raison qu'il appelle alors qu'il vient de partir.

Alors qui cela peut-il être ? Personne n'appelle jamais avant 9 heures. Attrapant le combiné, elle en profite pour enfiler une chaussure de tennis.

— Allô ?

— Tasha ?

— Rach ?

— Oui, c'est moi.

— Que se passe-t-il ?

La voix de son amie semble tendue. Tasha se raidit en regardant la maison de Rachel Leiberman.

— Tu as lu le journal ?

— Tu plaisantes ? Il doit encore être dehors. Jamais je ne peux le lire avant le déjeuner. Avec un peu de chance...

— Donc tu ne sais pas ?

— Je ne sais pas quoi ?

— Ils en parlent aussi à la télévision...

— Pourtant je l'ai regardée.

— Ils viennent d'en parler aux infos.

— Je ne les ai pas vues. Qu'y a-t-il ? Que s'est-il passé ?

— Tu connais Jane Kendall ?

— Jane Kendall...

Le nom lui dit vaguement quelque chose, mais elle ne parvient pas à le situer immédiatement. Soudain elle se souvient.

— Jane ? Du *Gymboree* ?

— Exactement.

— Que lui est-il arrivé ?

— Elle a disparu.

— Qu'est-ce que tu veux dire, elle a disparu ?

— Hier soir, elle est allée courir dans High Ridge Park et elle n'est jamais revenue. Je t'avais bien dit qu'elle devait faire quelque chose pour être aussi bien roulée, pas vrai ? Avec un bébé de huit mois, ça m'étonnait !

— Mais… *que s'est-il passé* ? l'interrompit Tasha en attrapant sa deuxième basket.

— Personne ne le sait. Elle est partie avec sa fille, qu'elle avait installée dans une poussette… et elle n'est jamais rentrée chez elle. Quelqu'un a trouvé… Attends une seconde. *Noah ! Enlève tes doigts de là ! Tu vas te faire électrocuter !* Pardon. Quelqu'un a trouvé le bébé abandonné dans le parc, tard dans la soirée.

— Mon Dieu !

— Comme tu dis.

— Et le mari ?

— Owen ? C'est lui qui a lancé les recherches.

— Tu le connais ?

— Qui ne le connaît pas ? Je t'avais dit qu'ils étaient mariés, tu ne te souviens pas ? Il fait partie de la famille Kendall, tu sais bien… les aspirateurs Kendall…

Non, Tasha ne sait pas : elle est novice dans ce milieu huppé, contrairement à Rachel, qui a grandi à Westchester.

— Bref, les Kendall sont pleins aux as. Elle, c'est une Armstrong.

— Qui ça, Jane ? suppose Tasha, habituée aux coq-à-l'âne de Rachel.

— Ouais. Les Armstrong sont un peu les fondateurs de Scarsdale. Une vieille famille, avec beaucoup d'argent. Pas des nouveaux riches comme toi ou moi.

— Parle pour toi, Rach, l'interrompt Tasha avec ironie. Nous ne sommes toujours pas riches.

— Mais je croyais que Joël avait eu une promotion.

— Ouais, mais nous avons aussi un crédit sur le dos pour notre nouvelle voiture. Et il a fallu refaire la toiture et changer la chaudière…

— D'accord, c'est bon, vous êtes fauchés. Nous le sommes tous, d'ailleurs, comparés aux Armstrong ou aux Kendall. Les deux familles sont richissimes. Voilà pourquoi cette disparition fait tant de bruit.

— Tu crois qu'elle a été kidnappée pour une histoire de rançon ?

L'idée la trouble : cela arrive-t-il vraiment dans la réalité ?

— Personne ne le sait. Ça fait tellement « polar », tu ne trouves pas ? Ils ont offert une récompense d'un million de dollars à qui… ne quitte pas. *Mara ! Lâche son nez tout de suite ! Tu ne vois donc pas que tu lui fais mal ?*

— Écoute, Rachel, je te rappelle plus tard, se dépêche de dire Tasha en pensant à ses enfants laissés sans surveillance. Je suis dans ma chambre sur le fixe et c'est anormalement calme en bas.

— Vas-y, approuve Rachel, qui partage son anxiété de mère. On se rappelle plus tard.

Tasha raccroche, éteint le poste et se précipite dans l'escalier.

Elle a connu Jane Kendall peu après le Labor Day, quand Rachel et elle ont commencé à se rendre deux fois par semaine aux séances du *Gymboree*, non loin de chez elles. Le but de ces rencontres est théoriquement de réunir des enfants tout en permettant à leurs mères de lier connaissance, mais Tasha a plutôt l'impression que ces dernières sont plus affamées de rencontres que leurs enfants. Les deux amies avaient sympathisé avec plusieurs femmes du groupe, et une poignée d'entre elles avait pris l'habitude de se réunir ensuite autour d'un café chez *Starbucks*.

Jane Kendall venait de temps en temps. Souriante mais guère bavarde, elle se contentait de s'asseoir dans un coin, sa petite fille sur les genoux, pour boire un cappuccino.

Dire que... Mon Dieu. Qu'a-t-il bien pu lui arriver ?

Elle est peut-être tombée et s'est assommée, ou alors elle s'est blessée en courant, songe Tasha dans un élan d'optimisme. Elle a peut-être repris connaissance ce matin et on l'a déjà retrouvée.

Mais non, réalise-t-elle avec un frisson, les choses ne sont pas aussi simples. Elle a vu trop de films, lu trop de journaux pour croire que des femmes comme Jane Kendall, ravissantes et privilégiées, savourant un bonheur apparemment idyllique avec leur mari et leurs enfants, disparaissent simplement, comme ça. Quand elles s'évanouissent dans la nature, c'est pour toujours. Il était forcément arrivé quelque chose à Jane Kendall.

Quelque chose d'affreux.

Mais... à Townsend Heights, cette petite ville si tranquille ?

Parfois, cette petite bourgade à la fois démodée et chic lui fait l'effet d'un îlot de paix épargné par les dures réalités de la ville.

Ici, comme le leur avait assuré l'agent immobilier, on pouvait sans crainte laisser sa porte ouverte. Personne ne le faisait, mais ce serait possible. À Townsend Heights, les commerçants vous connaissent par votre nom, les lycéens vous tiennent la porte pour vous laisser passer et les enfants jouent à chat à la tombée de la nuit, courant dans des allées bordées d'arbres et de maisons individuelles habitées par des familles normalement constituées d'un père et d'une mère.

Les Banks étaient tombés amoureux de ce charmant petit village dès qu'ils l'avaient vu. Comment ne pas succomber au charme de ces rues calmes et ombragées, bordées de jolies maisons victoriennes aux barrières pimpantes et aux jardins soignés ? Tasha tenait absolument à acheter l'une de ces maisons pittoresques, si semblables à celle où elle avait grandi, mais elle avait réalisé que ce genre de demeure valait près d'un million de dollars.

Ils avaient donc centré leurs recherches sur un quartier plus récent, possédant ce côté petite ville d'autrefois qu'ils apprécient tant, et où les petits commerces fleurissent : Tasha avait enfin trouvé un endroit où élever ses enfants comme elle l'avait été dans les années 1970. C'était l'objectif qu'elle et Joël s'étaient fixé quand ils avaient décidé de déménager.

Jamais elle n'oublierait le jour où ils avaient découvert Townsend Heights : ils s'étaient immédiatement sentis chez eux. Ils avaient loué une voiture et roulé depuis Manhattan en direction du nord pendant environ une heure. Ayant décidé de consacrer la journée à la recherche d'une maison, ils avaient laissé Hunter aux parents de Joël, à Brooklyn. Les beaux-parents de Tasha gardaient toujours avec plaisir leur petit-fils, qu'ils adoraient, mais cette fois-là, ils avaient fait tout un foin pour connaître l'heure exacte de leur retour et le but de leur voyage.

— Habiter à Westchester ? Si loin ? Pourquoi quitter la ville ? Si vous croyez que vous trouverez quelque chose à portée de votre bourse, là-bas !

Même quand ils eurent trouvé leur maison de Orchard Lane, dans une petite impasse bordée d'arbres non loin du centre-ville, les parents de Joël restèrent sur leur réserve.

— Ils sont tristes de nous voir partir si loin, expliqua leur fils à sa femme.

— De *vous* voir partir si loin, toi et Hunter, corrigea-t-elle. Moi, ils seraient bien contents de me savoir à l'autre bout du pays. Ils m'aideraient même à déménager !

— Ne sois pas ridicule, fit-il.

Il était toujours irrité lorsqu'elle déclarait que ses parents ne l'aimaient pas. Ce qui était pourtant la vérité. Jamais ils ne l'avaient aimée.

Au début, elle croyait que son seul tort était de ne pas être juive, ce qu'elle assumait pleinement.

Mais qu'ils ne l'aiment pas parce que… parce qu'elle leur déplaît, tout simplement, voilà qui est plus difficile à avaler.

— Allons bon… Qu'est-ce qui te fait dire qu'ils ne t'aiment pas ? lui avait demandé Joël il y a bien longtemps, à l'époque où il acceptait encore de discuter de ses parents.

— C'est ta sœur qui me l'a dit.

Il avait fait un geste désinvolte de la main.

— N'écoute pas ce que raconte Debbie, elle adore semer la zizanie.

— Elle sait parfaitement ce qu'elle dit. C'est leur fille ! En plus, elle vit chez eux. D'ailleurs, elle m'a dit que ça n'avait rien à voir avec ma religion. Il paraît que la petite amie que tu avais au lycée, Heather Malloy, n'était pas juive non plus, mais qu'ils l'aimaient beaucoup.

— Heather Malloy ? Il esquissa un petit sourire – gêné ou nostalgique ? C'est faux, ils ne l'aimaient pas.

— Ce n'est pas ce que dit Debbie. C'est moi qu'ils n'apprécient pas, Joël.

— Tu te fais des idées.

Elle avait abandonné ce genre de conversations depuis longtemps. Ça ne rimait à rien. Soit Joël était aveugle, soit il préférait se défiler.

En bas de l'escalier, Tasha referme la barrière de sécurité derrière elle avant de regarder par la petite fenêtre à côté de la porte d'entrée. Elle aperçoit son journal dans l'allée, dans son sac en plastique jaune. Elle ne pourra le lire qu'une fois Hunter à l'école.

Passant la tête dans l'embrasure de la porte de la salle de séjour, elle se prépare au pire. Mais Max est toujours dans sa chaise d'éveil, devant la cheminée, mâchouillant un cube en plastique, tandis que Victoria s'applique à colorier, assise à l'autre bout de la pièce. Hunter, lui, a les yeux rivés sur l'écran de télévision.

— Coucou, les enfants ! s'exclame Tasha en s'approchant de Max, qui trépigne de joie et lui tend les bras.

Au dernier moment, elle se ravise et rejoint Victoria, au-dessus de laquelle elle se penche.

— Comme c'est beau, ma chérie ! Tu as colorié ça toute seule ?

— Mum… oui, déclare fièrement sa fille en lui tendant son dessin. J'ai même fait monsieur Sel et madame Poivre. Tu as vu de quelle couleur je les ai faits ?

— Bleus.

— C'est ma couleur préférée. Et toi, maman, c'est quoi ta couleur préférée ?

— Le vert, répond distraitement Tasha en lui caressant les cheveux.

Elle pense à Jane Kendall.

— Vert ? répète Victoria, visiblement horrifiée. Mais, maman, hier tu m'as dit que c'était le rouge !

— Oh ! tu as raison, c'est le rouge ! J'ai dû oublier.

— Quelle étourdie, cette maman !

— Je sais, chérie. Maintenant, pose tes crayons de couleur. Hunter, c'est l'heure d'aller à l'école.

— Non, se met à crier Victoria, tandis que Hunter éteint docilement la télévision.

— Victoria, pose tes crayons tout de suite. Toi, Hunter va chercher tes chaussures.

— Je ne peux pas colorier encore cinq minutes ?

— Une minute, accorde Tasha par faiblesse.

Victoria, toute joyeuse, s'empare de son crayon bleu.

Est-ce que je lui cède pour compenser le fait qu'elle soit coincée entre deux garçons ? Les manuels sur l'éducation prétendent qu'il ne faut jamais revenir sur un non avec les petits. Ils doivent comprendre qu'un non est un non.

Mais c'est parfois si difficile de dire non... Surtout quand cela déclenche immanquablement des caprices, que l'on est épuisée, que la journée promet d'être longue et qu'une femme que l'on connaît a mystérieusement disparu...

Tasha va retrouver Max pour le prendre dans ses bras. Elle essaie de le câliner, mais il gigote dans ses bras, tout heureux de la retrouver. Il est toujours comme ça : sa frimousse s'illumine dès qu'elle regarde dans sa direction.

Les bébés ont tellement besoin de leur maman. Pauvre petite Schuyler Kendall ! Où donc est sa maman ? Qui sait si elle reviendra ?

Jeremiah Gallagher accroche sa veste en jean dans le placard et l'admire un instant. Oncle Fletch le lui a acheté hier.

— Je me suis dit que tu avais besoin d'un nouveau blouson, Jerry, a-t-il déclaré en lui assenant une affectueuse bourrade sur l'épaule.

— Mais... J'ai déjà un blouson en jean, a rétorqué Jeremiah sans insister, car le cadeau lui plaît bien.

Il fait déjà un peu usé, et c'est visiblement une bonne marque, contrairement à celui qu'il porte actuellement, trop raide, trop foncé et trop bon marché.

Sa belle-mère le lui avait acheté juste avant sa mort. Ironie du sort, ce blouson qu'il n'aime pas est l'une des rares choses ayant survécu à l'incendie qui a coûté la vie à Melissa. Elle avait insisté pour que Jeremiah le portât, cette nuit-là.

Dommage qu'il n'ait pas brûlé avec elle! songea-t-il avant d'éprouver des remords. Mais c'était plus fort que lui : il n'aimait ni ce blouson ni Melissa.

Il n'y a plus de Melissa.

Et il est débarrassé de cet affreux vêtement. Grâce à oncle Fletch, qui a le don pour remarquer ce genre de détails, Jeremiah portera désormais un blouson qui ne fera pas tache au lycée de Townsend Heights.

Enfin, peut-être.

Oncle Fletch travaille sérieusement là-dessus : il a promis à Jeremiah de lui prendre un rendez-vous chez l'ophtalmologiste pour qu'il lui prescrive des lentilles. Il lui a aussi permis d'utiliser son matériel de sport quand il veut, dans l'espoir de faire de son neveu un sportif accompli, comme lui.

Comme si c'était possible…

Jeremiah a toujours eu du mal à croire que Fletch Gallagher et lui sont du même sang. Comment un grand binoclard veule et couvert d'acné peut-il posséder les mêmes gènes que le fameux Fletch Gallagher?

Le bel athlète musclé, ex-lanceur adulé des Indiens de Cleveland, est presque devenu une célébrité depuis qu'il travaille comme chroniqueur sportif pour les Mets de New York pendant la saison de base-ball.

Aidan, le père de Jeremiah, n'a pas la prestance de Fletch et ne jouit pas du même prestige, mais il possède une incontestable virilité, surtout quand il revêt son uniforme d'officier. Mais Jeremiah ne le voit pas souvent. En réalité, il ne le voit jamais : son père est en poste au Moyen-Orient depuis le dernier incident avec l'Irak, il est parti juste après la mort de Melissa.

Avant, papa était plus souvent à la maison. C'était d'ailleurs l'un des seuls aspects positifs de son remariage avec Melissa : celle-ci refusait de le suivre partout comme l'avait fait maman.

Quand sa mère était encore en vie, Jeremiah avait vécu sur des bases militaires du monde entier. Avec elle, chaque déménagement devenait une véritable aventure et elle savait transformer les affreux cubes de ces maisons de garnison en foyers chaleureux pour Jeremiah et son père.

Pas Melissa, qui refusait de quitter Townsend Heights. Pour rien au monde elle n'aurait obligé ses filles, Lily et Daisy, à sillonner le monde. Elles avaient déjà suffisamment souffert, expliquait-elle en faisant allusion au père des jumelles, qui les avait abandonnées pour une autre femme.

Plus il avait appris à connaître cette peste de Melissa, plus Jeremiah comprenait son ex-mari. C'était une enfant unique et capricieuse qui avait grandi dans le Connecticut. Jeremiah savait que ses parents – tous les deux morts au moment où son mariage avait capoté – n'étaient pas riches, mais ils n'avaient visiblement jamais rien su lui refuser – comme son père après eux, ce que Jeremiah ne parvenait pas à s'expliquer. Peut-être Melissa pouvait-elle n'en faire qu'à sa tête parce qu'elle était blonde et ravissante, le genre de fille que son père n'en revenait pas d'avoir décroché.

De l'avis de Jeremiah, c'était Melissa qui avait bien joué : larguée par son mari avec deux petites filles en bas âge, sans personne pour l'aider, elle avait gagné le gros lot, avec Aidan.

Après le mariage, ils s'étaient tous installés à Townsend Heights : Melissa, Jeremiah et les jumelles. Aidan revenait souvent, restant parfois longtemps. Jeremiah était prêt à faire des concessions avec sa belle-mère si cela lui permettait de voir davantage son père.

Et puis Melissa était morte, le conflit avec l'Irak avait éclaté et papa avait dû repartir. Du coup, Jeremiah, Daisy et Lily avaient été confiés à oncle Fletch et tante Sharon. Mais papa avait promis qu'il rentrerait vite et que, cette fois, ce serait pour de bon. Alors les choses se remettraient peut-être en place.

Mais à quelle place ?

Jeremiah tend la main vers l'étagère en haut de son casier pour fouiller le bazar qui y règne à la recherche de son cahier de chimie.

Quand la porte du casier voisin s'ouvre avec fracas, il se retourne vers Lacey Birnbach, qui enlève son blouson en cuir en papotant avec deux amies.

— Salut, balbutie Jeremiah d'une voix à peine audible.

Puis il toussote avant de faire une nouvelle tentative, émettant cette fois un son un peu plus fort.

Mais Lacey est tellement plongée dans sa discussion qu'elle ne prend même pas la peine de lui répondre. Bah ! Ça ne l'étonne pas. Elle fait partie de ces filles qui l'ignorent, à l'image de la quasi-totalité de la population féminine du lycée de Townsend Heights, réalise-t-il, désabusé, avant de repartir à la recherche de son cahier.

— Alors comme ça, Peter est devenu célèbre ? demande l'une des amies de Lacey.

— Tu parles ! Il m'a dit qu'on le verrait au journal de 18 heures. Je vais appeler maman pour lui demander de l'enregistrer parce que j'ai une répétition tard ce soir.

— Oh! fais-m'en une copie! supplie l'autre fille. Il est tellement mignon... Peut-être qu'on va le remarquer et qu'il va devenir une star de la télé.

— Arrête, Alyssa! On va juste lui poser des questions sur ce bébé qu'il a découvert sur la piste de jogging, fit Lacey en secouant ses cheveux noirs et brillants. Ça n'est quand même pas *Star Academy*! Et on ne peut pas dire qu'il a un profil de jeune premier. C'est pas vraiment son genre, d'ailleurs.

— Mouais. Mais il est drôlement chou! Je le trouve tellement sexy quand il porte ce survêtement gris moulant pendant les entraînements de foot. On voit la marque de...

Alyssa penche la tête et Jeremiah n'entend plus rien, jusqu'au moment où elles éclatent de rire en chœur.

Il se dandine, mal à l'aise, et repart à la recherche de son cahier.

Elles parlent de Peter Frost, forcément. Il fait partie de l'équipe de football du collège de Townsend Heights. Jeremiah l'a vu dans ce survêtement gris sur lequel elles fantasment. Lui, avec un truc comme ça, il aurait l'air ridicule. Mais Peter Frost est un oncle Fletch version ado. Il est beau, musclé, charmeur, et les filles sont dingues de lui.

Il y a pourtant une différence de taille entre Peter Frost et oncle Fletch : jamais Peter Frost n'essaierait d'aider Jeremiah. En réalité, il a plutôt tendance à faire exactement le contraire, le martyrisant dès que l'occasion s'en présente, se répandant en commentaires désobligeants sur son compte...

Les mâchoires serrées, Jeremiah trouve enfin son cahier et referme bruyamment la porte de son casier, faisant sursauter Lacey et ses amies.

— Heu… salut, dit Lacey d'un air dégagé. Eh ben, tu en fais du bruit !

— Pardon, s'excuse Jeremiah, qui se sent rougir.

Maudit bégaiement. Ça le reprend à chaque fois qu'il perd son sang-froid. Son père a eu beau se ruiner chez l'orthophoniste, il est toujours handicapé.

— Dis…

Lacey s'interrompt : visiblement, elle a oublié son prénom. Puis elle reprend :

— Tu as entendu parler de cette femme qui a disparu dans le parc, la nuit dernière ?

— Ouais, j'ai vvu ça à la ttélé ce matin, bredouille Jeremiah en faisant un effort surhumain pour reprendre son calme et dominer son bégaiement.

Il a du mal à réaliser que Lacey Birnbach est en train de lui parler, à *lui*, même si elle ignore totalement qui il est.

— Eh bien, devine qui a retrouvé son bébé abandonné dans le parc ?

Jeremiah hausse les épaules. Pour rien au monde il n'avouerait qu'il a déjà entendu la réponse.

— Peter Frost. Tu te rends compte ? Il était en train de faire son jogging et il est tombé sur le bébé qui hurlait dans sa poussette. C'est le héros du jour.

— Wouah ! fait Jeremiah, pas très convaincu.

L'attention de Lacey se reporte à nouveau sur ses amies. On le congédie.

Jeremiah fait demi-tour pour rejoindre la foule des élèves dans le couloir, regrettant que ce ne soit pas Peter Frost qui ait disparu, la nuit dernière, dans High Ridge Park.

— Je me disais bien qu'on allait se rencontrer !

Paula Bailey se retourne pour se trouver nez à nez avec un visage familier qui lui sourit sous la visière d'une casquette des Yankees.

— Oh ! salut, Georges !

Ses yeux reviennent instantanément se poser sur le manoir en brique de style victorien, derrière la grille en fer forgé.

— Ça fait longtemps que tu couvres ce genre d'événements ?

— Qu'est-ce que tu crois ? Que je m'occupe seulement de la rubrique des chats écrasés ? rétorque Paula, faisant un effort pour prendre un ton dégagé.

Elle a du mal avec ce genre de type.

Nom d'un chien, j'ai envie d'une cigarette !

Elle était en première année de fac avec Georges DeFand, et comme lui s'était inscrite à tous les cours relatifs à la communication. Mais au bout de deux ans, il était parti à Columbia tandis qu'elle laissait tomber les études, engrossée par son petit copain.

Aujourd'hui, Georges est confortablement installé à Rye, marié à une actrice et journaliste pour le *New York Post*, alors que Paula est mère célibataire, habite un F1 et travaille pour *La Gazette de Townsend*, l'hebdomadaire local.

Bah ! se console-t-elle. Le *Post* n'est qu'une feuille de chou minable, ce n'est pas comme s'il était au *New York Times*. Néanmoins, elle ne peut s'empêcher d'admirer la veste de Georges, qui doit valoir au moins deux cents dollars.

Et alors ? Après tout, elle porte un tailleur griffé. Certes, elle l'a acheté dans un dépôt-vente de Mount Kisco, mais la veste en tweed et la longue jupe assortie ont l'air quasiment neuves. Et ses souliers le sont, qui ont l'air beaucoup plus chers qu'elle ne les a payés. Elle a noué ses cheveux auburn en catogan, pour faire plus professionnel, et s'est soigneusement maquillée. On lui a déjà dit qu'elle ressemblait à Loïs Lane en plus jeune. Elle fait bien meilleur effet que tous ces journalistes en jean qui s'affairent autour d'elle, comme Georges.

Ils se sont croisés de temps à autre au cours de ces dernières années. Chaque fois, Georges lui rappelait le papier extraordinaire qu'il avait pondu sur une affaire dans le Bronx où un policier avait trouvé la mort, quelques années auparavant. Un scandale s'était ensuivi car il avait découvert que c'était un autre policier – et non le trafiquant mis en cause – qui avait tiré le coup de feu fatal, délibérément.

Elle ne se sent pas d'humeur à écouter encore une fois ce récit. Heureusement pour elle, il extrait de sa poche un microscopique Motorola et décroche en prenant un air important.

— DeFand à l'appareil.

Paula se fait une joie de l'abandonner à sa conversation pour se frayer un chemin à travers la foule des journalistes agglutinés devant les grilles de la propriété des Kendall.

L'énorme bâtiment de brique rouge se dresse sur un terrain formant un angle entièrement clôturé. On voit seulement l'arrière de la demeure et la pente du jardin qui donne sur la forêt. Jane avait un jour raconté à Paula que la maison faisait jadis partie d'un vaste domaine appartenant à Henri DeGolier, un richissime négociant qui vivait à la fin du siècle dernier. Le reste de la propriété avait été loti depuis longtemps, et les anciennes dépendances recouvertes par la forêt ou démolies pour construire les autres maisons de la rue.

Paula est sur les lieux depuis que le mari de Jane a annoncé la disparition de sa femme, la nuit dernière. Elle a déposé Mitch chez son ami Blake et s'est ruée sur les lieux dans l'espoir d'obtenir avant tout le monde un entretien avec l'un des membres de la famille ou un domestique.

Les autres journalistes se sont eux aussi précipités dès que la nouvelle s'est répandue et, depuis l'aube, c'est la cohue : techniciens armés de caméras, camionnettes reliées à des satellites et journalistes brandissant leurs micros à l'affût du moindre renseignement. Les policiers font de leur mieux pour contrôler la situation. Mais personne n'a encore aperçu Owen Kendall, qui s'est visiblement enfermé chez lui avec sa fille.

Comme elle vit à Townsend Heights et qu'elle connaît de vue la plupart des gens qui habitent la ville, Paula a un net avantage sur les autres journalistes : elle a d'ailleurs été la seule à reconnaître Minerva Fuentes, la fidèle femme de ménage des Kendall, quand celle-ci a traversé la rue pour franchir les grilles, une heure plus tôt. Elle a bien entendu foncé pour intercepter cette femme, qu'elle avait croisée un jour brièvement alors qu'elle interviewait Jane sur un gala de charité qu'elle présidait, mais Minerva ne l'a pas reconnue. Visiblement troublée par la foule, elle a repoussé Paula avant qu'un officier de police n'intervienne pour l'escorter jusqu'à la porte d'entrée tandis que la horde de reporters la pressait de questions.

Peu de temps après, une limousine noire et rutilante est arrivée. Les grilles se sont instantanément ouvertes. Le bruit courait qu'il s'agissait des parents d'Owen, Henry et Louisa Kendall.

À présent, Paula scrute la foule et la rue devant elle dans l'espoir de reconnaître un visage familier pour recueillir une déclaration.

Elle en voit quelques-uns, mais ce ne sont que des badauds, pas des voisins. Il est hors de question que l'un des résidents huppés de Harding Place vienne se mêler à la foule. Non, ils doivent probablement être scotchés à leur écran de télévision, terrés dans leurs richissimes propriétés. Peut-être se risquent-ils quand même de temps en temps à lancer un regard furtif sur le remue-ménage qui règne dans la rue.

Il est bientôt 10 heures. Paula ne peut pas s'attarder. Contrairement à la plupart des journalistes ici présents, elle n'est pas obligée de pondre un article par jour, son journal n'étant qu'un hebdomadaire, mais elle a rendez-vous avec la maîtresse de Mitch, qui est en CM1.

Depuis le début de l'année scolaire, elle a eu Mlle Bright au téléphone à plusieurs reprises au sujet de la conduite de son fils. Il a apparemment refait des siennes et ses notes dégringolent : Mlle Bright a décrété qu'elle ne pouvait pas attendre la réunion parents-professeurs et exigé un rendez-vous en tête à tête.

J'avais pourtant prévenu Mitch, la dernière fois. Ne lui avait-elle pas expliqué que sa mauvaise conduite donnait une piètre image de ses talents d'éducatrice ? Si tous les autres enfants de la classe, qui appartiennent à des familles aisées, avec un père et une mère, se tiennent correctement et décrochent de bonnes notes, les membres de l'équipe pédagogique vont forcément rejeter le blâme sur la mère de Mitch, trop accaparée par son travail pour s'occuper de son fils. Et ils vont prétendre que son père lui manque.

Paula sait que son fils parle de son père à qui veut l'entendre : Mitch se refuse à admettre que ce dernier n'est qu'un salaud, et il l'idéalise absurdement.

Maudit Frank Ferrante.

Frank. L'homme qui l'a séduite avec ses airs de beau ténébreux, ses belles paroles, qui savait exactement comment la prendre.

L'homme qui a démoli ses rêves en lui faisant un enfant.

L'homme qui l'a ensuite abandonnée... moralement, d'abord, quand elle a fait une fausse couche, puis au sens propre du terme, lorsqu'il l'a quittée, enceinte, lui laissant une pile de factures à payer et un compte en banque dans le rouge. Parti un beau matin pour ne plus jamais revenir.

Bien entendu, elle l'a laissé partir, elle ne l'aimait plus. D'ailleurs, l'avait-elle jamais aimé ?

Mais elle n'était pas de celles qui pardonnent, qui oublient. Ce n'était peut-être pas seulement pour l'argent qu'elle avait retrouvé Frank et qu'elle lui avait demandé une pension.

Elle ne s'attendait pas que le juge lui ordonne de payer pour toutes les années qui s'étaient écoulées depuis qu'il l'avait quittée, sans compter les versements mensuels à partir de la date du jugement. Pas plus qu'elle n'avait imaginé qu'il exigerait un droit de visite sur son fils.

Or Frank, qui à l'époque où Paula l'avait connu n'était qu'un rêveur et un intrigant, avait réussi à monter une petite affaire qui prospérait. L'argent pour lui n'était plus un problème, et il lui versait donc une pension. Mais il avait obtenu de prendre Mitch chez lui tous les week-ends, qu'il passait généralement dans sa maison de Long Island en compagnie de Shawna, sa femme. Une blonde, bien entendu. Frank avait toujours adoré les blondes.

Jamais, même dans ses prévisions les plus pessimistes, Paula n'aurait cru que Frank gagnerait l'affection et l'admiration de Mitch et la menacerait de lui enlever la garde de l'enfant.

— Paula, ce serait plus simple pour tout le monde si tu le laissais s'installer à la maison, avait-il eu le culot de lui dire la première fois qu'il avait abordé le sujet, six mois auparavant.

— Pas pour tout le monde, Frank. Plus simple pour toi, c'est tout !

— Et pour Mitch. Je ne voudrais pas que cela vienne se régler devant les tribunaux. Ce serait plus facile aussi pour toi, Paula. Je sais très bien que tu rêves de devenir un vrai reporter au lieu de marner pour cette feuille de chou locale. Si tu ne t'étais pas retrouvée enceinte et dans l'obligation de m'épouser, tu serais partie à Syracuse pour y faire tes études de journalisme. À l'heure qu'il est, tu serais arrivée en haut de l'échelle. Jamais je n'ai connu une fille aussi avide de réussite. D'ailleurs, ton ambition a sans doute un peu déteint sur moi, avait-il ajouté.

Le salaud savait très bien qu'il faisait mouche.

Elle avait eu envie de lui sauter à la gorge, de hurler, de le griffer. Elle aurait voulu le rayer de la surface de la terre.

Mais elle avait gardé son sang-froid, se contentant de répondre calmement.

— Je ne regrette pas d'avoir abandonné mes études ni d'avoir eu Mitch. La seule chose que je regrette, Frank, c'est de t'avoir épousé. Mitch est ce que j'ai de plus cher au monde et je ne vois pas pourquoi il m'empêcherait de faire carrière.

— Moi, je veux bien, mais à ce rythme-là, tu vas mettre un certain temps à égaler Woodward ou Bernstein, ma cocotte, avait-il rétorqué avec un sourire narquois.

Elle ne sait pas ce qui l'avait le plus exaspérée : l'allusion aux deux fameux journalistes du Watergate, ses idoles, ou cette façon qu'il avait de l'appeler ma cocotte : c'était le surnom affectueux qu'il lui donnait à l'époque où elle ne connaissait pas la différence entre une lotion après rasage de bas étage et un parfum de haute couture.

L'ironie voulait qu'aujourd'hui où elle savait les distinguer, ce soit lui qui les porte.

Mais l'argent ne changeait pas l'homme. Il avait peut-être une belle maison et une femme blonde ravissante, mais c'était toujours un plouc. Jamais il n'obtiendrait la garde de Mitch.

Elle se fichait éperdument que Frank mène un train de vie que jamais elle ne pourrait offrir à Mitch. Et que cet idiot n'aille pas imaginer que sa larmoyante histoire puisse l'émouvoir : Shawna et lui avaient essayé en vain de concevoir avant qu'on ne découvre qu'elle ne pourrait sans doute jamais avoir d'enfants. Ce qui signifiait que Mitch serait le seul fils de Frank, du moins s'il restait marié à Shawna – ce qui n'était pas garanti, compte tenu de ses antécédents.

— C'est mon fils unique, Frank, et je compte bien l'élever, avait décrété Paula avant de mettre son ex-mari à la porte.

Maintenant, il s'entête à réclamer la garde de l'enfant. Ce qui inquiète le plus Paula, c'est qu'on laisse le choix à Mitch – le juge chargé de leur dossier a apparemment l'habitude d'agir ainsi – et que son fils veuille vivre avec son père.

De toute façon, même si l'on ne demande pas son avis à Mitch, quel poids aura Paula contre son ex-mari, devant un juge ? Elle est seule et a du mal à joindre les deux bouts. Mitch dort sur un vieux clic-clac dans un microscopique F1 situé dans l'un des rares HLM de Townsend Heights, tout près du centre-ville. Elle n'est jamais chez elle et il travaille mal à l'école : il est souvent en retenue et ramène continuellement des mots à la maison.

Avec Frank, Mitch aurait sa propre chambre dans

une belle maison située dans une résidence privée, il irait dans une école de luxe et vivrait avec un père P-DG d'une affaire prospère et une belle-mère constamment disponible pour lui.

Mais je suis sa mère, se persuade stoïquement Paula. *C'est tout ce qui compte, après tout.*

Elle s'éloigne à contrecœur de la maison des Kendall avec la certitude qu'il lui faut partir maintenant si elle veut être à l'heure à son rendez-vous. Elle aura également le temps de fumer une cigarette pendant le trajet.

Dans le comté de Westchester, la voiture est à peu près le seul endroit, avec son domicile, où un fumeur peut se laisser aller à son vice, par les temps qui courent. Partout ailleurs, il s'attire les foudres des non-fumeurs.

Un jour, je m'arrêterai, se promet Paula pour la énième fois.

Elle est presque arrivée au niveau de sa petite Honda bleue cabossée quand elle voit un taxi s'arrêter au coin de Harding Avenue pour déposer une femme. Se retournant instinctivement, elle aperçoit un visage pâle et sans attraits, qui lui paraît vaguement familier sans qu'elle puisse savoir pourquoi.

Mais elle se résout à monter dans sa voiture, laissant à regret l'inconnue s'éloigner vers Harding Place.

2

Son bébé calé sur la hanche, un gobelet de jus de pomme dans une main et Victoria dans l'autre, Tasha se fraie un chemin jusqu'à la petite table d'angle qu'a dégottée Rachel dans un *Starbucks* bondé.

— Enfin, te voilà ! s'exclame celle-ci en berçant Noah, son dernier-né de treize mois.

Rachel est éblouissante, comme toujours. Ses cheveux parfaitement teints sont coiffés à la dernière mode, son maquillage soigné et ses boucles d'oreilles griffées. Elle porte une chemise en lin beige bien repassée sur un jean qui moule ses hanches minces : ancienne styliste chez Saks, elle n'a pas perdu la main.

Cette classe caractérise la famille Leiberman tout entière... songe Tasha avec une pointe de jalousie. Plus brun que sa femme, Ben en est la réplique masculine : grand, beau et d'allure sportive, toujours vêtu impeccablement. Comme leurs deux enfants : des gravures de mode, même le bébé...

Tasha admire la ravissante barboteuse en coton imprimé qu'elle a vue l'autre jour dans la vitrine de Goody Gumdrops, *la* boutique de vêtements pour enfants. Elle avait envie de l'acheter pour Max, avant d'en connaître le prix : importée de France, elle valait presque cent dollars.

— Noah, regarde, voilà ton copain Max! s'exclame Rachel.

— Tu n'as pas amené Mara? demande Tasha en jetant un coup d'œil à Victoria, qui risque fort de piquer une crise quand elle remarquera l'absence de la fille de Rachel. Ne me dis pas que tu l'as encore laissée à la maison avec la nounou!

— Si seulement... Mais on ne trouve plus de nounou, de nos jours! Mme Tucelli s'est encore décommandée : aujourd'hui, ce sont ses calculs qui la font souffrir... Tu ne connaîtrais pas quelqu'un de bien pour garder les enfants?

— Si c'était le cas, je ne me trimballerais pas ces deux-là toute la journée! réplique Tasha en se laissant tomber sur une chaise.

— Il faut absolument que je trouve quelqu'un d'autre ou je vais devenir folle! soupire Rachel en tendant à Noah un morceau de beignet.

Tasha réprime l'envie de lever les yeux au ciel en entendant le ton désespéré de son amie : Rachel se comporte comme une enfant gâtée. Jamais elle n'a eu à gagner sa vie... Son boulot de styliste? De l'argent de poche : ses parents ont toujours payé le loyer de son appartement dans l'East Side. De toute façon, elle a très vite arrêté de travailler quand elle a rencontré Ben, pédiatre réputé. Les Leiberman ont une femme de ménage et une nounou à plein temps. Rachel passe ses journées à faire du shopping, à jouer au golf, à déjeuner avec ses amies et à voir du monde... Ses enfants, elle ne les voit qu'assez peu, finalement!

— Qu'as-tu fait de Mara? interroge à nouveau Tasha en voyant sur la table Clemmy, la poupée préférée de la fillette, affreuse avec son crâne chauve et ses pieds tout mâchouillés.

— Elle est aux toilettes avec Karen. Ah! c'était quand même plus simple quand elle avait des couches!

— Raconte ça à quelqu'un d'autre, proteste Tasha en installant une Victoria contrariée à côté d'elle.

Elle passe la main dans ses cheveux encore mouillés et réalise qu'elle doit être aussi moche que Clemmy...

— Alors, Victoria a fait, quand tu l'as mise sur le pot, hier? interroge Rachel.

— Rien du tout, soupire Tasha, peu désireuse de s'attarder sur le sujet. Karen est là? Je ne savais pas qu'elle venait.

— Je suis tombée sur elle chez le teinturier. Tom garde le bébé : il travaille chez lui, aujourd'hui.

Karen Wu habite dans la même rue qu'elles, avec son mari comptable et sa petite fille de neuf mois, Taylor. Pour l'instant en congé parental, la jeune Sino-Américaine enseigne les sciences sociales dans une école privée de Westchester. De temps en temps, elle retrouve Tasha et Rachel au *Gymboree*.

— Tu l'as prévenue, pour Jane Kendall? demande Tasha.

— Tu te moques de moi? Elle le savait déjà! On ne parle que de ça, aujourd'hui, tout le monde est au courant.

Sauf Joël. Tasha a essayé de l'appeler, mais elle a dû se résoudre à laisser un message sur son répondeur : «Joël, c'est moi. Rappelle-moi, j'ai quelque chose à te dire.»

Elle est volontairement restée vague, espérant qu'ainsi il rappellerait plus vite. Il consulte régulièrement sa boîte vocale, au cas où des clients chercheraient à le joindre. Joël la rappelle *toujours*, bien sûr... Même si cela peut parfois prendre un certain temps.

— Ce n'est pas que je ne veuille pas te parler, Tash, mais j'ai tellement à faire…

Quand elle se plaint qu'il ne la rappelle pas tout de suite, il semble laisser entendre qu'elle le dérange, qu'il a des choses plus importantes à régler, et elle en souffre. D'accord, peut-être lui arrive-t-il de téléphoner pour des broutilles, juste pour faire un petit coucou… Mais lui aussi avait cette habitude, avant sa promotion.

Quand Hunter était bébé et qu'elle était encore en congé de maternité, il téléphonait à tout bout de champ pour savoir comment ça allait. Certes, il faut reconnaître que parfois elle ne répondait pas, allant même jusqu'à décrocher le combiné pour ne pas être continuellement dérangée pendant la sieste du bébé. Mais, la plupart du temps, elle était ravie de bavarder un peu avec son mari.

D'ailleurs, à l'époque, quand elle appelait Joël au bureau, c'était toujours pour une bonne raison : pour s'assurer qu'il lui avait bien demandé de déposer son manteau au pressing ou pour savoir où il avait rangé le chéquier. Dans ce dernier cas, c'est rageant d'attendre des heures qu'il la rappelle.

— Si c'est une urgence, Tash, ou s'il y a un problème avec les enfants, appelle directement ma secrétaire et dis-lui d'aller me chercher. Si ça n'est pas grave, essaie de ne pas m'affoler pour rien. Dis-moi seulement ce dont il s'agit, et je te rappelle dès que je le peux.

Aujourd'hui, elle n'a rien voulu dire au téléphone : elle ne sait pas très bien ce dont elle a besoin. Veut-elle simplement le mettre au courant de la disparition de Jane Kendall ou bien entendre le son de sa voix pour être rassurée ? Pour se dire que, en définitive, Jane et elle n'ont pas grand-chose en commun, malgré les apparences.

C'est ainsi qu'elle a décidé de laisser un message évasif, dans l'espoir qu'il la rappellerait tout de suite, poussé par la curiosité… Mauvais calcul.

— Il a bien dit « *machiato* au caramel fouetté et… »

Tasha redescend sur terre et regarde en direction du bar, où le garçon vient de poser une tasse fumante couronnée de mousse en criant une phrase incompréhensible.

Rachel hausse les épaules.

— Je n'en ai pas la moindre idée. Je n'arrive jamais à comprendre ce qu'ils disent, ici. Va voir si c'est pour toi, je surveille Victoria.

— Où est Mara ? demande la fillette à Rachel tandis que Tasha rejoint le comptoir en souriant.

Dieu merci, Mara est là, comme elle l'avait promis à Victoria pour l'arracher à son dessin animé et la faire monter dans la voiture !

— C'est bien un *machiato* au caramel fouetté ? demande-t-elle au serveur qui, coiffé d'une queue-de-cheval et arborant un petit bouc, est occupé à réchauffer du lait dans une machine vrombissant comme un avion.

— C'est un *machiato* au caramel, répond-il en criant pour couvrir le bruit de la machine.

— Écrémé ?

— Non.

— Je l'avais demandé écrémé. Ce n'est pas le mien.

Il hausse les épaules.

— C'est le seul *machiato* qu'on m'ait demandé, dit-il. Vous en voulez un écrémé ? propose-t-il de mauvaise grâce.

— Oh ! ça ira, tant pis !

Tasha s'empare de la tasse pleine à ras bord et revient à leur table, oubliant pour cette fois son jean qui la serre : de telles préoccupations lui paraissent dérisoires, depuis la disparition de Jane.

Elle y a pensé toute la matinée. Du coup, elle n'a pu se résoudre à emmener les enfants jouer au parc. À la place, elle est allée faire quelques courses au supermarché, pour se retrouver plantée devant le rayon des journaux, déçue de constater que les manchettes du *New York Post* et du *Daily News* ne mentionnaient pas l'affaire Kendall. L'article en couverture du *Journal News* était sommaire et la *Townsend Gazette*, le journal local, n'était pas encore sorti.

Au rayon des laitages, elle a entendu deux femmes parler de la disparition puis, à la caisse, l'employée a abordé le sujet.

— Vous avez entendu parler de cette dame qui a disparu cette nuit, dans le parc ? lui a-t-elle demandé en rangeant ses achats dans des sacs.

Quand Tasha lui a dit qu'elle la connaissait vaguement, la femme l'a mitraillée de questions sur Jane Kendall. Questions auxquelles Tasha était bien en peine de répondre : elle ne savait presque rien de la jeune femme, en réalité, même si elles se retrouvaient fréquemment aux réunions du *Gymboree* et chez *Starbucks*.

Jane Kendall fait partie de ces gens qui semblent appartenir à un groupe tout en restant à part, délibérément ou non. Ce qui va sûrement de pair avec la fortune et l'éducation.

Tasha revient lentement vers la table.

— Alors, tu as du nouveau ? demande-t-elle en s'asseyant près de son amie.

Victoria est attablée devant un jus d'orange et Max tète son biberon, appuyé contre sa mère.

Rachel n'a même pas besoin de lui demander de quoi elle parle.

— Non, mais j'ai entendu dire que la police enquêtait sur un éventuel suicide.

— Un suicide ?

C'est plus fort qu'elle, elle ne peut associer à cet acte cette femme si belle, si charmante, si... Si parfaite, en un mot, qu'elle retrouvait aux rencontres du *Gymboree*.

— Pourquoi se serait-elle tuée ?

— Son père s'est suicidé.

— Comment le sais-tu ?

— C'est Ben qui me l'a dit au téléphone, ce matin. Il soigne le fils d'un des policiers.

— Et ce gamin a raconté à Ben que le père de Jane Kendall s'était suicidé ? demande Tasha, sceptique.

— Non, je crois que c'est la mère qui lui a rapporté ce que lui avait dit son mari. Ils doivent penser qu'elle s'est jetée dans le vide.

Tasha frémit en imaginant qu'on puisse se jeter de cette falaise abrupte qui se dresse au-dessus de l'Hudson.

Bien sûr, ce ne serait pas la première fois... Mais le plus souvent, il s'agissait d'adolescents en proie à des chagrins d'amour, ou de personnes mûres n'attendant plus rien de la vie... Pas d'une maman du quartier chic abandonnant son bébé dans le parc.

— Tu crois vraiment qu'elle aurait pu sauter ?

— Je suis convaincue du contraire ! intervient Karen Wu, surgissant à leur table accompagnée de Mara.

Le visage de Victoria s'illumine à la vue de son idole. Tasha lui permet de s'installer près de son amie, et les deux fillettes partagent une boîte de biscuits en forme d'animaux qu'elle sort de son sac.

Puis elle revient à ce que vient de lancer Karen.

— Qu'est-ce qui te fait dire ça ? J'ai lu quelque part que les enfants de parents suicidés ont plus de chances de suivre leur exemple que la moyenne.

— C'est exact. Mais je ne peux pas croire que Jane Kendall se soit tuée.

— Pourquoi pas ? persiste Rachel.

Karen secoue la tête. Ses longs cheveux noirs et brillants oscillent sur ses épaules tel un rideau soyeux avant de revenir en place.

— Je ne sais pas, une impression. Après tout, je la connaissais à peine... Et je ne suis pas vraiment qualifiée pour vous donner un avis professionnel.

— Je n'arrive pas à imaginer qu'on puisse se jeter du haut de ce mur pour mourir, commente Tasha, savourant avec délices les gouttes de caramel qui parsèment la mousse onctueuse de son café. Ça n'est tout de même pas courant qu'une fille comme Jane Kendall saute dans le fleuve. Elle s'est peut-être enfuie, suggère-t-elle sans y croire vraiment.

— Peut-être. La cousine de ma femme de ménage connaît celle des Kendall, reprend Rachel. Je pourrais peut-être en tirer quelques ragots. Si vous saviez tout ce que ces femmes racontent sur leurs employeurs... s'exclame-t-elle avant de se tourner vers Karen. À propos, j'ai besoin d'un coup de main jusqu'à ce que je trouve une nouvelle nounou. Je crois que je vais laisser tomber Mme Tucelli. Tu ne m'avais pas dit la semaine dernière que tu connaissais quelqu'un ?

Karen hoche la tête.

— Le neveu de Fletch et Sharon Gallagher.

Il vit chez eux, maintenant.

Fletch Gallagher.

En entendant ce nom, Tasha sent son estomac se contracter. Elle plonge sur Max qui tète encore son biberon, le lui enlève de la bouche et le prend dans ses bras.

Rachel hésite et fronce les sourcils.

— Un garçon ? Je ne sais pas si…

— Il a l'air gentil, Rachel, reprend Karen, qui est la voisine des Gallagher et semble savoir de quoi elle parle. Il a l'air très studieux et…

— Je vois qui c'est, l'interrompt Rachel. Sa mère est morte dans cet horrible incendie, en juillet dernier.

— Non, c'était en août, et il s'agissait en réalité de sa belle-mère, Melissa Gallagher.

— Ah ! je comprends maintenant ! fait Rachel.

— Quoi donc ? s'enquiert Karen.

— Pourquoi ce gamin est si ordinaire. Melissa Gallagher était une très jolie femme. Une blonde très bien roulée, vous vous souvenez d'elle ? Il ne pouvait pas être son fils, il est tellement terne.

Tasha lève les yeux au ciel.

— Tu es dure, Rach. Ce n'est qu'un gosse.

— Je sais, mais… laisse tomber. Allez, Karen, je t'écoute.

— Sharon et Fletch ont pris chez eux Jeremiah et ses demi-sœurs jusqu'au retour de leur père. Aidan est militaire et se trouve actuellement en mission outre-mer.

Tasha joue machinalement avec sa tasse de café pendant que Rachel et Karen parlent du neveu des Gallagher. Pour une fois, elle se réjouit de voir Victoria renverser son verre de jus d'orange, lui permettant d'interrompre pour de bon la conversation.

Aujourd'hui encore, elle n'aime pas beaucoup parler de Fletch Gallagher.

Même si personne ne sait ce qui s'est passé.

— Il faut que je rentre changer Victoria, dit Tasha à ses amies en essuyant avec une serviette en papier les éclaboussures de jus d'orange qui maculent la salopette rose de sa fille.

— Elle n'est pas si mouillée que ça, objecte Rachel. Ça va vite sécher.

— Je sais, mais… j'ai un tas de choses à faire, à la maison, répond Tasha en se levant. Je m'attaquais à une montagne de linge sale quand tu m'as appelée.

— Pffff… Du linge sale, soupire Rachel en plissant le nez avec dédain. Tu ne crois pas que tu es mieux ici, à papoter avec nous ?

Pas si vous parlez de Fletch Gallagher, songe Tasha en attrapant sa veste.

Margaret Armstrong dépose une tasse de thé brûlant devant son beau-frère en prenant soin de protéger d'un buvard le beau bureau en merisier.

Owen lève à peine les yeux, ignorant la tasse de thé, et marmonne un vague merci. La tête entre les mains et la mine sombre, il contemple fixement un cadre sur son bureau.

Margaret sait qu'il s'agit d'une photo de Jane. Le grand bureau d'Owen est rempli de photos de sa sœur, clichés de grands photographes comme simples instantanés.

Au-dessus de la cheminée, derrière le bureau, est suspendu un portrait à l'huile dans un superbe cadre doré : Owen, vêtu d'une jaquette, adresse un sourire rayonnant à sa jeune épouse, suprêmement élégante dans la robe en soie de leur mère. Elle aussi le regarde mais, pour la première fois, Margaret réalise que sa sœur n'irradie pas le même bonheur que son mari.

C'est tout Jane, songe-t-elle avec une bouffée de colère en se détournant du tableau. Inconsciente d'avoir dégotté le plus beau parti de la côte Est.

Sa sœur a toujours trouvé la dévotion d'Owen parfaitement naturelle, et ce depuis le premier jour où elle l'avait rencontré, des années auparavant, à la piscine du country club.

Jane n'avait que treize ans, à l'époque. Margaret, qui en avait dix-huit, s'était vu confier la garde de sa jeune sœur pendant que leur mère jouait au golf et que leur père était au bar. Ce qui signifiait qu'elle devait la regarder folâtrer dans un petit bikini turquoise qui lui allait si bien que tous les adolescents – et la plupart des hommes – la dévoraient des yeux.

Pendant que sa sœur flirtait, d'abord avec timidité puis avec un aplomb ahurissant, Margaret lisait à l'ombre d'une table, protégée par un peignoir en éponge qui dissimulait sa peau blanche et sa silhouette anguleuse, feignant d'être absorbée par un roman de Sartre.

En réalité, elle observait Jane pour comprendre comment elle faisait pour cueillir sans effort tout ce qu'elle-même essayait en vain d'obtenir.

C'est alors qu'il lui était apparu, jeune homme superbe et viril, avec ses larges épaules et ses cheveux blonds auréolés de lumière, évoluant avec souplesse sur la planche du grand plongeoir.

Margaret, fascinée, le regardait en se demandant ce qu'il attendait pour plonger – était-ce de l'appréhension ? Non, ce n'était pas l'impression qu'il donnait. Elle réalisa soudain qu'il... qu'il attendait quelque chose : il avait les yeux fixés sur l'eau, en contrebas, là où Jane batifolait entourée d'admirateurs, ses cheveux dorés ruisselant d'eau encadrant son visage pur et hâlé par le soleil.

Il attendait que Jane le regarde.

Finalement, comme si elle avait senti l'intensité de son regard, la jeune fille avait levé les yeux vers le garçon qui se trouvait sur le plongeoir.

Et lui, comprenant qu'il avait enfin réussi à capter son attention, avait exécuté un saut périlleux impeccable avant de plonger dans le bassin pour rejoindre Jane.

Margaret l'avait vu bavarder avec sa sœur, qui ne s'était pas offusquée quand ses autres soupirants s'étaient éloignés petit à petit pour les laisser seuls. Puis ils étaient sortis de la piscine pour se diriger vers le bar. Ils étaient passés devant Margaret. Jane lui avait fait un petit signe et le garçon lui avait jeté un coup d'œil. C'est alors qu'elle l'avait reconnu : c'était Owen Kendall, qui à dix-huit ans était l'héritier de l'une des plus grosses fortunes de Westchester. Comme elle, il venait de terminer ses études secondaires et étudiait désormais à Somerset Prep – elle-même avait intégré la Dover Academy, l'université jumelle réservée aux filles. Toutes les filles de Dover connaissaient le beau, le charmant, l'ineffable Owen Kendall, le prince charmant dont elles rêvaient toutes.

Il était donc écrit qu'il tomberait tout rôti dans le bec de Jane. Patient, Owen lui avait régulièrement rendu visite pendant toute sa scolarité à Yale. Et, le jour de ses dix-huit ans, il l'avait demandée en mariage.

Jamais, dans sa vie, Jane n'avait eu à se battre pour obtenir quelque chose. Elle ne connaissait pas l'envie, le désir...

Non, se morigéna Margaret. Pas maintenant. Ne la hais pas aujourd'hui. Concentre ton énergie sur Owen, il a besoin de toi.

C'était la raison pour laquelle elle était venue, abandonnant sans remords sa vie à Scarsdale et les journées oisives qu'elle occupait tant bien que mal en jardinant, en lisant et en regardant la télévision.

Rien ne la retenait, là-bas. Elle pouvait rester avec Owen et Schuyler aussi longtemps qu'ils auraient besoin d'elle.

Et ils avaient bel et bien besoin d'elle. C'était du moins ce dont elle essayait à tout prix de se convaincre.

Elle toussote.

Lorsqu'il relève la tête, ses yeux bleu pâle sont assombris par la souffrance.

— Je... je peux faire quelque chose pour toi ? balbutie Margaret, qui se sent rougir.

Soudain, le silence qui règne dans le bureau la pétrifie.

Il réfléchit longuement avant de répondre d'un ton morne.

— Non, rien du tout.

Margaret sait qu'elle ne lui inspire aucune animosité : il ne peut deviner son secret, ce désir caché et honteux qui la ronge. Et pourtant, sa réponse provoque en elle une bouffée d'angoisse.

Lui en veut-il ? Aurait-il deviné quelque chose ?

Elle s'oblige à conserver un ton calme pour déclarer :

— Je suis passée voir Schuyler dans sa chambre. Elle dort.

— Mes parents sont encore là ?

— Ta mère se repose en bas, elle a la migraine. Ton père est toujours au téléphone.

— Sans doute avec nos avocats, soupire Owen, accablé.

Margaret ne sait que dire. Les Kendall l'ont pour ainsi dire ignorée depuis son arrivée. Ils adorent Jane, bien sûr – tout le monde l'adore –, mais n'ont jamais beaucoup fréquenté sa famille.

Les Armstrong ne jouissaient pas de la notoriété des Kendall, mais ils fréquentaient le même milieu.

Jusqu'au jour où le père s'était tiré une balle dans la tête... Une nuit, sur un terrain de golf, l'été des dix-huit ans de Margaret. Ce même été durant lequel Owen était tombé amoureux de Jane.

La tragédie avait terni la réputation de la famille Armstrong, mais pas celle de Jane. Jane était au-dessus de cela. Elle survécut au scandale, conservant intacte sa dignité et troquant le nom désormais infamant d'Armstrong contre un autre, qui celui-là valait de l'or : Jane devint une Kendall et fut accueillie à bras ouverts, protégée des retombées désagréables provoquées par le retentissant suicide de son père.

La mère s'était remariée, avec un certain Teddy Wright-Douglas, un financier anglais vaguement apparenté à la famille royale.

Margaret est désormais la seule à porter le nom de son père. La seule à supporter le sulfureux héritage Armstrong...

Mais les choses vont peut-être changer, maintenant que Jane n'est plus là...

— Owen, déclare brusquement Margaret, peu désireuse de se laisser emporter par de telles pensées, tu ne veux pas que je te prépare quelque chose ? Tiens, pourquoi pas un peu de soupe ? Il faut que tu manges, tu n'as rien pris de la journée.

— Je n'ai pas faim, souffle-t-il d'un ton las en se massant les tempes.

— Mais Owen, si tu ne te nourris pas...

— Ça ira, merci bien, coupe-t-il.

Tandis qu'elle cherche désespérément à prolonger la conversation, il ajoute :

— Margaret, pour l'instant, tout ce que je veux, c'est qu'on me laisse tranquille.

Blessée, mais refusant de le lui montrer, elle hoche la tête et quitte la pièce.

Une fois dans le couloir, elle referme doucement la porte avant de s'immobiliser, la main sur la poignée, sans trop savoir où aller.

Sa nièce, Schuyler, dort au deuxième étage, dans son berceau. Sa mère arrive ce soir. Margaret, qui n'a pas envie d'aller la chercher à l'aéroport, a déjà réservé un taxi. Si elle ne se réjouit jamais à l'idée de voir sa mère, aujourd'hui, elle redoute sa venue.

La maison est suffisamment grande pour qu'elle puisse éviter les parents d'Owen, la femme de ménage et les détectives. Elle aussi a envie d'être seule.

Au bout d'un moment, empruntant l'escalier de service qui monte au deuxième étage, elle se rend dans la chambre de sa sœur et de son beau-frère. Elle n'a rien à y faire, mais se faufile quand même dans l'immense pièce aux petits recoins chaleureux.

Elle embrasse du regard le luxueux papier peint, les splendides rideaux pourpres et l'épais tapis qui amortit ses pas.

Dans ces appartements privés que sa sœur partage avec Owen, Margaret n'est entrée qu'une seule fois, le jour où Jane lui a fait visiter la maison, il y a de cela des années. À l'époque, la pièce était vide, dans l'attente des nouveaux meubles qu'ils avaient commandés et de l'architecte d'intérieur chargé de la transformer en une suite somptueuse.

— Tu aimes ? lui avait demandé sa sœur. Cette pièce… tu ne la trouves pas superbe ?

Margaret avait hoché la tête.

— Toute la maison est magnifique, Jane.

— Je suis heureuse de voir que tu es de mon avis, avait déclaré Jane.

— Et Owen, comment la trouve-t-il ?

— Il voulait une maison neuve... Pour oublier cette vieille demeure dans laquelle il a grandi, qu'il appelle le mausolée. Mais il a fini par céder et a acheté celle-ci parce que j'en suis tombée amoureuse. J'aime tellement tous ces recoins... Ah! les vieilles maisons sont passionnantes... elles recèlent tant de secrets.

Jane avait alors entrepris d'en montrer quelques-uns à sa sœur et de lui décrire les autres.

Aujourd'hui, debout au milieu de la chambre, Margaret pense à leur conversation en contemplant le grand lit aux montants sculptés, l'armoire encastrée qui recouvre tout un mur et le petit boudoir avec son divan et sa psyché. Lorsqu'elle aperçoit son reflet, elle s'arrête, surprise.

Dans sa tête, dans son cœur plein d'optimisme, elle se sent plus jeune et plus jolie que cette femme terne et prématurément vieillie qu'elle aperçoit dans la glace. Dans son imagination, elle se voit vivant dans une chambre comme celle-ci.

Mais dans la réalité...

Elle examine attentivement ses yeux trop rapprochés aux cils rares, ses cheveux noirs et secs séparés par une raie et sévèrement tirés de part et d'autre de son visage pâle et anguleux. Elle a bien essayé de s'arranger, de se maquiller pour faire ressortir ses yeux, de changer de coiffure... Mais les tentatives sont restées vaines.

Rien ne peut la transformer... en Jane.

N'est-ce donc pas ce que tu souhaites? demande-t-elle à la femme ingrate dans le miroir. Tu voudrais être Jane. Tu voudrais ce qui appartient à Jane.

Tout.

Se détournant avec lenteur de la psyché, Margaret regarde pensivement le lit.

Fletch Gallagher soulève le couvercle du nouveau mixeur rouge très design qu'il vient de commander par correspondance.

Il jette un coup d'œil à l'intérieur, puis tapote le récipient en verre : du solide. Scandaleusement cher, par ailleurs, mais ça vaut le coup. Il va l'utiliser tous les jours : maintenant que la saison de base-ball est terminée, il sera plus souvent à la maison… à moins que les Mets ne rejouent, ce qui voudrait dire que ses reportages se poursuivront en octobre. D'habitude, quand il a de la chance, il se rend dans sa cabane des Catskills pour pêcher, puis descend jouer au golf et faire un peu de bronzette dans le sud. Cette année, les Mets ont manqué de peu la sélection et Fletch s'est retrouvé libre, mais Aidan, son frère, l'a supplié de ne pas quitter Townsend Heights pour garder un œil sur ses enfants. Pour s'assurer que tout se passe bien.

Que pouvait-il faire ? Bien sûr, il n'a aucune envie de s'attarder ici, mais il ne peut pas refuser ça à son frère. Surtout que ce pauvre garçon se retrouve veuf pour la seconde fois.

Il doit reconnaître que Sharon s'est attelée à la tâche bien mieux qu'il ne l'aurait espéré. Après tout, elle n'a rien à voir avec ses neveux et, ces derniers temps, elle n'est pas du genre à lui faire des faveurs. Pourtant, elle a été très présente, ces dernières semaines, aidant les jumelles à faire leurs devoirs et leur achetant des vêtements pour la rentrée. Sans doute leur fille, Randi, lui manque-t-elle, depuis qu'elle est partie au collège William & Mary.

En revanche, Sharon n'a pas vraiment accroché avec Jeremiah. Il faut avouer que ce n'est pas un gamin très sympathique ni très attachant. Fletcher lui-même, en dépit de ses efforts, n'a pas réussi à le faire sortir de sa coquille. Il se demande si son neveu est encore traumatisé par la mort de sa mère et de sa belle-mère ou si l'introversion est simplement dans sa nature.

Avec un peu de chance, si ça se calme au Moyen-Orient, Aidan pourra être de retour avant l'hiver et prendre des dispositions pour les enfants. Alors Fletch passera enfin un week-end là-haut, à la cabane, avant d'aller se détendre à La Boca. Ensuite, il prendra un avion pour rejoindre Sharon et les enfants : sa femme tient absolument à ce qu'ils passent leurs vacances ensemble.

Aujourd'hui, Fletch a réussi un dix-huit trous sans faute au country club, avant de s'accorder une longue sieste sur le divan du salon. La maison est silencieuse, mais il a entendu Sharon rentrer, tout à l'heure. Elle l'a réveillé en claquant la porte.

Il jette une banane pelée dans le mixeur et va ouvrir l'énorme réfrigérateur en acier inoxydable : écartant plusieurs flacons de vinaigrette allégée et les restes d'un repas chinois commandé la veille, il sort une brique de lait écrémé. Sur l'étagère du bas, à côté d'un sachet de légumes verts, il découvre un pot de yaourt allégé, aromatisé à la fraise.

Il fait la grimace. Combien de fois a-t-il répété à Sharon qu'il n'aime pas la fraise ? Reposant le lait, il attrape le yaourt pour le jeter dans la poubelle sous l'évier.

Personne n'en voudra, de toute façon. Les enfants de son frère ne mangent que des cochonneries, et Derek a récemment décrété qu'il était végétarien. Végétarien ! Si cela ne tenait qu'à Fletch, son fils mangerait de bons steaks bien saignants et des glaces, comme tout bon Américain qui se respecte.

Mais Sharon le dorlote, abondant dans le sens de son néo-hippie de fils, exigeant même de Fletch qu'il le laisse tranquille. À vingt ans, il est majeur et vacciné. Il a le droit de manger ce qui lui plaît, même s'il vit encore chez ses parents.

Pourtant, il n'est pas souvent là… Mais où passe-t-il ses jours et ses nuits ? Mystère. Et si Sharon le sait, elle ne lui en dit rien. Ça, pour garder les secrets de Derek, elle est championne ! Elle qui protège déjà les siens… du moins, c'est ce qu'elle croit : en réalité, Fletch en sait plus sur les activités de sa femme que sur celles de son fils. Il sait par exemple que, le moment venu, Sharon le quittera pour aller vivre avec son amant. À vrai dire, il s'attendait qu'elle le fasse depuis des mois, le départ de Randi l'ayant libérée de vingt ans d'obligations maternelles. Mais Melissa était morte et leurs neveux s'étaient installés chez eux à la même période. Comment Sharon aurait-elle pu abandonner Fletch dans un moment pareil ?

Un jour ou l'autre, elle s'en ira. Mais loin de lui l'idée de lui forcer la main.

Fletch récupère la banane dans le mixeur et en croque un morceau. Une banane… ce n'est pas du tout ce qu'il avait l'intention de manger. Merde ! Il avait envie d'une boisson énergétique.

Il entend un bruit de pas dans l'escalier.

Un instant plus tard, Sharon fait irruption dans la cuisine, vêtue d'un de ces collants moulants qu'elle porte pour ses leçons de boxe, ses clés de voiture au bout des doigts.

Il observe son corps musclé, ses hanches menues et ses seins fermes, ses épais cheveux blonds qu'elle a attachés en queue-de-cheval. Un reste de hâle de cet été, entretenu par de régulières séances d'UV, lui donne un air éblouissant de santé.

Après vingt ans de mariage, Fletch est toujours impressionné par la beauté de sa femme, mais il ne la désire plus.

— Où vas-tu ? demande-t-il malgré l'apparente évidence.

Quelque chose le pousse à la faire parler.

— À la gym.

Elle sort un chewing-gum et s'apprête à jeter le papier dans la poubelle.

— Qu'est-ce que c'est que ça ?

Il hausse les épaules.

Elle contemple, étonnée, le pot de yaourt non entamé qu'il vient de jeter.

— Pourquoi l'as-tu jeté ?

Elle s'en empare et regarde la date de péremption avant de lui lancer un regard accusateur.

— Mais il est encore bon pendant quinze jours !

— Mouais. Mais il est à la fraise... Tu sais que je déteste le yaourt à la fraise, je t'avais dit de ne pas en acheter.

— Mais quelqu'un d'autre l'aurait mangé.

— Qui ça ? Toi ?

— Tu sais bien que je suis allergique au lait.

Mon œil ! pense-t-il sans le dire. Selon lui, Sharon est le type même de l'hypocondriaque. Libre à elle de se croire allergique au lait, il s'en fiche éperdument, du moment qu'elle ne le bassine pas avec ça.

— Un des enfants le mangera bien, reprend-elle en reposant le yaourt dans le réfrigérateur.

— Je croyais qu'ils se nourrissaient exclusivement de bonbons et de McDo. Quant à Derek...

— Je sais. Il est végétarien. On verra bien si quelqu'un le mange, répète Sharon.

Elle prend une cannette de Pepsi Ligth dans la porte du frigo.

Il la regarde en boire une gorgée.

— Tu vas boire ça avant de faire ta gym ?

Leurs regards se croisent, restant rivés l'un à l'autre pendant un long moment. Un ange passe avant qu'elle ne réponde enfin.

— J'ai soif.

Avant d'atteindre la porte de service, elle se retourne.

— Tu es au courant ?

— Au courant de quoi ?

Elle scrute son visage comme si elle cherchait à y lire quelque chose. Puis elle répond :

— Jane Kendall.

Il se raidit.

— Eh bien quoi ?

— Elle a disparu.

— Elle a disparu ? répète-t-il en détournant les yeux. Que veux-tu dire par là ?

Elle hausse les épaules.

— Je n'en sais pas plus. Elle s'est volatilisée dans High Ridge Park.

— Quand ?

— Cette nuit, je crois.

— Ah !

Sa main tremble légèrement tandis qu'il porte la banane à sa bouche pour en croquer machinalement un morceau.

— Est-ce que... pense-t-on qu'il aurait pu lui arriver quelque chose ?

Sharon prend son imperméable accroché dans l'entrée et l'enfile.

— Évidemment. Je file à mon cours de gym. À plus tard.

— À tout à l'heure.

Menteuse, songe-t-il en jetant brusquement sa banane à la poubelle avant de monter prendre une douche.

Ils savent l'un et l'autre qu'elle ne va pas à son

cours de gym, tout comme ils savent pertinemment qu'ils ne se reverront pas tout à l'heure.

Fletch ouvre le robinet d'eau chaude, qui coule à gros bouillons en dégageant des flots de vapeur. Perdu dans ses pensées, il regarde son image dans le grand miroir accroché au-dessus des lavabos jumeaux, jusqu'à ce qu'elle disparaisse sous la buée.

3

— Madame Bailey?

Paula lève la tête et aperçoit la maîtresse de Mitch dans l'embrasure de la porte. Elle abandonne l'idée de la reprendre sur le « madame ».

La soixantaine, coiffée à la Barbara Bush et vêtue d'une robe en lainage démodée, Mlle Bright ne cache pas sa désapprobation tandis qu'elle dévisage Paula des pieds à la tête en pinçant les lèvres. Elle a un problème ou quoi?

— Veuillez pardonner mon retard, s'excuse Paula sans conviction. Je suis sur une grosse affaire et je...

— Nous n'avons pas beaucoup de temps, coupe Mlle Bright, les enfants reviennent du gymnase dans cinq minutes. J'espérais pouvoir discuter plus longuement avec vous.

Paula hausse les épaules.

— C'est que je travaille, aujourd'hui. Ça ne m'est pas facile de m'éclipser.

La maîtresse hoche la tête sans se donner la peine d'avoir l'air compréhensive. Faisant signe à Paula de la suivre, elle l'entraîne sans un mot à travers des rangées de casiers décorés de motifs de papier : feuilles d'automne, citrouilles, bateaux...

— Voici notre classe, annonce-t-elle enfin en s'arrêtant devant une porte. S'effaçant pour laisser passer Paula, elle referme la porte derrière elle avant de s'installer à son bureau.

— Asseyez-vous, madame Bailey.

— Mademoiselle, rectifie Paula en s'asseyant sur la seule chaise disponible, une chaise d'enfant.

— Je vous demande pardon ?

— Mademoiselle, pas *Madame* Bailey. Le père de Mitch et moi avons divorcé.

— Je l'avais remarqué, mademoiselle Bailey, susurre-t-elle du bout de ses lèvres pincées.

Pourquoi a-t-il fallu que Mitch tombe sur une maîtresse comme celle-ci ? Si seulement elle avait pu être plus jeune et moins austère ! Celle de l'an dernier, Mlle Richmond, ne s'était pas formalisée quand elle avait appris que Paula travaillait et était divorcée. À vrai dire, elle était même impressionnée par son métier de journaliste...

Rien à voir avec cette pimbêche qui la regarde de haut comme si elle l'avait surprise en flagrant délit de vol à la tire... Bah ! Si elle s'imagine la troubler par son attitude, elle se trompe !

— Le comportement de votre fils en classe et ses mauvais résultats semblent dus à un manque de suivi à la maison, madame... mademoiselle Bailey.

Paula observe les mains croisées de Mlle Bright, aussi blanches que ses cheveux, striées de veines bleues saillant sous la peau transparente. Ses ongles sont nets, coupés court et non vernis.

Sur son bureau, elle a posé une pomme en bois rouge gravée d'une inscription : « la maîtresse vous aime comme ses enfants », mais Paula a du mal à l'imaginer en train de câliner quelqu'un.

— Et, à votre avis, qu'est-ce qui fait défaut à mon fils ? s'enquiert-elle d'une voix glaciale.

— Vous, mademoiselle Bailey. Il a simplement besoin que vous vous occupiez davantage de lui.

— Que savez-vous du temps que je passe avec mon fils ?

— Je sais que vous ne l'avez pas aidé à résoudre ses fractions, avant-hier soir : je leur avais donné un exercice à faire avec l'aide d'un adulte, et Mitchell n'a pu terminer le sien. Il m'a expliqué que vous étiez au travail et ne pouviez l'aider.

C'est au tour de Paula de pincer les lèvres.

— Mitchell est par ailleurs le seul de la classe à n'avoir pas apporté d'ampoule électrique pour le cours d'activités manuelles, ce matin...

— J'ignorais qu'il en avait besoin...

— J'ai pourtant fait passer un mot aux parents, la semaine dernière. Nous réalisons des maracas pour illustrer notre leçon sur le Mexique.

— J'ai une paire de maracas à la maison, peut-être Mitch peut-il...

— Le problème n'est pas là, mademoiselle Bailey. Il faut que vous soyez davantage à l'écoute de votre fils.

— Simplement parce que je ne savais pas pour l'ampoule ? demande-t-elle, incrédule.

— Vous n'étiez pas non plus au courant du devoir sur les fractions. Et de bien d'autres petits détails... Voilà ce qui me fait dire, mademoiselle Bailey, que vous négligez votre fils. Vous devriez le voir en classe : il passe son temps à attirer l'attention. Il est clair qu'il n'en reçoit pas assez chez lui. Mais je ne suis pas là pour vous faire la morale...

— On ne dirait pas, marmonne Paula, fulminant de rage.

— Je vous en prie, calmez-vous, mademoiselle Bailey.

— Je suis parfaitement calme, jappe-t-elle.

— Si nous travaillons ensemble, nous trouverons certainement une solution pour vous aider à remettre Mitch sur les rails. Croyez-moi, nous désirons toutes les deux la même chose : que Mitchell s'épanouisse et réussisse ses études. Je leur ai donné un autre exercice, pour demain, vous pourrez le faire avec lui, ce soir. Et peut-être pourrions-nous rencontrer son père, la prochaine fois, afin de…

— Son père n'a rien à voir là-dedans ! l'interrompt Paula.

La maîtresse hausse ses sourcils neigeux.

— Vraiment ? Mais je croyais que…

— Il n'a rien à voir dans tout cela, répète-t-elle.

— Mitch parle de lui comme si…

— Comme si quoi ? coupe-t-elle, s'efforçant de dominer la rage qui l'envahit.

— Comme s'il voyait régulièrement son père.

— Eh bien c'est faux : son père a toujours refusé de s'occuper de lui.

— Dans ce cas, mademoiselle Bailey, vous avez du pain sur la planche !

— Sachez, mademoiselle Bright, que j'ai toujours eu du pain sur la planche. Si vous vous figurez que c'est facile d'élever seule un enfant tout en menant une carrière comme la mienne…

— Je n'en doute pas.

— Je me suis échinée pour en arriver là.

Dans le couloir résonnent soudain des voix, des pas et des portes de casiers qui claquent.

— Les enfants sont de retour, déclare Mlle Bright. Et nous n'avons même pas eu le temps de réfléchir à un moyen d'aider Mitch. Pourriez-vous revenir…

— Je crois que le message est passé, mademoiselle, tranche Paula sèchement en se levant pour se diriger vers la porte.

— Mais il faut que nous parlions de…

— J'y veillerai, mademoiselle Bright.

Sans se soucier de remercier ou de saluer la maîtresse, parfaitement consciente de sa grossièreté, Paula sort dans le couloir scruter les CM1 qui attendent pour rentrer dans leur classe. Mitch n'est pas avec eux. Pourquoi?

Elle saisit le bras d'un gamin blond au visage parsemé de taches de rousseur, qu'elle connaît de vue.

— Eh, tu es un ami de Mitch, n'est-ce pas?

— Mitch S. ou Mitch B.?

— Mitch B.

— C'est plus mon copain, il m'a volé ma carte Pokémon.

— Il t'a volé… répète Paula en hochant la tête. Dis, tu sais où il est? Pourquoi n'est-il pas avec vous?

— Il est resté au gymnase, il est puni.

— Pourquoi?

— Il a fait un croche-pied à un copain pendant le relais.

Paula tourne les talons, son cœur cognant dans sa poitrine tandis qu'elle rejoint sa voiture au pas de course.

Elle fulmine. Elle en veut à Mitch…

À Mlle Bright..

À Frank Ferrante.

Et puis, merde! À la terre entière.

Tasha descend avec précaution l'escalier raide qui mène à la cave, chargée d'un énorme panier de linge sale. Dieu merci, Max a fini par s'endormir, après avoir pleuré des heures.

Pauvre petit Max. Peut-être le trouble dans lequel la disparition de Jane Kendall a jeté Tasha rejaillit-il sur lui…

Maintenant, elle n'a plus que Victoria dans les pattes... Victoria et du linge à laver pour une semaine !

Elle le trie par couleurs sur le sol en béton avant de fourrer un maximum de serviettes dans la machine, qui finit par déborder alors qu'il en reste encore une demi-douzaine à laver. À quand remonte sa dernière lessive ?

À une époque, elle était parfaitement efficace : elle lavait, cousait, cuisinait... Aujourd'hui, c'est à peine si elle trouve le temps d'aller faire pipi.

Elle laisse tomber une tablette de lessive dans la machine, referme le hublot et tire sur le bouton.

Devant l'absence de réaction de l'appareil, elle fronce les sourcils et répète l'opération.

Mais rien ne bouge.

Elle s'obstine en vain à renouveler les tentatives quand une voix appelle de la cuisine.

— Maman ?

— Qu'est-ce qui se passe, Victoria ?

— Tu avais dit que tu m'aiderais à faire mon puzzle.

— Oui, j'arrive.

— Qu'est-ce que tu fais ?

La fillette s'apprête à descendre dans la cave.

— Remonte, Victoria. Tu es en chaussettes et c'est sale, ici !

— Tu viens quand faire le puzzle avec moi ?

— Dès que j'aurais compris pourquoi la machine à laver ne démarre pas.

Tasha tripote la prise pour s'assurer qu'elle est bien branchée. Elle l'est.

Pourquoi faut-il toujours que ce genre d'incident se produise en l'absence de Joël ? Elle ne peut pas attendre qu'il rentre... Dieu seul sait à quelle heure il sera là.

Un instant, elle envisage de le joindre au bureau, mais y renonce presque aussitôt : il n'a toujours pas rappelé, depuis son message de ce matin. Il ne sait même pas que Jane Kendall a disparu. Quand il téléphonera, elle le mettra au courant pour Jane et pour la machine.

En attendant, elle va essayer de se débrouiller avec le livret d'entretien rangé dans un tiroir de la cuisine. Elle remonte l'escalier en soupirant.

Victoria l'attend sur la deuxième marche, le visage barbouillé de marron.

— Qu'est que c'est que ça ? s'exclame Tasha en la prenant dans ses bras. Qu'as-tu encore trafiqué ?

— Rien, répond Victoria en s'essuyant la bouche avec la chemise blanche qu'elle porte sous sa salopette.

Super ! Encore du linge à laver dans cette fichue machine déglinguée !

Tasha regarde autour d'elle pour trouver l'origine de cette trace brune qui coule sur le menton de Victoria, jusqu'à ce que ses yeux tombent sur la porte du réfrigérateur, restée ouverte. Par terre gît une bouteille en plastique de sirop au chocolat répandant une flaque sombre sur le linoléum jaune pâle.

— Victoria ! Qu'est-ce que tu as encore fait ?

— Maman, tu n'étais pas là et j'avais très faim.

— Mais j'étais là, Victoria ! Je suis descendue deux minutes à la cave. Tu pouvais quand même attendre que je remonte, non ? Regarde-moi ça, c'est dégoûtant !

— Pardon.

— Hum…

Victoria n'a pas l'air désolée le moins du monde. Son expression boudeuse signifie plutôt : « Ça t'apprendra à me laisser seule ! »

Tasha s'empare de l'éponge dans l'évier pour nettoyer les dégâts avant de ranger la bouteille de sirop dans le frigo.

Victoria se met instantanément à geindre.

— J'en veux !

— Eh bien tu n'en auras pas ! tranche sa mère.

Mais, prise de remords, elle adoucit la voix :

— Victoria, ça ne se mange pas comme ça.

Après tout, ce n'est pas la faute de sa fille si la machine à laver est en panne, si Jane Kendall a disparu et si quelqu'un a amené la conversation sur Fletch Gallagher.

— Tu sais quoi ? dit Tasha en prenant une serviette en papier pour essuyer le visage de sa fille. Quand j'aurais réparé la machine, on mangera une glace avec du sirop au chocolat, d'accord ?

Victoria réfléchit à la proposition.

— Avec de la chantilly ?

— Je ne crois pas que j'aie de la chantilly.

— Je veux de la chantilly !

Tasha respire profondément.

— Il n'y en a pas, mais j'ai des noix de pécan.

— J'aime pas ça.

Ne me pousse pas à bout, se dit Tasha. Ce n'est pas le jour.

Les dents serrées, elle s'efforce de se calmer.

— Et si on mettait des pépites de chocolat ? Tu en raffoles. Tout le monde aime les pépites de chocolat.

— D'accord, répond enfin Victoria, dont le visage s'illumine soudain. Je t'adore, maman.

— Moi aussi je t'aime, ma chérie.

Tasha pousse un soupir de soulagement et écarte une boucle brune du visage de sa fille.

Victoria ressemble incroyablement à son père avec ses cheveux noirs, son visage typé et sa peau claire. Mais elle n'a hérité ni de ses yeux noisette ni de son caractère facile.

Le bleu de ses yeux vient de sa mère. Quant à son tempérament entier… Certes, Tasha n'est peut-être pas aussi décontractée que Joël, mais elle n'est tout de même pas responsable du mauvais caractère de sa fille. C'est sa belle-mère qu'il faut remercier…

Tout à coup, elle se souvient que Ruth a laissé un message sur le répondeur, ce matin : les parents de Joël, Ruth et Irv ont l'intention de leur rendre visite samedi – *si ça ne te dérange pas, Tasha*. Sa belle-mère met toujours un point d'honneur à demander son autorisation, comme si Tasha leur avait jamais fermé la porte au nez !

En réalité, au début de leur mariage, c'était elle qui insistait pour que Joël voie ses parents toutes les semaines. Sa propre famille était si loin qu'elle avait tout fait pour nouer des relations avec sa belle-famille : elle leur préparait de bons repas et nettoyait la maison de fond en comble quand ils venaient. Elle veillait même à acheter du Canderel pour le thé de Ruth. Mais au bout d'un moment, il lui était clairement apparu que ses beaux-parents ne l'aimeraient pas, en dépit de tous ses efforts, et elle avait cessé de se décarcasser pour eux.

Maintenant, quand Ruth et Irv leur rendaient visite, ils allaient dîner dehors ou bien se contentaient de plats cuisinés. La dernière fois qu'ils étaient venus, elle était allée chez le traiteur casher de Mount Kisco pour y acheter de quoi préparer des assiettes anglaises et un gâteau de riz.

— Oh ! je vois que tu prends du pain de seigle ! avait remarqué la mère de Joël en attrapant un morceau de pain pour se faire un sandwich.

— Vous ne l'aimez pas, Ruth ?

Jamais Tasha n'aurait osé l'appeler Mère. Ruth ne le lui avait d'ailleurs jamais proposé.

— Non, je prends toujours du pain normal : c'est celui que mon fils préfère.

Naturellement, Joël, fasciné par une partie de base-ball, n'avait pas entendu. Ou plutôt, il avait feint de ne pas entendre pour éviter d'avouer à sa mère que c'était lui qui avait acheté du pain de seigle, ce jour-là...

— Maman ?

— Oui ? répond distraitement Tasha en regardant sa fille.

— Pourquoi as-tu l'air si fâchée ?

— J'ai l'air fâchée ? (Elle essaie de sourire.) Je ne suis pas fâchée, Victoria, je pensais juste à quelque chose.

— À quoi ?

— Ça n'a aucune importance. Tu sais quoi ? J'ai envie de la manger maintenant, cette glace. Je m'occuperai du reste ensuite.

— C'est quoi, le reste ?

— C'est juste... Bah ! Des trucs rasoirs, Victoria. Tu as de la chance d'avoir trois ans.

— Pourquoi ?

— Parce qu'à trois ans, tu n'as pas à t'occuper de trucs rasoirs.

— Mais si. Y a les couches de Max, et puis...

— Je ne parle pas de ça, sourit Tasha. Allez, viens, on va se préparer deux grosses glaces.

Enchantée de voir ses enfants scotchés devant un dessin animé, Rachel part téléphoner dans la cuisine. Elle compose le numéro qu'elle connaît par cœur en attrapant un paquet de cigarettes, qu'elle remet instantanément dans son sac : si elle fume dans la maison, Ben sentira tout de suite l'odeur du tabac et devinera qu'elle s'est remise à fumer. Il finira bien par s'en apercevoir, mais elle préférerait que cela ne soit pas avant la fin de la semaine prochaine car ils doivent passer un long week-end en amoureux dans les îles Abaco : sa récompense pour avoir arrêté de fumer !

La sonnerie retentit à l'autre bout de la ligne. Rachel se dirige vers le plan de travail et fait tomber quelques gouttes de lotion parfumée à la rose dans le creux de sa main. Pour la troisième fois, la sonnerie retentit tandis qu'elle se masse les mains, le combiné coincé contre son épaule. Ses mains commencent enfin à reprendre forme après une journée passée à changer des couches.

— Allô ? demande une voix masculine à l'autre bout du fil.

— Bonjour, c'est Jeremiah ?

— Lui-même.

— Jeremiah. Je m'appelle Rachel Leiberman et j'habite au bout de la rue, dans la maison blanche avec les volets noirs.

— Laquelle ?

Ce gamin est-il stupide ou de bonne foi ? Elle a du mal à faire la part des choses. Préférant lui accorder le bénéfice du doute, elle se met à rire :

— C'est vrai qu'elles se ressemblent toutes, n'est-ce pas ?

— Un peu. Surtout qu'il y a deux maisons blanches avec des volets noirs...

— J'habite au 48. C'est la dernière maison, celle avec le panier de basket et les trois voitures.

— Hum, fait-il sans qu'elle sache s'il a compris de quelle maison il s'agissait.

— Ça te dirait de venir faire du baby-sitting à la maison, de temps en temps ? reprend Rachel. Ma nounou vient de me lâcher...

En fait, mon prochain coup de fil sera pour elle : je vais la flanquer à la porte, rectifie-t-elle mentalement.

— ... et je cherche quelqu'un pour garder mes enfants en attendant de lui trouver une remplaçante.

— C'est que... heu, j'ai l'école...

— On peut essayer de s'arranger en fonction de ton emploi du temps. Je te paierai ce qu'il faudra.

— Je ne connais pas les tarifs. C'est que je n'ai pas tellement l'habitude du baby-sitting... Euh... à vrai dire, ce sera la première fois, mais je...

— Douze dollars de l'heure, ça te convient ?

— Douze dollars ? répète-t-il, incrédule. Ce serait... génial !

— Parfait. Peux-tu venir demain ?

— Après l'école ?

— À l'heure du dîner. Si tu es libre.

— Je le suis.

— J'aurai besoin de toi jusque tard dans la soirée. Mon mari travaille.

— C'est d'accord.

— Formidable. Tu as besoin de savoir autre chose avant que je ne raccroche ?

— Euh oui... je veux dire... euh... vos enfants...

Le voyant hésiter, Rachel vole à son secours :

— Noah a treize mois et Mara quatre ans. Mon mari est pédiatre en ville et il consulte tard plusieurs soirs par semaine.

— Vous aussi, vous travaillez le soir ?

— Moi ? Oh non ! Je ne travaille pas. Mais j'ai... un rendez-vous.

Dans le fond, elle entend une voix demander à Jeremiah à qui il parle.

— Une minute, fait celui-ci.

Elle l'entend mettre sa main sur le combiné. La conversation lui parvient quand même, étouffée mais audible.

— C'est une dame qui habite au bout de la rue, oncle Fletch. Elle me demande de venir faire du baby-sitting chez elle demain soir.

— Du baby-sitting ! répète la voix.

— Euh… oui.

Rachel remarque le bégaiement et imagine le jeune garçon se tortiller, gêné, à l'autre bout du fil. Elle n'a pas de mal à deviner l'expression qui se peint sur le visage de Fletch, qui interroge son neveu.

— Quelle dame ?

— Vous pouvez me redire votre nom ? demande Jeremiah en ôtant sa main du récepteur.

— Leiberman, répète Rachel en reprenant de la crème pour se masser les mains. Rachel Leiberman.

Jeremiah répète son nom.

— Pas de problème, approuve Fletch Gallagher.

— Mon oncle dit qu'il n'y voit pas d'inconvénient.

— Parfait, dit-elle avec un petit sourire. Alors, c'est noté.

— Je vais tâcher de ne pas trop vous importuner, mademoiselle Armstrong, déclare l'inspecteur d'une voix bourrue. (C'est un solide gaillard, trapu et tout en rondeur, dont le visage ruisselle de sueur malgré la fraîcheur qui règne dans la pièce.) Vous êtes prête ?

Margaret hoche la tête, assise en face de lui dans le petit salon de sa sœur. Chacun à leur tour, ils se sont assis sur cette chaise : Owen, ses parents, la femme de chambre, et puis elle, à présent. La police désire interroger ceux qui seraient susceptibles de les aider à élucider la disparition de Jane.

— En premier lieu, savez-vous si votre sœur avait des ennemis ?

Margaret secoue la tête. Elle contemple les moulures blanches qui ornent la cheminée en brique et son regard s'attarde sur les motifs entrelacés.

— Vous ne voyez personne ?

— Non.

— Que faisait-elle de ses journées ?

— Elle s'occupait de Schuyler, répond-elle du tac au tac. Enfin, je crois.

— Étiez-vous proche de votre sœur ?

Elle réfléchit avant de répondre.

— J'habite environ à une demi-heure d'ici.

— Ce n'est pas ce que je voulais dire, mademoiselle Armstrong. Je parle de vos relations avec elle : étiez-vous proches l'une de l'autre ?

— Nous avions l'habitude de nous voir tous les quinze jours.

Elle remue sur sa chaise, qui craque, une chaise ancienne, une Chippendale.

Elle se rappelle du jour où Jane l'a achetée, avec tout le mobilier de cette pièce. Elle était partie faire les antiquaires avec Owen dans le Vermont. Dans son excitation, intarissable sur leur voyage, elle avait voulu tout lui montrer, lui décrivant les boutiques, l'auberge où ils avaient dormi, les restaurants où ils étaient allés. C'est alors qu'elle lui avait confié qu'ils avaient décidé d'avoir un bébé.

— Dire que je suis peut-être enceinte sans le savoir ! s'était écriée Jane.

Aujourd'hui encore, deux ans après, Margaret ne peut chasser l'image qui lui était venue à l'esprit : Jane et Owen enlacés dans un grand lit à baldaquin, dans une petite auberge pittoresque de Nouvelle-Angleterre, en train de faire l'amour...

— Mademoiselle Armstrong ?

— Oui ?

— Vous vous sentez bien ? Vous êtes toute pâle.

— Ça va, merci.

Elle boit une gorgée d'eau dans le verre que l'homme lui tend. Comme s'il avait prévu que cela pourrait mal se passer.

Décidée à lui prouver le contraire, elle relève le menton.

— Continuez, monsieur l'inspecteur.

Il s'exécute. Méthodiquement, il l'interroge au sujet de Jane.

Puis, alors qu'elle pense qu'il en a fini avec elle, il lui demande :

— Comment décririez-vous les relations de votre sœur avec son mari ?

Saisie, Margaret reste un instant silencieuse. Puis, choisissant avec soin ses paroles, elle déclare.

— C'était un beau couple.

— Heureux ?

— Oui.

Seigneur, oui, ils l'étaient. Owen était heureux avec Jane, il l'aimait éperdument.

Et Jane...

Tu ne t'es jamais complètement donnée à lui, n'est-ce pas ? Margaret, pleine d'amertume, pose silencieusement la question à sa sœur. *Tu ne l'as jamais aimé comme il le méritait. Tu lui as toujours caché une partie de toi-même, je le voyais bien. Lui aussi s'en est forcément rendu compte.*

Qu'avait fait Jane pour mériter Owen ? Qu'avait-elle fait pour recevoir toutes ces grâces que la nature lui avait octroyées à profusion ?

Alors que la pauvre Margaret... Quels dons avait-elle reçus ? Quand son tour viendrait-il ?

Peut-être plus tôt qu'elle ne le croyait. Peut-être jamais.

— Avez-vous quelque chose à ajouter, mademoiselle Armstrong ?

La voix de l'inspecteur la ramène une fois de plus à la réalité.

— Simplement que nous vivons des moments très pénibles et que j'espère que vous ferez tout ce qui est en votre pouvoir pour retrouver ma sœur, réplique Margaret avec raideur avant de s'enfuir.

Paula s'approche du manoir en brique pour la deuxième fois de la journée : la foule a grossi. De nouveaux journalistes ont rejoint les badauds et les officiers de police. Quel cirque ! Elle a perdu son emplacement privilégié près de la grille à cause de cette harpie de Mlle Bright. Après un détour pour croquer un beignet, elle vient voir si elle peut rencontrer quelqu'un d'intéressant. Mais il n'y a personne, excepté une poignée d'habitués, pour la plupart des résidents à la retraite friands de sensationnel.

Paula bouscule un journaliste qui fait son compte rendu en direct devant une caméra, scrutant les visages autour d'elle avant de comprendre que l'on ne donne pas signe de vie, de l'autre côté des grilles en fer forgé.

— La famille a-t-elle fait une déclaration à la presse ? s'enquiert-elle auprès d'une consœur fiévreusement penchée sur son calepin.

La femme secoue négativement la tête sans lever le nez de ses notes.

— On parle d'une éventuelle conférence de presse ce soir. Mais ça n'a pas été confirmé.

Ce soir. D'après Mlle Bright, Mitch doit ramener à la maison un problème de fractions qu'elle doit l'aider à résoudre. *Ce soir*. Mais s'il y a une conférence de presse, il faudra encore qu'elle le dépose chez Blake. La mère de Blake saura bien le faire travailler.

Ce n'était pas exactement ce que suggérait Mlle Bright.

Mais qu'est-ce que j'y peux ? Je fais mon boulot, se justifie-t-elle en contemplant la maison cossue dominant la belle pelouse verte qui descend en pente douce. Ce matin, quand elle a appelé son rédacteur en chef, il lui a proposé d'envoyer quelqu'un d'autre pour la remplacer si elle avait du mal à gérer l'affaire.

— Et pourquoi aurais-je du mal à la gérer ? s'était-elle écrié d'une voix stridente.

— Je sais que tu as ton fils, Paula, et aussi tes autres reportages en cours. C'est une grosse affaire, tu sais, ça va te prendre du temps...

— C'est *mon* scoop, Jim, j'ai été la première sur le coup.

Tout comme elle a été la première à couvrir l'incendie qui s'est déclaré chez les Gallagher, l'été dernier. Son article a fait la une du journal, lui permettant pour la première fois de goûter à autre chose qu'aux crétineries sociales ou civiques qu'on lui impose depuis si longtemps.

— Je me suis cassé la nénette toute la journée, avait-elle poursuivi. Ne t'inquiète pas, Jim, je te rendrai mes autres articles à temps, mais je refuse de lâcher ce scoop. Tu l'as dit toi-même : c'est un gros coup et c'est moi qui le couvre.

Il avait accepté, mais à contrecœur.

Jamais une opportunité pareille ne se représentera, songe-t-elle, cette disparition est une aubaine. Elle serre les poings en se remémorant sa discussion avec Jim. J'ai peut-être enfin une chance de me faire un nom, d'en finir avec ces reportages minables et d'obtenir enfin la reconnaissance que je mérite. Je gagnerai peut-être assez d'argent pour prendre un avocat et me débarrasser de ce maudit Frank...

Elle regarde à nouveau la maison, repensant à la femme qu'elle a vu sortir d'un taxi, en début d'après-midi. Où a-t-elle bien pu la rencontrer ?

— Paula !

En se retournant, elle aperçoit un homme d'un certain âge vêtu d'un pardessus mastic, un chapeau assorti crânement posé sur ses cheveux gris. Elle met un petit moment à reconnaître l'un des vieux copains de son père, avec lequel ce dernier partageait un café tous les matins quand il habitait encore avec elle.

— Bonjour, monsieur Mieske, fait-elle en s'efforçant d'être aimable.

Le vieil homme est une vraie mouche du coche.

— Comment va ton père ?

Elle l'observe attentivement, lisant l'inquiétude dans ses yeux d'un bleu délavé. Sait-il quelque chose ? Ou se demande-t-il simplement pourquoi son père ne vient plus depuis plusieurs années ?

— Il y a des hauts et des bas, répond-elle.

Si M. Mieske n'est pas au courant, elle n'est pas d'humeur à lui annoncer la nouvelle.

— Eh oui ! C'est pareil pour tout le monde, commente-t-il en désignant de la main la maison derrière les grilles. C'est incroyable, cette histoire, pas vrai ?

— Vous voulez parler de la disparition de Jane Kendall ?

— Elle est morte. Pas de doute là-dessus. Mais la question demeure : s'est-elle tuée ou l'a-t-on aidée à mourir ?

— Qu'en pensez-vous ?

— Moi, je pense qu'on l'a tuée. Une femme comme elle, qui avait tout ce qu'elle désirait... Pourquoi se serait-elle suicidée ?

Paula hoche lentement la tête.

Il est évident que Jane Kendall avait tout pour elle.

Et toi, Paula, qu'est-ce que tu as ? s'interroge la jeune femme, oubliant complètement la présence de M. Mieske.

Elle regarde à la dérobée l'ami de son père, qui désormais tend l'oreille vers un journaliste qui interroge un policier.

Voici venir ton heure, Paula. Tu as toujours su que cela arriverait, n'est-ce pas ? Tu as toujours cru en toi, et tu as été patiente, tu as mangé ton pain noir.

Mais attends un peu. Accroche-toi, Paula, tu verras. Un jour, les choses iront comme tu le veux.

— Bonjour, Stacey. Est-ce que Joël est dans les parages ?

— Oh ! bonjour, Tasha !

Tasha presse le combiné contre son oreille, imaginant la secrétaire de son mari à l'autre bout du fil.

Stacey McCall est une jolie brune de vingt-deux ans que Joël a embauchée au printemps dernier. Tasha ne l'a vue qu'une seule fois, quand elle est passée au bureau de Joël avec les enfants en allant au zoo de Central Park. Stacey s'était répandue en compliments sur les «petits anges de Joël», observant une froide politesse vis-à-vis de Tasha.

Refusant de ressembler à ces femmes qui se sentent menacées par les jeunes et jolies secrétaires de leurs époux, Tasha s'était efforcée de ne pas remarquer le teint de pêche et les beaux cheveux noirs de Stacey, ni sa silhouette longiligne moulée dans un tailleur jaune pâle porté à même la peau.

Tasha, de son côté, n'était que trop consciente de ses trente-cinq ans, de ses habits perpétuellement trempés par la bave de Max et de sa garde-robe qui remontait à l'époque où elle travaillait. Elle avait songé que, même si Joël était tenté par une liaison avec sa jolie secrétaire – il fallait reconnaître qu'elle était mignonne –, Stacey, elle, aurait tout à perdre en s'amourachant d'un patron marié proche de la quarantaine.

Joël avait dit à Tasha que la jeune femme venait d'une famille très aisée du Connecticut. Elle s'était installée dans le pied-à-terre de ses parents, à Sutton Place, et n'avait pas vraiment de soucis financiers, son salaire lui servant essentiellement d'argent de poche. Au cours de l'entretien d'embauche, elle lui avait affirmé qu'elle visait le haut de l'échelle et voulait devenir cadre supérieur, mais il s'était rapidement aperçu qu'elle cherchait simplement à tuer le temps en attendant que son petit ami obtienne son MBA à Harvard.

Pourtant, Stacey n'était pas sotte, selon Joël. Elle avait une incroyable mémoire visuelle, et connaissait son emploi du temps par cœur sans avoir à consulter son agenda.

— Écoutez, Tasha, reprend Stacey en s'éclaircissant la voix. Il est en réunion avec un client et a demandé qu'on ne le dérange pas.

Tasha se sent prise d'une bouffée de rage irrationnelle à l'encontre de son mari, mais aussi de cette jeune femme si parfaite qui se met posément en travers de son chemin.

— Quand doit se terminer cette réunion ? demande-t-elle en s'efforçant de maîtriser le tremblement de sa voix.

— Je n'en sais rien. Voulez-vous qu'il vous rappelle ? J'ai noté pour lui vos précédents messages, et je sais qu'il les a vus avant de partir déjeuner.

Tasha serre le combiné de toutes ses forces, répétant sans comprendre.

— Mes autres messages ?

— Ceux que vous avez laissés sur son répondeur, explique Stacey. Ces derniers temps, il me demande de les écouter, tellement il est débordé. Ainsi, je peux le prévenir si quelqu'un d'important cherche à le joindre.

De mieux en mieux... Apparemment, Joël ne la compte pas parmi les «gens importants»... Mais Tasha sait qu'elle ne doit pas laisser percer son irritation, même si cela ne l'enthousiasme pas particulièrement que son mari laisse sa secrétaire écouter ses messages. Elle ne veut pas se couvrir de ridicule ni froisser Joël en se lançant dans une diatribe.

— Dites à mon mari de bien vouloir me rappeler à la maison dès que sa réunion sera finie, déclare-t-elle d'un ton sec.

— Est-ce urgent, Tasha ? Parce que je peux...

— Demandez-lui seulement de rappeler. Je dois partir chercher mon fils à l'école, mais je serai de retour bientôt.

Elle raccroche, attrape les manteaux des enfants et revient dans le salon au moment précis où la main potelée de Max fait s'écrouler la tour de Victoria.

— Regarde ce que tu as fait ! s'exclame la fillette d'une voix aiguë avant de faire volte-face pour lui assener un coup de cube en bois sur le front.

Max éclate en sanglots.

— Victoria ! s'écrie Tasha, donnant instinctivement une tape sur le bras de sa fille.

Maintenant, c'est au tour de Victoria de sangloter.

Tasha enlève son bébé de sa chaise haute et le console en déposant de petits baisers sur la marque écarlate qui orne déjà son front.

— Tu m'as tapée ! hurle Victoria, dont le regard bleu est rempli de larmes. Tu m'as tapée !

— Je te demande pardon, Victoria. (Tasha est au bord de la crise de nerfs. Elle se masse les tempes tout en caressant le dos de Max.) Je ne voulais pas te taper mais je me suis énervée...

— Tu m'as tapée !

— Et toi tu as frappé ton frère ! riposte Tasha, perdant patience. Ce n'est qu'un bébé. Tu lui as fait très mal !

— À moi aussi, tu m'as fait mal !

— Je ne l'ai pas fait exprès, répète Tasha.

Et c'est la vérité. À la naissance de Hunter, ils avaient décidé avec Joël de ne jamais frapper leurs enfants sous l'effet de la colère, après avoir lu d'innombrables articles sur les violences et les abus commis sur les enfants...

C'est la première fois que Tasha lève la main sur sa progéniture.

À présent que sa fille la dévisage avec rancœur, elle ne pense plus qu'à une seule chose : prendre le large. Elle a besoin d'aide, de se reposer, il faut absolument qu'elle sorte de cette maison, qu'elle s'éloigne des enfants avant de craquer.

Mais elle ne voit aucune issue : elle doit assumer ses responsabilités et la vie qu'elle a choisie.

Il n'y a personne qui puisse lui venir en aide : il n'est pas question de se tourner vers les parents de Joël, et sa propre mère, veuve, qui habite à cinq mille miles d'ici, travaille comme infirmière à temps plein. Toutes ses amies ont leur propre famille et elle a perdu de vue ses anciennes collègues de travail.

Quant à son mari, eh bien, c'est comme si elle était mère célibataire, vu le soutien affectif qu'il lui apporte depuis quelque temps.

Tasha respire un grand coup, compte jusqu'à dix et ouvre grands les bras. Victoria s'y jette.

— Pardon, mon petit cœur, murmure-t-elle en lui caressant les cheveux. Maman ne te tapera plus jamais. Je ne sais pas ce qui m'a pris...

4

Mitch traîne ses baskets sur le trottoir qui longe le bâtiment en brique rouge de l'école, se dirigeant nonchalamment vers la rangée de bus scolaires garés dans la rue.

Les mains enfoncées dans les poches de son vieux jean, il a le regard fixé sur un trou au bout de ses baskets. C'était évident que ces chaussures merdiques ne tiendraient pas longtemps... Il a bien essayé de dire à sa mère qu'il avait besoin d'une bonne paire, de celles qui ont un système de semelles gonflables, mais elle lui a répondu qu'elles coûtaient trop cher, en le mettant en garde.

— Ne t'avise pas d'en demander à ton père !

Ce qui était tout de même bizarre, étant donné que son père se serait fait un plaisir de les lui offrir... Surtout que la première fois où il l'avait rencontré, sa mère lui avait raconté que c'était pour qu'il les aide financièrement. Pour qu'il achète les trucs qu'ils ne pouvaient pas se permettre. Mais, pour une raison qu'il ignore, tout a changé au printemps dernier : sa mère lui a demandé de ne rien réclamer à son père, même ce dont il avait besoin.

Et elle lui a acheté une sous-marque, ces affreuses baskets blanches avec leur ridicule couture bleu fluo, qu'il déteste. Tous les autres enfants de l'école se moquent de lui, surtout Robin Sussman. Résultat : une des horribles chaussures de Mitch s'est retrouvée devant la Nike dernier cri de Robbie pendant la course de relais, ce matin.

Fallait voir la tête stupéfaite de ce grand crétin de Robbie quand il s'est étalé par terre... Ah! ça valait presque le coup de rester en retenue!

Presque. Mitch a encore mal aux abdominaux, après la série de pompes que lui a infligée en punition M. Atkins, le professeur d'éducation physique.

— Bailey, pourquoi as-tu fait ce croche-pied à Sussman? lui a demandé celui-ci.

Mitch a bredouillé des « je ne sais pas » et des « parce que j'en avais envie », mais ces réponses n'étaient pas valables, selon M. Atkins, qui voulait qu'il avoue avant de le laisser partir.

Alors Mitch a fini par cracher la vérité... enfin, une partie de la vérité.

— Je lui ai fait un croche-pied parce qu'il le méritait.

— Pourquoi le méritait-il?

Parce qu'il a tout ce qu'il veut. Tout. Et que moi je n'ai rien. Et qu'il fait tout pour me le rappeler, voilà pourquoi!

Mais Mitch n'a rien dit de plus. Jamais il n'oserait dire ça à un professeur, et pourtant, ici, les maîtres ne sont pas du style à vous donner des leçons.

M. Atkins est même plutôt sympa, mais Mme Chandler, le professeur de musique et d'art plastique, déteste Mitch. Comme les surveillantes de la cantine, mais ce sont de vieilles filles ronchons qui ne supportent personne.

Et puis il y a Mlle Bright. Un coup, on dirait que Mitch l'exaspère, et le coup d'après elle a l'air de le plaindre. Mitch ne sait pas laquelle des deux attitudes il préfère.

Il ramène dans son cartable un mot pour sa mère, dans une enveloppe fermée. Et un devoir sur les fractions, qu'il a glissé dans la poche de devant avec celui qu'il devait faire l'autre soir. Celui qu'il était censé faire avec maman.

Mais, pour changer, elle était rentrée bien après qu'il s'était endormi devant le match de la Fédération mondiale de lutte, et quand elle l'avait réveillé pour l'envoyer se coucher, il avait obéi. Il n'était plus question de lui parler de ces stupides fractions, à cette heure-ci.

Et Mlle Bright lui avait mis un zéro... La belle affaire ! Il s'en fiche, s'il a de mauvais résultats. Il s'en fiche, si on le renvoie de son école. Comme ça, il pourra rester à la maison et jouer sur sa console Nintendo.

D'ailleurs, s'il n'est plus obligé d'aller à l'école élémentaire de Townsend Heights, sa mère l'enverra peut-être plus souvent chez son père.

Mouais. Et puis quoi encore ?

Tu t'imagines peut-être aussi que maman t'attend à la maison et qu'elle a préparé des gâteaux...

Sa mère hait tellement son père qu'elle le...

Il ne trouve pas de terme approprié pour décrire cette haine. Tout ce qu'il sait, c'est que chaque fois que son père vient le chercher – ou simplement quand il mentionne son nom –, le visage de sa mère se déforme de rage : on dirait que sa bouche rétrécit et que ses yeux deviennent deux fentes. À ce moment-là, soit elle dit du mal de papa, soit elle change de sujet.

— Eh, Mitch !

Il ne lève même pas les yeux en entendant son nom. C'est encore quelqu'un qui appelle Mitch Schmidt, celui qui porte le même prénom que lui. C'est d'ailleurs la seule chose qu'ils aient en commun : Mitch S. habite une belle maison dans le quartier chic avec son père, sa mère et un tas de frères et sœurs. Tout le monde l'aime, même le professeur d'art plastique et les surveillantes de la cantine.

— Mitchell !

La voix lui semble pourtant familière et Mitch finit par relever le nez.

— Papa ! Il se met à courir en apercevant son père, qui lui fait de grands signes depuis le coin de la rue.

— Salut, mon vieux ! s'exclame son père en lui donnant une tape sur l'épaule.

— Salut, répond Mitch en lui rendant la pareille.

Il aimerait parfois qu'il le serre dans ses bras, mais ça n'arrive jamais. Sauf la première fois où ils se sont vus : son père l'avait pris dans ses bras et étreint contre lui, mais ça n'avait duré qu'une seconde.

Les embrassades, ça ne doit pas être son truc.

— Qu'est-ce que tu fais là ? demande-t-il à son père en voyant qu'il est en jean et en sweat-shirt au lieu d'être en costume-cravate.

Il arbore une casquette des Mets sur ses cheveux noirs et bouclés et on dirait qu'il ne s'est pas rasé.

En semaine et à cette heure-ci, il devrait être en train de travailler à Long Island... Que se passe-t-il donc ?

— J'ai pris ma journée, lui explique-t-il.

— Super, comment ça se fait ?

— Bah... Parce que j'avais envie de venir te chercher. Tu sais, Mitch, on peut faire ça quand on est le patron !

Il raconte toujours qu'il va lui donner un travail dans sa boîte, qui s'appellera Ferrante & Fils, plus tard. Mitch se dit que le jour où il sera assez grand pour travailler avec son père, il comprendra enfin ce qu'il fait. Pour l'instant, il sait seulement qu'il s'occupe d'ordinateurs. Un truc rasoir. Son père a bien essayé de le lui expliquer une ou deux fois, mais Mitch avait du mal à suivre.

— Dis, Mitch, au lieu de prendre le bus pour rentrer à la maison, ça te dirait de venir manger une pizza avec moi ? Ou une glace ? Qu'est-ce que tu en dis ? Un banana split ?

— Euh… je n'aime pas beaucoup ça, répond Mitch à contrecœur, songeant à ce que sa mère dirait si elle savait qu'il allait manger une glace avec son père.

Il se demande pourquoi diable celui-ci est ici un jour de semaine alors qu'il devrait travailler.

Soudain, une pensée affreuse germe dans son cerveau. Une idée si terrifiante qu'il sent son cœur se déchirer.

— Pourquoi es-tu là, papa ? Il est arrivé quelque chose à maman ?

Son père se rembrunit, comme chaque fois que Mitch mentionne le nom de sa mère. Il est clair que lui aussi la déteste.

Si quelque chose lui était arrivé, la police ou l'école lui aurait certainement téléphoné pour lui demander d'aller chercher Mitch, non ? C'est la seule explication qu'il voit à la présence de son père.

— Ta mère va bien, du moins je le suppose, le rassure son père. Elle doit sans doute être en train de travailler, comme d'habitude. Tu ne crois pas ?

Mitch laisse échapper un énorme soupir de soulagement en apprenant que sa mère est saine et sauve.

— Ouais, elle travaille. J'veux dire… elle travaille tous les jours.

Son père semble sur le point de dire quelque chose, mais il se ravise au dernier moment avant de proposer :

— Bref, je me suis dit que j'allais t'emmener manger une glace et te déposer ensuite à la maison. Ça t'évitera quarante-cinq minutes de trajet en bus et tu seras chez toi à l'heure habituelle.

Mitch hausse les épaules.

— D'accord, mais…

— Quoi ?

— Je ne suis pas obligé de manger un banana split ?

Son père sourit.

— Tu prendras ce que tu veux. En revanche, Mitch… j'ai un petit service à te demander…

— Lequel ?

— Ne dis pas à ta mère que je suis venu, tu veux bien ? C'est un secret entre nous.

— Comme tu voudras.

C'est au tour de son père de paraître soulagé.

Mitch espère seulement qu'il ne fera pas de gaffe. Il cache pas mal de choses à sa mère, depuis quelque temps.

Alors un secret de plus ou de moins…

Margaret, débouchant du couloir plongé dans l'ombre, se cogne contre quelqu'un en entrant dans la cuisine.

La mère d'Owen.

Celle-ci sursaute en étouffant un cri tandis que Margaret allonge le bras pour l'empêcher de tomber. Louisa Kendall tenait à la main une tasse dont le contenu s'est renversé sur son délicat chemisier de soie blanche.

— Oh ! pardon, madame Kendall, je suis désolée !

Sans un mot, celle-ci repose violemment la tasse en porcelaine et s'empare d'un torchon, nettoyant son vêtement en poussant de petites exclamations de dégoût.

— C'était du café ? interroge Margaret en versant de l'eau sur une serviette en papier.

— Non, du thé, coupe-t-elle sèchement, ignorant les serviettes en papier que lui tend Margaret.

Celle-ci finit par les jeter à la poubelle. Regardant autour d'elle pour ne pas croiser le regard de la mère d'Owen, elle tombe sur un objet volumineux abandonné dans un coin, près de l'entrée de service.

— On dirait la poussette de Schuyler ?

— Oui.

— Que fait-elle ici ? Je croyais qu'on l'avait gardée comme pièce à conviction.

— La police nous l'a rendue et quelqu'un l'a rangée ici, consent-elle à articuler tout en tamponnant frénétiquement son corsage.

Serrant les poings pour maîtriser le tremblement de ses mains, Margaret traverse la pièce pour aller inspecter la poussette. Dans la grande poche de rangement, sous le landau, elle aperçoit divers objets.

— Je vais la vider pour Owen, murmure-t-elle sans obtenir de réponse.

Penchée sur la poussette, elle en extrait un gobelet en plastique violet au fond duquel elle aperçoit un liquide orangé. À l'odeur, elle devine qu'il s'agit de jus de pomme et le dépose sur le buffet.

Puis elle sort une couverture en laine rose et blanc brodée et un petit lapin en peluche très doux. En dessous, elle découvre un hochet en argent de chez Tiffany et un puzzle en bois, ainsi qu'un petit sac contenant une couche et des lingettes.

Le cœur battant, Margaret aligne ses découvertes sur le comptoir de la cuisine, les observant attentivement.

— Que faites-vous ? l'interroge sèchement la mère d'Owen.

Margaret lève les yeux sur le regard sombre et soupçonneux que Louisa Kendall pose sur elle comme si... *comme si elle se méfiait de moi*, réalise soudain Margaret. Une bouffée de panique l'envahit.

— Je vous l'ai dit, déclare-t-elle en s'efforçant de garder un ton égal, je vide la poussette pour épargner cela à Owen.

— Qu'est-ce qui vous fait croire qu'il ne veut pas s'en occuper ?

— J'essaie de me rendre utile, madame Kendall.

Aux yeux de la mère d'Owen, elle n'est rien, ou plutôt elle est et restera toujours une Armstrong. Jane et Margaret ont beau partager les mêmes gènes, la même éducation, la famille Kendall ne les considère pas du même œil : en vertu de son mariage avec Owen, Jane a été sauvée d'une vie d'opprobre, le suicide de leur père ne l'a pas éclaboussée.

Aucune d'entre elles, pas plus leur mère qu'elles-mêmes, ne soupçonnait que celui-ci, dans les dernières années de sa vie, avait perdu une grande part de la fortune familiale à la suite d'investissements malheureux. Quand il avait dû vendre le gigantesque manoir de famille, abandonnant par là sa place dans la bonne société de Westchester, il avait choisi la seule issue qui lui restait.

Margaret se demanderait toujours si son père savait que son assurance-vie était périmée... S'il avait réalisé qu'il laissait sa veuve et ses filles non seulement déshonorées, mais aussi criblées de dettes. Ou bien s'il pensait, en se donnant la mort, leur permettre de toucher cette assurance dont il ignorait la prescription.

Margaret avait préféré opter pour la deuxième solution, celle qui présentait son père comme un homme sacrifiant sa vie pour sauver sa famille. Elle s'autorisait rarement à envisager l'autre possibilité, à penser qu'il ne s'était peut-être jamais soucié de savoir ce qu'elles deviendraient après l'inévitable scandale suscité par sa mort...

Leur mère avait vendu le manoir, les chevaux et les voitures pour rembourser leurs dettes. Sans être dans le besoin, les trois femmes Armstrong ne disposaient plus du même train de vie somptueux et avaient dû déménager dans une maison beaucoup plus petite. Peu de temps après, la veuve avait épousé Teddy, dont la fortune éclipsait celle des plus riches familles de la région, et s'était installée dans un petit château à l'extérieur de Londres. Puis Jane, bien entendu, avait épousé Owen.

Margaret était restée seule dans cette maison qu'elle n'avait jamais vraiment aimée... Pendant que cette veinarde de Jane partageait avec Owen cette immense demeure, somptueuse et confortable.

— Où est Schuyler ?

La voix de Louisa Kendall fait sursauter Margaret.

— En haut, avec Minerva.

— Minerva ?

— La femme de chambre. Elle a pris Schuyler quand elle s'est réveillée.

— Vous l'avez laissée avec la femme de chambre ?

— Schuyler la voit tous les jours. Elle avait l'air contente, avec elle.

Plus qu'avec moi, ajoute Margaret en son for intérieur. Sa nièce, qui s'était réveillée en pleurant, avait caché son visage contre l'épaule de Minerva quand sa tante lui avait tendu les bras.

— Une femme de chambre n'est pas une nounou, objecte Louisa.

— Jane n'a jamais voulu d'une nounou, rétorque Margaret même si cela n'a rien à voir avec la question. Elle désirait s'occuper toute seule de Schuyler, sans l'aide de personne.

— Oui, mais Jane n'est pas là ! Et ce n'est pas à la bonne de consoler Schuyler. J'y vais.

Margaret doute que Louisa Kendall soit de ces grands-mères dont la présence suffit à calmer un bébé qui réclame sa mère. Pourtant elle ne répond rien, se contentant de regarder la mère d'Owen se diriger vers l'escalier.

Au bout d'un moment, elle revient aux divers objets qu'elle a sortis de la poussette pour s'emparer de la couverture de bébé, toute moelleuse, et la porter à son visage en la caressant distraitement.

Karen Wu jette le restant de lait de soja du biberon de Taylor dans l'évier, plissant le nez devant l'odeur familière. Pas étonnant que son bébé fasse la grimace et repousse le biberon.

Pourtant, d'habitude, elle boit avidement son lait de soja, alors qu'elle a toujours refusé le sein de sa mère. Mais aujourd'hui, elle a un petit appétit. Quand Karen est rentrée de *Starbucks* ce matin, Tom lui a dit que leur fille avait boudé son biberon. *Elle doit couver quelque chose.*

Une porte claque dehors. Karen, sans cesser de rincer le biberon, tourne la tête en direction du bruit et aperçoit un adolescent sortant de la maison d'à côté : c'est Jeremiah, le neveu de Fletch Gallagher. Quel grand échalas, songe-t-elle en le voyant traverser la pelouse, il n'a rien des airs de tombeur de son oncle.

Rachel lui a-t-elle téléphoné, pour le baby-sitting ? Elle le lui a recommandé ce matin et se demande maintenant si elle a bien fait : elle ne connaît pas très bien ce garçon, qu'elle n'a croisé que deux ou trois fois. Non que Rachel soit très exigeante pour ce genre de choses, mais quand même.

Karen regarde Jeremiah ouvrir la porte d'un petit abri en bois dissimulé sous des arbres, dans le jardin de la propriété voisine. Le garçon disparaît à l'intérieur de la maisonnette et referme la porte derrière lui.

C'est étrange. Qu'est-ce qu'il peut bien faire là-dedans ? L'endroit, exigu, doit probablement abriter une tondeuse à gazon et des outils de jardin. C'est du moins ce que Tom range dans son abri, songe pensivement Karen. Mais peut-être que les Gallagher...

— Karen ! Eh, Karen ! se met soudain à crier Tom depuis la pièce voisine.

— Que se passe-t-il ?

Elle éteint le robinet et laisse tomber le biberon dans l'évier.

— Taylor vient de recracher son biberon. J'en ai partout, apporte de quoi nettoyer !

Karen attrape un torchon au passage et se précipite dans le salon. *Taylor est malade. Je le savais !*

— Oh ! maman, on peut avoir une pizza pour le dîner ? demande Hunter en déboutonnant son blouson.

— On verra.

Tasha referme la porte derrière eux et tire le verrou. Ça n'est pas dans ses habitudes, mais après ce qui est arrivé à Jane Kendall...

Dans la voiture, elle s'est branchée sur une radio locale : le dernier journal n'apportait pas de nouvelles informations. La jeune femme n'avait pas réapparu et sa famille devait faire une déclaration dans la soirée. Toute personne susceptible de fournir des informations sur cette affaire était invitée à composer un numéro vert donné par la police de Townsend Heights.

Tasha couche Max sur le vieux canapé du salon pour lui enlever son petit manteau bleu. Le tissu peluche un peu, c'est un héritage de Hunter – comme la majeure partie de la garde-robe du bébé, d'ailleurs... Il faudrait peut-être lui acheter quelques habits neufs. Un de ces jours, Tasha descendra au centre commercial de White Plains.

La perspective d'aller faire les magasins la rassérène...

— Maman ! Tu peux m'aider ? couine Victoria en se débattant avec les boutons de son manteau.

Tasha compte mentalement jusqu'à trois avant de déclarer d'un ton calme :

— Victoria, ne pleurniche pas.

— Mais c'est coincé ! geint la fillette en tapant du pied. J'y arrive pas !

Patience, se répète Tasha en posant Max sur le sol pour aider sa fille.

— Merci, maman, s'exclame celle-ci en se jetant à son cou, comme si sa mère venait de lui promettre un sac de bonbons pour le dîner.

Tout ce qu'elle désire, c'est qu'on s'occupe d'elle.

Tasha, qui est l'aînée de deux garçons, se demande si sa fille n'a pas du mal à se situer entre ses deux frères. Pourtant, elle-même n'a pas le souvenir d'avoir manqué d'affection.

En réalité, son père et sa mère s'étaient plutôt bien débrouillés avec elle et ses frères : les deux garçons étaient devenus des adultes équilibrés, qui avaient bien réussi dans leurs carrières respectives. Analyste financier à Cleveland, Greg est marié à une blonde pétillante qui attend un bébé pour Noël. Andrew, lui, est comptable fiscal et doit épouser une fille du pays. Il habite à deux pas de chez leur mère et veille sur elle depuis la mort de leur père, emporté il y a deux ans par un cancer des poumons.

Tasha n'est pas retournée dans sa famille depuis l'enterrement. Avec Joël, ils avaient pris l'habitude d'y aller chaque Noël. D'ailleurs, elle le taquinait toujours à ce propos, à l'époque où ils se taquinaient encore, en prétendant qu'elle l'avait épousé parce que, juif, il ne risquerait pas de la forcer à passer les fêtes dans sa famille à lui. Ils fêteraient Hannukkah en décembre et rejoindraient l'Ohio à la fin du mois.

Joël adorait passer des vacances à Centerbook, dans sa belle-famille. La grande maison de style victorien était décorée de lumières et de guirlandes, et il y avait toujours de la neige. Aujourd'hui encore, Tasha se souvient de la première fois où il est venu passer Noël, l'année de leurs fiançailles : ils avaient loué une voiture à Manhattan et écouté des vieux chants de Noël pendant les neuf heures qu'avait duré le voyage. Chacune des maisons du quartier avait mis un sapin scintillant devant sa fenêtre, et le porche d'entrée de la maison de ses parents était recouvert d'une guirlande d'ampoules multicolores semblables à des flammes.

— Tash, elle a l'air sortie d'un conte de Grimm, s'était écrié Joël, émerveillé.

Elle se rappelle encore le bonheur qui l'a envahie à ce moment-là : une joie intense qui lui donnait envie de rire aux éclats et de pleurer en même temps.

Depuis combien de temps ne s'est-elle pas sentie comme ça ?

À quand remonte leur dernier voyage dans l'Ohio ?

Son père était mort au début du mois de décembre, si près de Noël qu'il était impensable pour eux de revenir passer des vacances aussitôt après l'enterrement.

Ils comptaient bien y retourner l'an passé, et avaient même acheté leurs billets d'avion. Mais, au dernier moment, Joël n'avait pas réussi à se libérer :

l'agence venait de décrocher un nouveau contrat juteux.

Cette bonne nouvelle n'avait pas atténué la déception de Tasha à l'idée de passer les fêtes à Townsend Heights. Joël, surmené et épuisé, était revenu le soir avec un sale rhume qu'il avait refilé à tous les enfants, et Tasha avait passé le soir de Noël toute seule dans le salon à regarder un film idiot en buvant un vin chaud trop corsé, puis elle avait déposé les cadeaux au pied du sapin en se lamentant sur son sort.

Un Noël complètement raté !

Pour cette année, ils n'ont pas encore abordé le sujet. S'ils veulent aller dans l'Ohio, ils ont intérêt à réserver leurs billets d'avion au plus vite : il ne reste plus que deux mois avant Noël. Il faut absolument qu'elle en parle ce soir avec Joël... Encore une chose à rajouter sur la longue liste de ce qu'elle doit faire.

Max, tout heureux, joue avec ses cubes, tandis que Hunter et Victoria sont vissés devant un dessin animé de Walt Disney. En temps normal, Tasha n'aime pas beaucoup qu'ils regardent la télévision en rentrant de l'école mais, aujourd'hui, si ça peut lui donner quelques minutes de tranquillité, autant en profiter.

En se rendant dans la cuisine, elle remarque la lumière rouge qui clignote sur le répondeur. Bientôt la voix pressante de Joël résonne dans la pièce.

— Tasha, Stacey m'a dit que tu avais rappelé. Est-ce que tout va bien ? J'ai eu une journée de dingue. Je pars du bureau pour une réunion à l'autre bout de la ville. J'essaierai de prendre le train de 18 h 44, je t'appellerai si je le loupe.

Le train de 18 h 44 ? Cela veut dire qu'il sera là à 20 heures.

Soudain, la journée lui semble moins sinistre.

Tasha ouvre la porte du congélateur pour en sortir un paquet d'escalopes de poulet qu'elle met à décongeler dans le four à micro-ondes. Elle donnera aux enfants une pizza surgelée et les couchera tôt, ce qui lui permettra de préparer un dîner pour deux. Ainsi, ils auront le temps de discuter.

— On peut avoir des spaghettis ? demande Lily à son frère Jeremiah.

— Vous en avez déjà mangé hier soir, objecte-t-il.

Les jumelles, avachies sur les deux marches qui relient la cuisine au salon, portent toutes les deux des jeans à frange et des petits hauts courts qui laissent voir leur nombril. Jamais Melissa ne les aurait laissées sortir dans cette tenue, mais ça n'a pas l'air de déranger tante Sharon et oncle Fletch. C'est même leur tante qui leur a offert la plupart des vêtements qu'elles portent désormais.

— Qu'est-ce que ça peut faire ? C'est bon pour la santé… Et puis, pour le goûter, on prend bien tous les jours un sandwich au beurre de cacahuète ! souligne Daisy.

Jeremiah, qui manque d'arguments, se contente de hausser les épaules, rangeant les boîtes de légumes en conserve, les assaisonnements allégés et la bière importée. Puis, refermant la porte du frigo, il soupire.

— Après tout, je m'en fiche, vous pouvez manger vos spaghettis.

Les jumelles se tapent dans la main en signe de victoire, tandis qu'il reprend :

— Demain soir, vous resterez seules, les filles. N'oubliez pas de demander à tante Sharon et à oncle Fletch de vous préparer quelque chose avant de partir.

— Tu seras où ? s'enquiert une des jumelles.

Il ne prend même pas la peine de tourner la tête pour savoir laquelle de deux s'adresse à lui : elles ont exactement la même tête et la même voix. Pourtant, il n'est plus impossible de les différencier depuis que Lily a coupé ses boucles rousses sur un coup de tête, se tondant presque intégralement. Si sa mère la voyait ! Melissa insistait toujours pour que les jumelles gardent les cheveux longs et Jeremiah les cheveux courts.

Il ne s'est pas coupé les cheveux depuis qu'elle est morte. Ça commence à faire négligé, d'ailleurs, avec ces mèches brunes qui lui tombent dans le cou et sur les oreilles. Il s'attendait un peu qu'oncle Fletch et tante Sharon lui fassent une réflexion, mais ils n'ont rien dit, pour l'instant.

En revanche, son père ne tolérera pas sa tignasse, quand il sera de retour – avec sa coupe de cheveux militaire, il est aussi conservateur que Melissa. Mais qui sait quand il reviendra ? Peut-être qu'alors les cheveux de Jeremiah seront assez longs pour les attacher en catogan...

— Jer, je te parle ! Où vas-tu, demain soir ?

— Je dois faire un baby-sitting, explique-t-il à Daisy.

— Un baby-sitting ?

Elle échange un regard avec Lily.

Jeremiah sait très bien ce qu'elles pensent : ce sont les filles qui font des baby-sittings... Tout à l'heure, après le coup de fil de Mme Leiberman, oncle Fletch a tiqué, lui aussi : « Un baby-sitting, tiens donc... », l'observant avec un tel air que Jeremiah s'était senti rougir.

Pourquoi a-t-il toujours l'impression d'être une poule mouillée, en présence d'oncle Fletch ? Comme avec Peter Frost et ses copains, d'ailleurs, sauf qu'oncle Fletch ne le fait pas exprès, lui. Il essaie vraiment d'être paternel, mais chaque fois qu'il le regarde comme ça, avec cet air penché et pensif, Jeremiah se sent bouillir de rage.

— Où ça ?

Tiré de ses pensées, il sursaute :

— Hein ?

Daisy répète :

— Où ça ? Où vas-tu garder des enfants ?

— Chez la dame qui habite au bout de la rue.

Il fourre le plat dans le four à micro-ondes avant de se retourner vers les jumelles.

— Quand ça sonnera, vous pourrez vous servir.

— Tu ne dînes pas avec nous ?

— Non.

— Pourquoi ?

— Parce que j'ai des trucs à faire, en haut.

— Attends, Jer, on voudrait te demander quelque chose.

Il s'immobilise sur le pas de la porte.

— Quoi ?

— Il faut qu'on descende notre citrouille en ville, samedi, pour le concours, tu accepteras de nous aider ?

Il hésite. Ses sœurs ont fait pousser une gigantesque citrouille dans le jardin de la maison où ils vivaient avant l'incendie. Elles l'ont plantée au printemps dernier dans l'espoir de remporter le prix et d'avoir leur photo en première page de la *Townsend Gazette*.

L'ironie du destin a voulu qu'avant la fin de l'été ce soit la photo de leur mère qui fasse la une : « *Melissa Gallagher, de Townsend Heights, a perdu la vie dans l'incendie qui a ravagé sa maison, hier.* »

La citrouille est restée au fond du jardin, et Jeremiah emmène les jumelles là-bas, de temps en temps, pour qu'elles puissent s'en occuper un peu. Mais cela faisait un moment qu'elles n'en avaient plus reparlé, et il espérait qu'elles avaient renoncé à participer au concours.

Dommage !

— Je n'en sais rien, répond-il. Cette citrouille doit peser une tonne ! Comment comptez-vous la transporter ?

— On peut la caser dans notre chariot. Il est toujours dans l'abri de jardin.

— Pourquoi ne demandez-vous pas à oncle Fletch ou à tante Sharon de vous aider ?

— Alors tu ne veux pas le faire ? interroge Daisy avec une moue boudeuse. C'est toi qui nous as aidées à la planter !

— En plus, tante Sharon va toujours chez sa manucure, le samedi matin, et oncle Fletch joue au golf, renchérit Lily.

— Bon, d'accord, accorde-t-il à contrecœur. Je vous aiderai.

Il quitte la cuisine et traverse l'immense maison de style colonial, l'une des plus grandes du quartier. L'une des plus anciennes, aussi. Jeremiah se demande si sa tante et son oncle déménageront un jour. Melissa avait coutume de dire qu'ils pouvaient se permettre de vivre dans un endroit plus chic, avec tout l'argent qu'avait gagné oncle Fletch en jouant au base-ball, mais qu'ils restaient ici par paresse.

Jeremiah passe devant la grande salle à manger, où personne ne mange jamais, et longe le vaste salon qui ne contient que des meubles dans lesquels on est mal installé – ce qui n'est pas très grave, dans la mesure où personne n'y va jamais. L'écran de télé géant se trouve dans la salle de séjour, et il y a des postes dans toutes les chambres.

Arrivé dans le hall, au pied de l'escalier, Jeremiah jette un coup d'œil au bureau.

Les portes-fenêtres sont fermées, comme toujours. À travers les vitres, Jeremiah aperçoit les étagères remplies de trophées et de photos encadrées d'oncle Fletch. Il y en a aussi sur les murs, ainsi que des articles de journaux sous verre. Dans un coin, un immense bureau, dans l'autre, des classeurs en bois. Oncle Fletch ne se rend pas souvent dans cette pièce, qui semble n'être qu'une sorte de vitrine résumant sa carrière de champion.

Jeremiah réalise soudain que lui-même n'y a jamais pénétré, pas même lors des visites occasionnelles qu'il faisait avec son père. Poussé par une curiosité subite, il tourne la poignée.

La porte est fermée à clé. Il essaie l'autre porte, en vain.

Pourquoi oncle Fletch éprouve-t-il le besoin de fermer son bureau ? Pas une seule des autres pièces de la maison n'est fermée à clé, pas même la chambre conjugale…

Jeremiah lâche soudain la poignée de la porte – inutile de s'attarder ici à se poser des questions. Il grimpe les marches de l'escalier quatre à quatre, puis passe rapidement devant les chambres et les salles de bains. Tout au bout du couloir, il se faufile dans la chambre de sa tante et de son oncle.

Un sentiment de culpabilité familier l'a déjà envahi, mais il ne rebrousse pas chemin.

5

Paula laisse tomber sa cigarette dans le caniveau près de sa Honda et l'écrase avec le talon. Attrapant son téléphone portable, un vieux modèle volumineux, elle le fourre dans sa poche avant de fermer la porte de sa voiture pour se diriger d'un pas pressé vers la petite maison en bardeaux à la peinture écaillée. Construite au début du siècle, elle devait jadis être coquette mais, aujourd'hui, la frise du petit porche est édentée, plusieurs volets pendent de guingois et l'une des vitres teintées de la porte d'entrée est cassée.

M. Lomonaco, le veuf à qui elle appartient, vit dans une maison de retraite à Peekskill depuis deux ans. Paula paie désormais son loyer à son fils, qui vit en Californie et ne lui a pas caché son intention de vendre la demeure à la mort de son père.

Paula espère que M. Lomonaco tiendra encore quelque temps – ce n'est pas qu'elle éprouve une affection particulière pour le vieil homme grincheux, mais jamais elle ne pourra acquitter un loyer dans le quartier, une fois la maison vendue. Ni M. Lomonaco ni son fils n'ont une idée du prix de l'immobilier, ici : les maisons à louer étant introuvables à Townsend Heights, ils pourraient facilement exiger le double de ce qu'elle paie pour son petit F1.

Où iront-ils, Mitch et elle, si le loyer augmente ? Il faudrait qu'elle gagne beaucoup plus, ou bien qu'elle quitte la ville pour s'installer dans une banlieue à la mesure de ses moyens. Dans une de ces résidences HLM situées à Yonkers ou à Mount Vernon, par exemple... Mais elle ne s'en sent pas le courage, c'est plus fort qu'elle. Il faudrait changer Mitch d'école, elle devrait prendre le train pour aller travailler et...

Mais cela ne se produira peut-être jamais, songet-elle en cherchant dans la poche de son tailleur le porte-clés en argent de chez Tiffany qu'elle s'est récemment offert pour son anniversaire. Nous ne serons peut-être pas obligés de quitter Townsend Heights.

Elle relève le menton.

Bien sûr que non. Tôt ou tard, on va se rendre compte que je ne suis pas un vulgaire gratte-papier. Quelqu'un va enfin reconnaître mes mérites et me payer à la hauteur de ce que je vaux. Alors Mitch et moi, on enverra Frank se faire voir et on vivra comme des rois.

Elle jette un coup d'œil à la boîte aux lettres avant d'ouvrir sa porte : elle est vide. Tant mieux, cela veut dire que Mitch est rentré.

Un jour, elle aura de quoi s'offrir les services d'une baby-sitter qui s'occupera de son fils en attendant qu'elle rentre. Pour le moment, elle le laisse se débrouiller tout seul. S'il a besoin de quelque chose, il peut l'appeler sur son portable. S'il ne réussit pas à la joindre, elle lui a dit d'aller frapper chez la voisine, la vieille Mme Ambrosini, qui vit au premier étage.

Jusqu'à présent, Mitch n'a jamais eu à faire appel à elle, ce dont Paula se félicite : la vieille dame n'est pas très sympathique, et ne raffole pas des enfants.

Mais ça la rassure quand même qu'il y ait quelqu'un dans l'immeuble quand Mitch est seul à la maison.

Paula fait un pas dans la pénombre du vestibule. Le journal télévisé résonne depuis l'appartement de Mme Ambrosini, qui est sourde comme un pot – parfois, elle met le son tellement fort que Paula sent vibrer le plancher. Elle passe devant la porte de la vieille dame et commence à gravir l'escalier de bois aux marches raides, qui monte directement au deuxième étage. Voilà belle lurette qu'il n'y a plus de rampe. M. Lomonaco avait parlé de la remplacer, mais c'est resté à l'état de projet.

La cage d'escalier était peut-être ouverte dans le passé, mais maintenant que la maison est divisée en deux appartements, elle est entourée d'un mur construit à la va-vite. Il y a encore une marque circulaire au plafond, à l'endroit où était jadis suspendu un lustre. Désormais, seule une ampoule dénudée s'efforce de chasser l'obscurité.

Autrefois, Paula rêvait d'acheter la maison pour la rénover. Mais elle ne veut plus de cette petite bicoque délabrée coincée entre un institut de beauté et une autre vieille maison victorienne où s'entassent un dentiste, un conseiller conjugal et un agent immobilier. Elle donnerait tout ce qu'elle possède pour habiter un de ces pavillons spacieux que l'on vient de construire à l'extérieur de la ville, où des familles apparemment sans problèmes mènent une petite existence tranquille : voilà la vie qu'elle souhaite offrir à son fils. Il la mérite – et elle aussi la mérite, nom d'un chien !

Paula a toujours vécu en appartement, même lorsqu'elle était petite. Elle a passé la majeure partie de son enfance dans une minable petite maison au nord du Bronx, élevée par une mère débordée

114

et avare de caresses – son père n'était jamais là, travaillant à deux endroits différents et fichant le camp les rares fois où il ne travaillait pas. Surtout après la mort de la petite sœur de Paula : ses parents ne s'en étaient jamais remis.

Pendant un moment, ils avaient envisagé d'avoir un autre enfant, et puis sa mère avait décidé de ne pas prendre le risque : d'après le docteur, le syndrome de mort subite du nourrisson pouvait être héréditaire. Alors ils étaient restés tous les trois.

Paula sourit en se rappelant l'excitation de son père quand, à force de travail, il avait réalisé son rêve et s'était installé à Westchester. Elle venait d'entrer au lycée et faisait déjà des projets pour sa future carrière de journaliste. Quand elle avait rencontré Frank et quitté la maison, son père était resté dans le HLM de New Rochelle où il avait vécu jusqu'à ces dernières années.

Mais, peu de temps après la mort de sa femme, il s'était fait mal au dos et avait dû cesser de travailler. Il avait alors demandé à Paula de l'accueillir chez elle. Elle avait dû lui donner l'unique chambre alors que Mitch et elle se partageaient le canapé du salon. Mais elle n'avait pas vraiment le choix : son père n'avait personne d'autre vers qui se tourner.

C'est ainsi qu'il s'était installé chez elle, jubilant à la perspective de vivre à Townsend Heights. Il passait son temps avec les gens du quartier, se faisant des amis partout – beaucoup plus facilement que Paula. Il était vraiment heureux.

Mais en fin de compte, Paula avait fait ce qu'elle devait faire.

Quoi qu'il en soit, il est bien mieux là où il est maintenant, elle a eu raison d'agir ainsi.

Elle ouvre la porte de l'appartement et pénètre dans l'entrée exiguë.

— Mitch ?

— J'suis là.

Il est dans le salon, devant la télévision comme toujours, en train de regarder les infos.

— Coucou ! s'exclame Paule en laissant tomber son sac sur une chaise branlante avant d'ôter ses chaussures.

Elle étire ses doigts de pied avec délices, puis les glisse de nouveau à contrecœur dans ses souliers en cuir noir. Elle n'est pas habituée à marcher avec des talons si hauts, et ses chaussures sont un peu trop petites, mais c'était une telle affaire et elles étaient si chics qu'elle n'a pu résister.

— Bonsoir, maman, fait Mitch en s'arrachant brièvement à l'écran.

— Tu as dîné ?

— Mouais.

— Qu'est-ce que tu as mangé ?

Il hausse les épaules, scotché à la télévision.

Paula fronce les sourcils et se rend dans la cuisine. Elle voit des miettes éparpillées sur la vieille cuisinière à gaz et sur le plan de travail en Formica. Un emballage de fromage et un tube de margarine presque vide sont posés à côté du frigo. Une poêle graisseuse trempe dans l'évier constellé de taches et une assiette ébréchée est posée sur la table encore encombrée du petit déjeuner.

Paula ferme les yeux et bâille, épuisée.

Elle n'a pas dormi depuis… Seigneur ! De quand date sa dernière vraie nuit de sommeil ?

Ramassant l'assiette d'un geste las, elle la pose dans l'évier. Puis elle ouvre le robinet pour la nettoyer en prenant garde à ne pas éclabousser son tailleur : il faut qu'elle le garde pour la conférence de presse qui a lieu dans… elle jette un coup d'œil à l'horloge de la cuisine… dans quarante-cinq minutes.

116

Il faut qu'elle s'arrange pour que Mitch aille chez Blake, pour préparer ses affaires et le déposer. Mais en quarante-cinq minutes on peut faire beaucoup de choses.

Elle allume une cigarette et prend le téléphone pour composer le numéro de Blake. Voilà déjà deux heures qu'elle essaie de le joindre, mais personne ne répond jamais.

— Qui appelles-tu ? demande Mitch, posté dans l'embrasure de la porte.

— J'essaie de joindre les parents de Blake, répond-elle en s'emparant d'un cendrier. Tu ne sais pas s'ils avaient des projets pour ce soir, par hasard ?

Mitch hausse les épaules.

— Pourquoi ?

— J'ai besoin que tu ailles chez eux à nouveau.

Allez, répondez ! prie-t-elle silencieusement en revenant vers l'évier, tenant sa cigarette dans la main gauche pendant qu'elle range la poêle à frire de l'autre main.

— Mitch, si tu es capable de te faire à dîner, tu devrais être capable de nettoyer ton bazar.

Il ne répond rien, se contentant de la fusiller du regard avant de se diriger vers la table avec un air furtif qui met soudain la puce à l'oreille de sa mère.

Elle aperçoit une enveloppe et une feuille de papier parmi tout le désordre qui règne sur la table juste avant que Mitch ne s'en empare. Il lui jette un coup d'œil en coin pour voir si elle s'en est rendu compte.

— Qu'est-ce que c'est que ça ? demande-t-elle pendant que le téléphone sonne toujours.

Où peuvent bien être les parents de Blake à cette heure-ci ? Ils sont toujours chez eux...

— Rien. Un devoir que j'ai à faire.

— Tes fractions, observe Paula. Je suis au courant, j'ai vu Mlle Bright, aujourd'hui.

— Ouais, elle m'a dit.

— Qu'y a-t-il dans cette enveloppe ?

— Rien qu'un mot nul qu'elle t'a écrit.

Super ! se dit Paula. Alors tu ne m'as donc pas tout dit ce matin, quand tu m'as fait la leçon ?

— Tu l'as lu ? demande-t-elle à son fils, posant sa cigarette dans le cendrier pour tendre la main.

— Non.

Il hésite avant de poser l'enveloppe sur sa paume ouverte.

— Alors comment sais-tu qu'il est nul ?

— Parce que tout ce que fait ou dit Mlle Bright est nul. Je la déteste.

Paula partage entièrement son sentiment.

Frustrée à cause de ce téléphone qui ne veut pas répondre, elle raccroche brusquement et se met à lire le mot, rédigé d'une plume impeccable sur une feuille parfumée à la lavande.

Chère mademoiselle Bailey,

À la lumière des récents problèmes rencontrés à l'école par Mitch et compte tenu de notre entretien houleux, j'aimerais que nous nous revoyions plus longuement, de préférence avec le vice-principal et le psychologue de l'établissement. J'espère de tout mon cœur que le père de Mitchell pourra se joindre à nous, car je suis convaincue qu'il est capital que les deux parents se sentent concernés dans cette affaire. Je vous prie de bien vouloir contacter la secrétaire au plus tôt afin de prendre rendez-vous.

Veuillez croire à l'expression de mes sentiments distingués.

Florence Bright

Les mains de Paula tremblent de rage.

Elle se jette sur la cigarette qui brûle dans le cendrier et aspire une grande bouffée de tabac.

Elle relit le mot.

— Il y a un problème, maman ?

— Ce n'est rien… Je dois travailler ce soir, Mitch. J'ai une conférence de presse que je ne peux pas manquer.

— Au sujet de cette dame qui s'est jetée de la falaise ?

Surprise, elle le regarde. Il a l'air parfaitement dégagé.

— Comment le sais-tu ?

— Ils en ont parlé, à l'école.

— Ils ont dit qu'elle s'était jetée de la falaise ?

— Mouais, ou alors qu'elle était tombée sur un dingue qui l'avait tuée avant de se débarrasser de son corps.

Paula serre si fort les mâchoires qu'elle en a mal.

— Mitch ! Je te défends de parler comme ça ! Tu as neuf ans, tu ne devrais même pas songer à des horreurs pareilles !

Il hausse les épaules.

— Alors il faut encore que j'aille chez Blake, ce soir ?

— Si j'arrive à les joindre. Je me demande bien où ils peuvent être.

— Peut-être bien qu'ils ne veulent pas répondre.

— Et pourquoi ne répondraient-ils pas ?

— Ils doivent savoir que c'est toi : ils ont un identificateur d'appel. Hier soir, la maman de Blake n'a pas décroché quand sa belle-mère a appelé, elle n'avait pas envie de lui parler.

— D'accord, mais je suis pas la grand-mère de Blake ! souffle Paula, agacée.

— Ils n'ont peut-être pas envie de te parler, à toi non plus. Ils se doutent que tu vas encore leur demander si je peux dormir chez eux et ils en ont marre.

— C'est grotesque ! s'exclame Paula en attrapant le téléphone et en composant le numéro tout en surveillant l'horloge du coin de l'œil.

Toujours pas de réponse.

Mitch maugrée quelque chose dans sa barbe pendant qu'elle raccroche à nouveau.

— Qu'est-ce que tu as dit ?

— Rien.

Elle a cru entendre le mot « papa » ; il a dit quelque chose au sujet de Frank.

— Mitch, répète ce que tu viens de dire, reprend Paula d'une voix glaciale.

— J'ai dit que si j'avais su que tu n'étais pas là ce soir, je serais allé à Long Island chez mon père.

— Tu racontes n'importe quoi, tu sais bien que tu ne vas pas à Long Island en semaine !

Paula se creuse la tête pour trouver quelqu'un à qui confier son fils.

— Je vais appeler Lianne, déclare-t-elle à Mitch.

— Je croyais que ça te coûtait trop cher de la faire venir.

— Oui, mais je ne peux pas faire autrement.

Lianne est venue garder Mitch une fois ou deux, mais seulement en cas de force majeure – ses tarifs sont exorbitants : dix dollars de l'heure ! Le double de ce que Paula comptait payer !

La jeune fille, essoufflée, décroche à la première sonnerie.

— Bonsoir, Paula Bailey à l'appareil. Comment vas-tu, Lianne ?

— Oh ! bonsoir ! Je m'apprêtais à filer, j'ai une répétition de théâtre.

— Une répétition de théâtre ?

Merde, merde et merde !

— Oui, je fais partie du groupe de théâtre du lycée. Nous préparons *Our Town*. Je joue le rôle de…

— Lianne, est-ce que tu pourrais sécher ton cours ? Je cherche désespérément quelqu'un pour me garder Mitch.

— Ce soir ? Non, je ne peux pas. Nous n'avons que rarement l'occasion de répéter parce que nous devons partager l'auditorium avec le club de…

— C'est bon, la coupe Paula. Tant pis. Mais écoute-moi, si demain tu n'as pas de répétition, est-ce que tu peux venir me garder Mitch ?

— Bien sûr, j'ai besoin d'argent de poche en ce moment.

Et moi donc, songe Paula. Si Lianne est libre demain soir, elle fera appel à elle. Mais ça ne résout pas son problème. Que faire de Mitch ce soir ?

Et voilà… Qui accepterait de garder Mitch au pied levé ? Ses pensées s'évadent un moment vers son père. Ça n'était pas toujours facile de vivre avec lui, surtout à la fin, mais au moins, c'était un baby-sitter sur mesure !

Bah ! La conférence de presse ne durera pas toute la nuit. Pourquoi ne pas…

Ou alors, si elle laissait Mitch seul à la maison…

Non.

Pas le soir. Elle ose à peine imaginer la réaction des gens s'ils venaient à l'apprendre. Et encore moins celle de Frank.

— Tu as fait tes devoirs ? demande-t-elle brusquement à Mitch.

— Pas encore.

— C'est le fameux devoir sur les fractions ? interroge-t-elle en désignant la feuille de papier qu'il tient à la main.

Il hoche la tête affirmativement.

— Bon, range ça dans ton cartable avec le reste de tes devoirs, et prends un livre au cas où.

— Un livre ?

Il ne lit pas. Elle le sait parfaitement.

— Bon, une revue, alors, ce que tu veux. Mais prépare tes affaires.

— Où est-ce que je vais ?

— Je t'emmène avec moi.

— Où ça ?

— Au commissariat. Tu vas t'asseoir dans un coin et m'attendre.

Il gémit.

— Oh ! maman, j'ai pas envie de ressortir, je suis fatigué !

— Tu n'as pas le choix, Mitch. Ça n'est pas toi qui décides. C'est mon boulot, tu comprends ? Je fais ce que j'ai à faire. Va préparer tes affaires.

— Mais...

— File !

Il sort en traînant des pieds.

Paula écrase sa cigarette et s'aperçoit soudain qu'elle meurt de faim. Il faut absolument qu'elle mange quelque chose. Elle ouvre le réfrigérateur et cherche quelque chose à se mettre sous la dent, mais il n'y a rien, pas même une pomme. Il faut absolument qu'elle aille faire quelques courses... mais quand ? Et avec quel argent ?

Elle prend une cannette de Coca. J'ai faim ! songe-t-elle en en buvant une gorgée.

— Dépêche-toi, Mitch.

Si j'avais su que tu n'étais pas là ce soir, je serais allé à Long Island chez papa.

Les paroles de Mitch résonnent dans sa tête. Elle fronce les sourcils. Pourquoi cela lui revient-il à l'esprit ? Quelque chose dans la façon de le dire... comme si...

Non. Il n'a pas pu voir Frank aujourd'hui... Serait-il possible que...

Bien sûr que non.

Pourtant, elle y mettrait sa main à couper.

Tu deviens complètement paranoïaque, Paula. Frank sait bien ce que cela lui coûterait de voir son fils en dehors de ses jours de visite.

Il a eu Mitch dimanche dernier et n'est pas supposé le revoir avant vendredi soir.

Pourtant, avec cette affaire Kendall, ce serait pratique de lui fourguer Mitch quelques jours plus tôt que prévu...

Non, pas question ! C'est bien la dernière chose à faire : envoyer Mitch chez son père sous prétexte qu'elle doit faire des heures sup... Cela mettrait de l'eau au moulin de Frank, qui réclame la garde de l'enfant.

Elle termine son Coca d'un seul trait avant d'écraser la cannette entre ses doigts pour se défouler.

— Excusez-moi... Il faut que j'y aille, maintenant, prévient Minerva.

Margaret, assise dans la cuisine devant une tasse de café, lève les yeux et aperçoit la femme de ménage sur le pas de la porte. Elle porte Schuyler sur la hanche.

— Je dois partir, répète Minerva d'un ton qui appelle une réponse.

Margaret hoche la tête sans comprendre ce que la femme cherche à lui dire. Est-ce son jour de paie ? Doit-elle la raccompagner chez elle ?

— Prenez le bébé, se décide Minerva en lui tendant l'enfant.

— Oh! oui, bien sûr... Viens avec tante Maggy, Schuyler, susurre-t-elle maladroitement en ouvrant les bras.

Mais la petite fille se débat, agrippée au cou de Minerva.

— Tout ira bien, lui dit Margaret d'une voix qui sonne faux même à ses propres oreilles.

— Je n'ai pas trouvé M. Owen, explique Minerva en essayant de repousser l'étreinte de la petite fille.

— Il est descendu en ville, il doit y avoir une conférence de presse. Ses parents l'ont accompagné.

Quand Owen est venu la prévenir, quelques instants plus tôt, elle a failli lui proposer de l'accompagner. Non qu'elle soit désireuse de subir les flashs des photographes, l'essaim grouillant des journalistes et leurs questions indiscrètes... Mais elle avait un moment envisagé de s'y rendre pour soutenir Owen. Elle y serait allée pour lui.

Mais alors, Mme Kendall avait fait son apparition, attrapant son fils par le bras.

— Nous reviendrons le plus tôt possible.

Quand ils seront de retour, sa mère à elle sera arrivée...

Elle songe un instant à boire quelque chose de plus fort que du café : pourquoi pas un whisky? Ça lui donnerait du courage pour affronter l'arrivée imminente de Bess Wright-Douglas. Mais elle n'a jamais bu, et le moment n'est pas vraiment bien choisi pour s'y mettre. D'ailleurs, il n'est même pas certain que l'alcool réussisse à lui ôter ses inhibitions.

Elle enlève Schuyler des bras de Minerva. C'est pitié de voir pleurer la fillette, qui essaie désespérément de s'échapper...

— Elle ne me connaît pas très bien, explique-t-elle à la femme de ménage pour couvrir les hurlements de Schuyler.

— Sa maman lui manque, remarque Minerva d'une voix étranglée en se signant. Que Dieu la ramène saine et sauve chez elle !

Margaret détourne son visage, mal à l'aise devant cette émotion sincère et la foi qui l'accompagne. Elle ne sait pas quoi dire.

Mais la femme s'en va, attrapant son manteau dans un placard près de la porte de service.

— Je lui ai donné son bain, dit-elle en désignant la pauvre Schuyler, qui sanglote misérablement en lui tendant les bras.

— Très bien.

— C'est que je ne peux pas rester... balbutie Minerva, hésitant avant de franchir le seuil, visiblement déchirée. Il faut que je prenne mon train pour rentrer dans le Bronx.

— Ne vous en faites pas, la rassure Margaret. Allez-y. Je vais bien m'occuper d'elle.

Minerva, tourmentée, s'attarde encore un peu tandis que Margaret fait de son mieux pour calmer Schuyler, qui gigote comme un beau diable pour échapper à sa tante.

Finalement, la femme de ménage prend congé en promettant de revenir le lendemain.

Comme la porte se referme derrière elle, Schuyler se met à pousser des cris stridents, essayant de se jeter à terre.

— Chut ! fait Margaret en caressant les boucles blondes et soyeuses de Schuyler. Ne t'en fais pas, mon bébé, je vais m'occuper de toi.

Seule dans l'immense demeure avec ce bébé qui pleure et se débat, Margaret se lève, en proie à une angoisse soudaine. Traversant la cuisine, elle va se poster devant une fenêtre qui donne sur le grand jardin entouré de grilles.

— Regarde, Schuyler ! Tu vois dehors ? demande-t-elle, bien qu'elle n'y voie strictement rien à cause du reflet de la lumière sur la vitre.

Elle se demande si la foule des journalistes se presse toujours devant la maison. Elle a certainement diminué, à présent : la plupart des reporters ont dû se rendre à la conférence de presse.

Schuyler continue à pleurer dans ses bras, se raidissant comme si elle voulait éviter tout contact avec le corps de sa tante.

Margaret essaie de la cajoler gauchement, sans savoir comment s'y prendre.

— Ne pleure pas, Schuyler, murmure-t-elle. Fais risette, mon cœur, fais risette.

Elle songe à la vie qui attend sa nièce, déjà toute tracée : elle grandira dans le cocon privilégié de Westchester, comme sa mère et sa tante avant elle. Mais Schuyler, contrairement à Margaret, s'y intégrera parfaitement. Elle sera belle et sûre d'elle, comme Jane. Elle grandira et se mariera avec un beau jeune homme riche et éperdument amoureux d'elle, et aura de beaux enfants. Elle aura tout.

Exactement comme Jane.

Comme beaucoup de ces femmes que Margaret croise tous les jours : plus parfaites les unes que les autres, avec leurs vies exemplaires, pour qui le bonheur semble aller de soi…

Mais Schuyler, totalement indifférente à son avenir doré, n'interrompt pas ses hurlements.

Continuant à caresser les cheveux de sa nièce, elle cherche dans la cuisine de quoi la distraire. Son regard tombe sur la poussette toujours rangée dans son coin et sur la pile d'objets qu'elle a déposés sur le comptoir, tout à l'heure.

Elle attrape le puzzle en bois.

— Schuyler, regarde, c'est Humpty Dumpty. Tu vois Humpty Dumpty? Regarde. Elle fredonne : *Humpty Dumpty est assis sur un mur; Humpty Dumpty est tombé de très haut; les chevaux et les soldats du roi ne pourront jamais le réparer.*

Mais la comptine ne console pas le bébé, qui tend néanmoins une petite main potelée pour s'emparer d'une pièce du puzzle.

— Tu veux jouer avec ça? D'accord. Prends-le si tu…

Un coup de sonnette déchire le silence qui règne dans la maison.

— Oh! c'est Mère! déclare Margaret d'une voix atone.

Elle cale en soupirant Schuyler sur sa hanche comme elle l'a vu faire à Minerva et se dirige vers le hall d'entrée.

— Mère!

— Oh! Margaret! A-t-on du nouveau? interroge Bess Wright-Douglas.

Elle porte un élégant tailleur noir griffé Chanel et un magnifique collier de perles. Mais son visage habituellement maquillé avec soin est hagard, et ses yeux bouffis de larmes. Elle est blonde aux yeux bleus, comme Jane, mais Margaret la soupçonne de se teindre depuis quelques années.

— Pour l'instant, on ne sait toujours rien…

— Oh! je suis tellement bouleversée! gémit sa mère tandis que le chauffeur en livrée dépose ses bagages dans l'entrée avant de saluer discrètement. Et tout ce monde, dehors…

— Ils sont toujours là? s'étonne Margaret en regardant par la porte restée ouverte.

À la lumière jaune des réverbères, elle aperçoit des silhouettes sombres pressées contre les grilles.

— Ce sont de vrais charognards.

Elle serre Margaret dans ses bras avec une affection toute relative, essuyant ses yeux remplis de larmes.

— Schuyler, ma pauvre, pauvre petite fille chérie ! Viens dans les bras de *mère*.

Mère. Elle l'a dit en français. Peu après la naissance de Schuyler, Bess a décrété qu'elle désirait se faire appeler ainsi par ses petits-enfants. « Grand-mère, ça fait vraiment trop vieux », avait-elle déclaré à Jane qui s'était empressée d'acquiescer. Jane a toujours voulu faire plaisir à leur mère.

— Viens dans les bras de *mère*, Schuyler, insiste Bess.

Margaret s'attend que l'enfant s'accroche à elle comme à Minerva, mais la petite fille accepte sans rechigner les bras de cette grand-mère qu'elle a dû voir trois fois dans sa vie.

— Qu'est-ce que c'est que ça ? s'exclame Bess tandis que le bébé se blottit contre elle en portant sa main à sa bouche. Que mâchouille-t-elle ?

— Un morceau de son puzzle, répond Margaret.

Bess s'empare du petit poing serré pour l'ouvrir.

— Où l'a-t-elle trouvé ? Ce n'est tout de même pas toi qui le lui as donné ?

Margaret bredouille :

— Elle l'a pris, je l'ai laissée faire : c'est son jouet.

— Mais voyons, Margaret, regarde la taille de ce puzzle !

Margaret l'examine, le visage décomposé. Son cœur bat violemment et elle a toutes les peines du monde à ne pas s'enfuir. C'en est trop pour elle, elle ne peut pas. Pas maintenant.

— Mais à quoi pensais-je ? Comment pouvais-tu le savoir ? Tu n'as jamais eu d'enfant !

Sa mère esquisse un faible sourire, comme si ces paroles étaient destinées à absoudre Margaret. Mais celle-ci n'est pas dupe.

Tu n'as jamais eu d'enfants.

Tu ne t'es jamais mariée.

Tu n'as jamais fait la plupart des choses que Jane a faites et dont Mère est si fière.

— Qu'est-ce que j'aurais dû savoir, Mère ?

Margaret réussit à conserver un ton calme tandis que sa mère se débat avec le bébé pour lui enlever des mains le morceau de puzzle. Schuyler proteste en glapissant de colère.

— Qu'on ne donne pas à un bébé un morceau de puzzle de cette taille-là ! Tu vois bien, c'est trop petit. Elle peut s'étouffer avec ça... Prends-moi ça, tu veux, dit sa mère en lui mettant le morceau de bois dégoulinant de salive dans la main. Je vais tâcher de calmer cette pauvre petite. Où est Owen ?

— Au commissariat. Pour une conférence de presse.

— Ô mon Dieu ! s'étrangle à nouveau sa mère. Pourvu que rien ne soit arrivé à Jane, sinon je...

Sa voix se brise.

— Sinon quoi ? ne peut s'empêcher d'interroger Margaret, glaciale.

Tu te tueras, comme l'a fait papa ? voudrait-elle lui demander, mais elle ne peut se résoudre à prononcer cette cruelle réplique.

Un ressentiment non déguisé se mêle au chagrin dans le regard noyé que sa mère lui lance. Sans rien ajouter, elle s'éloigne dans le couloir en roucoulant à l'oreille du bébé en pleurs.

Assise devant la télévision, Tasha fait un bond sur le canapé quand elle entend un bruit à l'extérieur. Elle saute sur la télécommande et baisse le son. Puis elle penche la tête et écoute attentivement.

C'est sûrement Joël, se dit-elle en jetant un coup d'œil à l'horloge sur la cheminée. Il est 20 h 45, ce ne peut être que lui. Peu de temps auparavant, en entendant le sifflement du train, elle s'est demandé s'il y était. Bien entendu, il n'était pas dans celui de 18 h 44, ni dans le suivant, d'ailleurs. Et malgré sa promesse, il n'a pas appelé pour la prévenir.

Depuis que les enfants sont couchés, elle reste là à sursauter au moindre bruit et à regarder par la fenêtre dans la rue déserte en se demandant si ce qui est arrivé à Jane Kendall pourrait arriver à quelqu'un d'autre. À quelqu'un comme elle, seule dans sa maison alors que la nuit est tombée. Enfin, pas vraiment seule, les enfants sont là. Elle les a mis au lit de bonne heure et a donné un calmant à Max pour qu'il passe une bonne nuit – le pauvre chéri, cette dent lui donne bien des soucis...

Un autre bruit sourd résonne à l'extérieur.

Tasha pose la télécommande sur la table basse et se dirige vers la porte de service, qui s'ouvre à toute volée au moment où elle l'atteint.

Elle pousse un cri strident.

— Nom d'un petit bonhomme... (La tête de Joël apparaît.) Tasha! C'est moi.

— Mon Dieu, fait-elle en portant ses mains à sa gorge. Tu m'as fait une de ces peurs!

— J'ai vu! Mais qui voulais-tu que ce soit?

Il verrouille la porte derrière lui et enlève son imperméable noir. Il est superbe dans son costume anthracite et sa belle chemise blanche à peine défraîchie – encore une folie pour fêter sa promotion. Son élégance semble presque déplacée, ici, dans cette cuisine crasseuse et encombrée qui sent le poulet trop cuit, avec une femme vêtue d'un vieux pyjama en pilou qui ne s'est pas recoiffée de la journée.

— Pardonne-moi de rentrer si tard, ma chérie, s'excuse-t-il en posant sa mallette sur la table à côté des devoirs inachevés de Hunter et de sa *lunch-box* en plastique préparée pour le lendemain.

Tasha refuse de vivre cet affreux cliché : de toutes ses forces, elle rejette l'image de la femme négligée coincée chez elle dans la banlieue de New York, qui regarde sans cesse sa montre en se demandant ce que son mari fait avec sa jolie secrétaire.

La femme est toujours la dernière à l'apprendre. C'est ce qu'on dit. Mais cela ne s'applique pas à elle ni à Joël.

— Tash ?

— Oui ?

— Je t'ai demandé pardon.

— C'est bon, dit-elle en refoulant le « *Je croyais que tu devais m'appeler si tu ratais ton train* ».

— J'ai essayé de te prévenir, reprend-il comme s'il lisait dans ses pensées. Mais la batterie de mon téléphone est à plat.

Comme pour ponctuer cette remarque, il sort son portable de sa veste et fouille dans le tiroir de la cuisine à la recherche de son chargeur.

Tasha l'observe du coin de l'œil, brûlant d'envie de lui demander pourquoi il n'a pas employé la bonne vieille méthode : il aurait parfaitement pu l'appeler d'une cabine téléphonique de Grand Central, comme il avait l'habitude de le faire avant sa promotion. Avant qu'on ne lui ait donné un portable. Mais peut-être se refuse-t-elle à entendre la réponse.

Passant devant elle en la bousculant un peu au passage, il enlève sa veste et dénoue sa cravate.

— Ça sent le poulet.

Elle hume l'air.

— Ah ? Moi, je sens plutôt l'eau de Cologne.

Une petite voix irritée lui souffle : pourquoi revient-il à cette heure tardive en sentant l'eau de Cologne après une longue journée de travail ?

— Oui, moi aussi. Mais l'odeur de ton poulet est plus appétissante. Ce parfum me donne mal à la tête, à vrai dire. Il a pourtant fallu que je l'essaie : c'est l'un des produits de notre nouveau client, et j'ai dû me rendre à une réunion chez eux…

Il se laisse tomber sur une chaise et se penche pour délacer ses chaussures.

De l'eau de Cologne. L'un des produits de ce gros distributeur dont il a réussi à décrocher le budget. C'est vrai, il en a effectivement parlé, il y a quelques jours. Soulagée, Tasha se détourne avant qu'il ne puisse déceler sur son visage ses vilains soupçons.

Mais c'est inutile. Elle voit dans le reflet de la porte du four qu'il ne la regarde même pas. Maintenant qu'il a ôté ses souliers, il se masse les tempes, les yeux fermés, comme s'il avait eu une journée épuisante.

Elle se tourne vers lui.

— Tu as entendu parler de ce qui est arrivé à Jane Kendall ?

— Jane Kendall ? (Il fronce les sourcils.) Qui est-ce ?

— Je t'en ai déjà parlé. On se voyait au *Gymboree*.

Devant son air perplexe, elle réalise qu'elle ne lui en a peut-être jamais parlé. Pourtant, son petit signe de dénégation et sa réponse laconique l'énervent.

— Jamais entendu parler d'elle.

— Je suis pourtant certaine de t'en avoir parlé.

La remarque pleine de sous-entendus plane un moment entre eux. Il ne l'écoute plus lorsqu'elle lui parle, on dirait que ce qu'elle raconte n'a aucune importance.

— Peut-être bien, fait-il en haussant les épaules. Et alors, que lui est-il arrivé ?

— Ou vas-tu ?

— Je monte me changer, dès que tu m'auras dit ce qui s'est passé avec cette fameuse Jane Kendall.

— Tu comptes laisser tes chaussures en plein milieu de la cuisine ?

— Non, je les emporte avec moi ! aboie-t-il, excédé, en se dirigeant vers l'entrée.

— Joël !

— Quoi ?

— Qu'est-ce que tu fais ?

— Je range mes chaussures, comme tu me l'as si gentiment demandé.

Serrant les dents, elle riposte.

— Tu te fiches complètement de ce que j'ai à te dire.

Il reste immobile dans l'entrée, le dos tourné comme s'il attendait. Ou comme s'il comptait jusqu'à dix avant de prendre la parole.

Mais il ne dit rien.

Elle le rejoint en deux enjambées et s'accroche à son bras :

— Joël, j'essaie de te dire que cette femme, qui est une de mes amies, s'est volatilisée aujourd'hui dans High Ridge Park !

Il pose sur sa femme un regard dont l'expression lui échappe.

— Comment ça, elle s'est volatilisée ? Que s'est-il passé ?

— Personne ne le sait. Certains prétendent qu'elle s'est jetée de la falaise, d'autres soutiennent qu'il s'agit d'un enlèvement. Sa famille est très riche, et son mari est un Kendall. Tu sais, les aspirateurs... Rachel m'a raconté qu'ils étaient richissimes... Un peu comme les Rockefeller.

— C'est bien du Rachel !

Joël n'est pas fou de Rachel, qu'il trouve gâtée et trop commère. Il n'a pas entièrement tort, d'ailleurs, mais Tasha n'est pas d'humeur à l'entendre dénigrer son amie. Surtout quand il prend cet air détaché, comme s'il se moquait éperdument de la disparition de l'une des amies de sa femme.

Certes, Jane Kendall n'était pas vraiment ce que l'on appelle une amie, reconnaît Tasha, mais cela ne l'empêche pas d'être bouleversée par ce qui lui est arrivé. Elle la connaissait, pour l'amour de Dieu ! Elles se voyaient toutes les semaines, leurs enfants jouaient ensemble... Et dire que maintenant elle est...

— C'est pour me dire ça que tu as passé la journée à essayer de me joindre au bureau ? demande Joël.

— Passé la... mais c'est faux ! C'est Stacey qui t'a raconté ça ?

— Oui, elle m'a dit que tu avais appelé plusieurs fois.

— J'avais besoin de te parler, tu aurais pu me rappeler.

— C'est ce que j'ai fait.

— À 15 h 30 !

— C'est le seul moment que j'aie trouvé. J'ai eu une avalanche de réunions...

— Tu es toujours en réunion, Joël. Quoi qu'il arrive.

D'un geste évasif de la main, elle coupe court à cette discussion et va ouvrir la porte du four.

— Tu n'imagines pas la journée que j'ai eue, Tasha, continue Joël, contrarié. Tu n'imagines pas non plus la pression à laquelle je suis soumis.

— Et toi, tu imagines ce qu'a été ma journée ?

riposte-t-elle. Question pression, j'en connais un rayon !

— Qu'est-ce qui s'est passé d'autre ?

— Tu veux dire, à part la disparition de Jane Kendall ? Ça ne te suffit pas ?

— Écoute, je suis désolé pour ton amie, soupire-t-il. Je sais que tu es bouleversée, mais…

— La machine à laver le linge est en panne, Joël, reprend Tasha en abandonnant le four pour lui lancer un regard noir.

Cette fois-ci, il la regarde d'un air… franchement incrédule.

— Je sais, poursuit Tasha, elle n'a même pas un an. Moi aussi, j'ai eu du mal à le croire.

— Moi, ce que j'ai du mal à croire, c'est que tu me brandisses cette histoire de machine à laver en panne pour prouver que tu as eu une journée stressante ! Qu'est-ce que ce serait s'il fallait que tu gères un budget publicitaire de trente millions de dollars pour un tas de vieux schnocks en costumes griffés…

— Oh ! je le ferais avec plaisir ! rétorque Tasha du tac au tac. Et toi, de ton côté, essaie de passer une journée à la maison avec les enfants, la lessive et tout ce qu'il y a à faire sans te prendre la tête !

Joël se contente de la regarder, puis il hoche la tête et poursuit son chemin, ses souliers au bout des doigts.

Tasha referme violemment la porte du four et s'apprête à le suivre. Puis elle se ravise. Elle est en colère, certes, mais elle est surtout complètement claquée. Trop claquée en réalité pour se disputer avec son mari maintenant.

Les poings serrés, elle reste plantée dans la cuisine tandis qu'il monte l'escalier d'un pas ferme.

Le téléphone sonne au moment où Karen retire le dernier petit pyjama rose du sèche-linge. Elle le lance dans le panier à linge avant de le caler contre sa hanche pour aller répondre dans la cuisine.

— C'est moi, fait la voix de Rachel à l'autre bout du fil.

— Salut, Rach.

(Elle pose la panière sur la table et commence à plier les vêtements.) Que se passe-t-il ?

— J'ai appelé ton petit voisin pour qu'il garde les enfants, il vient demain soir. Je voulais te remercier, jamais je n'aurais pensé à lui.

Karen se souvient de Jeremiah disparaissant dans l'abri de jardin quelques heures plus tôt. Doit-elle le dire à Rachel ? Non. Après tout, il ne faisait rien de mal. Elle a simplement eu une drôle d'impression.

Tom n'a peut-être pas tort, quand il soutient qu'elle s'en fait trop. Il la taquine en prétendant qu'elle souffre d'un syndrome d'anxiété, mais ça ne la fait pas rire du tout : elle voit continuellement passer des patients qui souffrent de cette maladie, et ça n'est pas gai.

Et puis c'est faux, elle n'est pas anxieuse. Juste consciencieuse, rectifie-t-elle avec obstination. Entre les deux, il y a un monde.

Elle répond à Rachel tout en pliant deux chaussettes microscopiques.

— J'espère qu'il fera l'affaire.

— J'en suis certaine, rétorque Rachel, désinvolte. Mais il faut maintenant que je trouve quelqu'un à temps plein, je viens de remercier Mme Tucelli. Tu n'aurais pas croisé récemment une Mary Poppins disponible, par hasard ?

— Hélas ! non, mais si c'était le cas, tu serais la première au courant, promet Karen en inspectant un col roulé de Taylor, encore un peu taché.

— D'accord, merci. À plus tard.

Karen raccroche et retourne à son linge. Rachel ne lui a même pas demandé comment ça allait : c'est typiquement elle. Au début, Karen pensait que c'était par distraction, mais elle se demande maintenant si son amie ne souffre pas d'un syndrome narcissique. Il y a quelques années, elle avait rencontré une étudiante chez laquelle le psychologue de l'école avait diagnostiqué cette maladie. Or la jeune fille présentait des similitudes de caractère avec Rachel. On ne peut pas vraiment dire que son amie possède une capacité d'empathie démesurée, elle qui profite au maximum de sa femme de ménage, parfois même de ses amies. La plupart du temps, elle ne parle que d'elle et supporte mal la critique.

Karen se remémore un incident assez récent, arrivé chez *Starbucks* : Rachel avait tartiné de miel un beignet qu'elle s'apprêtait à donner à Noah. Quand Karen lui avait fait remarquer qu'il valait mieux ne pas donner trop tôt du miel aux enfants, Rachel l'avait rembarrée en expliquant qu'elle en connaissait plus qu'elle sur la question. À l'époque, Taylor n'avait que quelques semaines, ce que Rachel s'était empressée de souligner, tout en ajoutant qu'elle était mariée à un pédiatre.

— C'est vrai, Rachel. Tu en sais certainement plus que moi sur les enfants, mais je maintiens que c'est dangereux de donner du miel à Noah, avait insisté Karen.

Rachel était alors montée sur ses grands chevaux et avait planté là Karen et Tasha, interloquées.

— Bah ! Ça va lui passer, avait commenté Tasha. Elle ne supporte pas la critique.

Tasha ne se trompait pas. Rachel s'en était remise, et Karen ne l'avait jamais revue donner du miel à Noah. Elle supposait qu'elle avait dû en parler à Ben et qu'elle avait découvert que Karen avait raison, mais elle serait morte plutôt que de le reconnaître.

Néanmoins, elle considère toujours Rachel comme une amie : elle a aussi ses bons côtés, et habite dans la même rue qu'elle. Ces derniers temps, la vie sociale de Karen est centrée sur sa fille : désormais, les femmes qu'elle fréquente sont les mamans du quartier. Certes, la plupart sont sympathiques, mais Karen regrette parfois les amies qu'elle a laissées derrière elle. Depuis qu'elle a déménagé à Orchard Lane, Karen a perdu de vue le cercle d'amies qu'elle voyait en ville, dont la plupart sont mariées et jonglent entre leur famille et leur travail. Comme elle.

Enfin, comme elle le faisait avant, corrige-t-elle : elle est en congé de maternité depuis Noël dernier. Au départ, elle comptait reprendre rapidement son travail, mais elle s'était rendu compte qu'elle ne pouvait pas laisser Taylor. Il était encore trop tôt.

Heureusement, elle a suffisamment enseigné pour se permettre de prolonger son congé parental sans perdre son poste. Et comme le travail de Tom marche bien, ici, en banlieue, un seul salaire suffit largement. D'ailleurs, son mari passe son temps à lui dire qu'elle n'est pas obligée de reprendre les cours.

En a-t-elle réellement envie ? Oui, mais pas tout de suite.

Elle plie la dernière petite chemise avant de se diriger vers l'escalier avec sa panière à linge. Tout à coup, sa fille lui manque.

La porte du bureau de Tom – en réalité c'est une chambre d'ami – est fermée. En entendant crépiter sa machine à calculer, elle devine qu'il ne montera pas se coucher tôt.

Elle traverse le hall sur la pointe des pieds et va jeter un coup d'œil dans la chambre du bébé : Taylor dort dans son berceau, couchée sur le côté.

Karen caresse le petit duvet noir qui lui recouvre le crâne :

— Ça va mieux, mon cœur ? chuchote-t-elle. Tu n'as plus mal à ton petit ventre ? Ne t'en fais pas, ça va aller. Maman est là et veille sur toi, mon bébé.

Mitch découvre qu'une conférence de presse peut être aussi ennuyeuse qu'une leçon de Mlle Bright consacrée à un président mort depuis des lustres.

En fait, une conférence de presse, c'est un groupe de personnes très tristes entourées de policiers et d'autres types en uniforme qui se tiennent devant des micros dans une grande pièce. D'abord ils font un petit discours, et puis on leur pose des questions. Tout le monde parle d'une dame qui a disparu dans le parc, et son mari, le beau gosse qui est assis à côté des flics, ne cesse de s'essuyer les yeux. Mitch se demande s'il n'est pas gêné de pleurer comme ça, devant tout le monde. Normalement, un adulte, ça ne pleure pas, surtout un homme. Maman, elle, ne pleure jamais. Ça non !

Mitch trouve que c'est la plus sympathique de tous les journalistes qui sont là, et elle pose un tas de questions. Il sait qu'elle fait très bien son travail, elle a même gagné un prix.

Il l'a fait remarquer à son père, cet après-midi, quand celui-ci lui a dit que sa mère devrait changer de métier pour trouver un travail où elle gagnerait mieux sa vie : Mitch lui a expliqué qu'elle était vraiment faite pour ça, avec toutes les récompenses qu'elle avait gagnées.

— Vraiment ? a fait son père. Comment le sais-tu ?

— C'est elle qui me l'a dit.

En secouant la tête, son père a émis un petit bruit dont Mitch n'a pas compris la signification.

— Mitch, tu crois tout ce que ta mère te raconte ?

Mitch a acquiescé.

— Eh bien, tu as tort.

— Qu'est-ce que tu veux dire par là ?

Son père a hoché la tête à nouveau.

— Rien. Mais ne me parle plus de ta mère, veux-tu ?

La conférence de presse est terminée. Mitch range son devoir de maths dans son cahier et se lève. Sa mère lui a trouvé une chaise libre au fond de la pièce en lui expliquant qu'elle était obligée de s'asseoir au premier rang avec les autres journalistes. Il ne la voit plus, on dirait qu'elle a été engloutie par la marée humaine qui s'agite dans la pièce.

— Eh, mon garçon, fais un peu attention ! jappe quelqu'un dans son dos quand Mitch le bouscule par inadvertance.

— Pardon, marmonne Mitch.

Où est donc passée maman ? Il a hâte de quitter cet endroit. Enfin, il l'aperçoit : elle est en train de parler avec deux flics, un Blanc squelettique avec les cheveux en brosse et un Noir trapu. Ils sont en train de rire quand Mitch donne une petite tape sur le bras de sa mère.

— Mitch ! Te voilà, mon chéri. Les gars, je vous présente mon fils. Mitch, voici les agents Mulvaney et Wilson.

— Salut, petit ! s'exclame l'un, tandis que l'autre se contente de sourire.

Ils ont changé du tout au tout par rapport au moment où ils répondaient aux questions sur l'estrade – c'était plutôt lugubre, tout à l'heure.

— Dis, maman, on y va ? demande Mitch.

— Dans une minute. Alors, c'est promis ? Vous me prévenez dès qu'il y a du nouveau ?

— On fera tout ce que tu voudras, Paula, promet le blond Mulvaney.

— Je parle sérieusement, Brian. Moi, je suis du coin, eux, non, dit-elle en désignant les autres reporters. Et en plus, je fais bien mon boulot. On ne sait jamais, je pourrais découvrir quelque chose qui ferait avancer votre enquête.

— Te connaissant, Paula, il y a de grandes chances que cela arrive, commente l'agent Wilson.

— Maman, reprend Mitch en la tirant par la manche. Allez, viens, je vais à l'école demain !

— Vas-y, Paula, renchérit Mulvaney. Emmène ton fils à la maison, il a l'air crevé.

— Et moi donc ! réplique Paula. Quelle journée harassante ! C'est bon, Mitch, on y va.

Une fois dehors, ils prennent en marchant le chemin de leur maison, qui se trouve à quelques minutes de là.

Dans la nuit sombre, on entend le bruit soyeux des feuilles mortes balayées par le vent sur la chaussée. Mitch pense à Halloween, dans quelques semaines. Si seulement sa mère pouvait lui acheter un déguisement, cette année, et ne pas l'obliger à le fabriquer lui-même. Mais il ne faut pas rêver, elle va sûrement lui dire encore qu'elle n'a pas d'argent pour l'acheter.

Et s'il demandait à son père ?

Et s'il allait vivre avec son père, tout simplement ? Mais le remords l'envahit immédiatement. Il n'a pas le droit d'abandonner sa mère, elle se retrouverait toute seule. Or elle a besoin de lui.

— Maman ?

— Oui ?

Elle a l'air plongée dans ses pensées.

— Est-ce que tu pourrais m'acheter un vrai déguisement pour Halloween ?

— Peut-être.

— Vrai ?

Il n'en revient pas. Il s'attendait qu'elle lui dise non tout de suite.

— J'ai dit peut-être, Mitch. On verra, d'accord ?

Elle a l'air de bonne humeur... Sûrement parce que ça se passe bien, dans son travail. Il sait combien son boulot lui plaît.

Ils continuent à marcher en silence. Ce quartier lui donne un peu la chair de poule. Il frissonne.

— Tu as froid ? s'enquiert sa mère.

— Non... J'ai un peu peur, avoue-t-il. Tu sais... la nuit. Tu as peur, toi ?

— Non, fait-elle en haussant les épaules.

— Tu n'as jamais peur de rien ?

Elle hésite et finit par acquiescer.

Mais il voit bien qu'elle ment. Il y a des trucs qui lui font peur, mais elle ne veut pas le reconnaître. Elle fait semblant d'être brave tout le temps.

Mitch aimerait bien lui ressembler davantage, quand il sera plus grand.

— Il y a de quoi manger à la maison ? demande-t-il en s'apercevant qu'il a l'estomac vide.

— Hum ?

— J'ai faim.

— Moi aussi. Si nous nous arrêtions pour acheter une barre glacée chez l'épicier ? Ça te dirait ?

Une barre glacée n'est pas vraiment ce dont il rêve, à l'heure qu'il est. Chez son ami Blake, il y a un dîner chaud tous les soirs. Un pain de viande ou du poulet rôti, par exemple.

Maman ne fait jamais de trucs comme ça. Mais la mère de Blake ne travaille pas, elle. Elle a le temps de faire la cuisine. Pas maman. Maman n'a jamais le temps de faire quoi que ce soit... parfois, elle n'a même pas le temps de s'occuper de Mitch.

— Une glace, super, acquiesce-t-il en chassant une nouvelle bouffée de remords.

— Encore une bière, Fletch ?

Il hoche la tête devant Jimmy, le barman, et boit une dernière gorgée du verre presque vide qui se trouve devant lui.

Le journal télévisé de 23 heures va bientôt commencer. Il aimerait demander à Jimmy de monter le volume de la télévision au-dessus du bar, puis il décide que ce ne serait pas une bonne idée : inutile de faire naître des soupçons, surtout dans une aussi petite ville.

Fletch s'appuie contre le dossier de son tabouret de bar et s'observe dans le miroir du fond : il a besoin de se faire couper les cheveux. Il aime les porter un peu longs, parce que ça lui donne l'air plus jeune, mais là, cela fait presque négligé. Il se promet de prendre rendez-vous dès demain avec Heather, sa coiffeuse attitrée. Elle est probablement débordée, mais elle trouvera bien à le caser à un moment de la journée...

Il regarde autour de lui. L'auberge de *Station House* est quasi déserte, mais il n'y a jamais grand monde, en semaine. Fletch jette un coup d'œil aux rares tables occupées, la plupart par des couples qui grignotent des biscuits à apéritif en buvant un verre de vin. Au bar, juchés sur des tabourets, se tiennent deux hommes d'affaires – sans doute des banlieusards qui arrivent de la gare de Metro North et viennent prendre un verre avant d'aller se coucher.

Son regard se pose sur les deux seules femmes qui se trouvent au bar. Il ne les connaît pas, mais ce n'est pas étonnant, c'est rare qu'il soit en ville à cette époque de l'année.

Tiens, tiens... Une blonde et une brune, assises côte à côte, sirotant un gin-tonic. Âgées d'une quarantaine d'années, elles sont toutes les deux jolies et bien habillées. Il a remarqué les regards qu'elles lui jetaient en coin. Voilà la brune qui recommence.

Fletch lui adresse un petit sourire avant de reporter son attention sur le poste de télévision qui surplombe le bar. Il ne veut rien encourager. Pas ici, pas ce soir. Surtout pas avec elles.

— Voilà pour toi, Fletch, annonce Jimmy en posant un verre couronné de mousse sur le comptoir.

— Merci, Jimmy.

Le barman fait un geste pour désigner les informations télévisées.

— Tu as entendu parler de cette femme, Jane Kendall?

— Ouais, répond Fletch en s'emparant de la bière.

Levant les yeux vers le poste, il essaie de rester imperturbable alors qu'apparaît la photographie de Jane avec la mention en lettres noires : « Disparue ».

— C'est triste, non? (Jimmy hoche la tête.) Quel gâchis!

— Mouais, acquiesce Fletch en buvant une gorgée. Quel gâchis...

Il regrette maintenant d'avoir commandé une autre bière. Il n'a plus qu'une envie : rentrer chez lui et aller se coucher. Seul, de préférence.

L'émission de David Letterman est terminée. Tasha se lève et éteint le poste de télévision en bâillant.

C'est la première fois qu'elle revoit *The Late Show* depuis que Max a commencé à faire ses nuits. Après avoir vu un reportage complet sur la disparition de Jane Kendall, elle n'avait plus du tout envie de dormir. Alors elle est restée dans la salle de séjour pour regarder l'émission de Letterman, dont les propos caustiques lui ont temporairement fait oublier ses peurs et sa colère à l'encontre de Joël.

Maintenant, elle ne peut plus repousser le moment d'aller se coucher. Si elle ne se repose pas un peu, elle s'en mordra les doigts, demain, en se réveillant à l'aube.

Elle n'a pas revu Joël depuis qu'il est monté se changer en tempêtant. Elle croyait pourtant qu'il reviendrait manger un morceau. Jamais il ne se couche le ventre vide. Et c'est très rare qu'ils s'endorment sur une dispute.

Elle éteint la lumière et commence à gravir les marches de l'escalier.

Et si... et s'il était allongé là-haut, s'il m'attendait. Prêt à me demander pardon.

Elle gravit les marches une à une, calmement, en pensant que, s'il lui présente ses excuses, elle les acceptera. La vie est trop courte. Il n'y a qu'à voir ce qui est arrivé à Jane Kendall.

Voilà que ça recommence... qu'est-il réellement arrivé à Jane Kendall ?

A-t-elle sauté ? L'a-t-on enlevée ? Assassinée ?

Et s'il n'était rien arrivé de grave? Si elle s'était simplement arrangée pour se faire passer pour morte? Parce que sa vie ne lui convenait plus et qu'elle avait décidé de la refaire ailleurs?

Impossible, se dit Tasha. Comment peut-on abandonner son bébé, son mari, sa maison… surtout quand on a une vie de rêve? Ou qui paraît telle.

Les gens disent peut-être la même chose en me voyant, songe Tasha. Les autres mamans du *Gymboree* s'imaginent peut-être que je nage en plein bonheur, que j'ai tout ce que je veux.

Est-ce que c'est vrai?

Plus maintenant.

Elle se demande ce que ça lui ferait de partir, de tout plaquer… la machine à laver en panne, la montagne de linge sale, sa belle-famille et…

Et Joël? Et les enfants? Non, non, cent fois non!

Elle adore son mari et ses enfants, ils sont toute sa vie. Pour rien au monde elle ne les abandonnerait. Jamais! Elle ne ferait jamais rien qui puisse mettre en péril ce qu'elle a…

Vraiment? Et Fletch? Cela revient toujours la hanter. Elle chasse son image de son esprit.

Une fois à l'étage, elle s'immobilise dans le couloir plongé dans l'obscurité avant d'entrouvrir la porte de la chambre du bébé. Max dort profondément dans son berceau, ses petits poings serrés de chaque côté de ses bonnes joues rondes. Elle rentre dans la pièce pour le regarder dormir à la lueur de la petite veilleuse, arrangeant la couverture sur son ventre rond. Il est la prunelle de ses yeux. Comme Hunter et Victoria.

Tasha, prise de remords, ferme les yeux. Comment a-t-elle pu imaginer une seconde qu'elle pourrait abandonner ses bébés?

Et Joël…

Elle aime Joël. Elle l'aime toujours, après tant d'années de mariage et trois enfants... Oui, elle l'aime encore, de toute son âme.

Mais ces derniers temps, il se comporte comme un étranger : il est rarement à la maison et, quand il est là, son esprit semble ailleurs.

Mais où donc ? Elle n'a peut-être pas vraiment envie de savoir.

En soupirant, elle sort sans bruit de la chambre du bébé.

Si Joël ne dort pas, se dit-elle en se dirigeant vers leur chambre, elle va lui parler à cœur ouvert. Elle va lui dire à quel point il lui manque, combien elle a besoin de lui. Ils arriveront peut-être à crever l'abcès, il fera un effort pour changer.

Elle ouvre la porte.

Joël est couché dans leur lit et lui tourne le dos.

— Joël ?

Pas de réponse.

Elle reste debout et tend l'oreille : sa respiration n'est pas régulière.

Son sommeil est-il feint ?

— Joël ? reprend-elle très doucement.

Rien.

Elle se détourne pour rejoindre la salle de bains, dont elle referme la porte derrière elle.

Le vent s'est levé dehors, faisant vibrer les carreaux des fenêtres et s'engouffrant dans les moindres fissures, créant un courant d'air glacé qui balaie la chambre silencieuse.

Il n'y a rien de pire que de s'allonger dans son lit en fixant le plafond sans trouver le sommeil. D'habitude, au bout d'un moment, il finit par venir, mais ce soir il se dérobe, se fait attendre. Avec ce vent qui hurle dans la nuit... Et après une journée pareille, une nuit comme la nuit dernière... Et demain qui l'attend...

Impossible de faire marche arrière, désormais, la machine est en marche.

Finalement, la mort de Jane ne s'est pas si mal passée, une fois surmonté le regard hagard de la jeune femme. Qui aurait cru qu'il était si facile d'ôter la vie à quelqu'un ? Si simple ? Pas comme la première fois... Mais c'était différent alors, cette mort n'avait pas été préméditée, c'était un accident. Pourtant, c'était l'étincelle qui avait mis le feu...

À présent, il est temps de passer à la suite. Après tout, cela ne pourra marcher que comme cela. Il faut tout mener à bien, du début jusqu'à la fin, sans tergiverser. Sans perdre son élan.

Et si l'on devine que c'est moi ? Si je me trahis d'une manière ou d'une autre ?

Mais non, c'est impossible, ça a tellement bien marché, la première fois. Pourquoi cela raterait-il maintenant ? Tu ne feras aucun faux pas.

Respire profondément. Tu peux le faire. Tu vas le faire. Tu n'as pas le choix.

Jeudi 11 octobre

6

Laissant les enfants devant *Rue Sésame*, Rachel sort nonchalamment sur le perron en resserrant la ceinture de son peignoir en soie au cas où quelqu'un la verrait. Le mois dernier, elle a surpris M. Martin en train de la dévisager de l'autre côté de la rue alors qu'elle s'était faufilée dehors en nuisette pour aller récupérer le journal. Voyant que Rachel avait capté son regard lubrique, il avait feint d'arroser ses affreux soucis orange. La jeune femme n'avait pas été étonnée outre mesure. Elle lui avait toujours trouvé l'air vicieux.

Mais la rue est déserte, ce matin. Rachel frissonne tandis qu'elle descend l'allée dans ses pantoufles doublées de laine polaire. Il souffle un vent glacial, mais on dirait que le soleil va percer derrière les nuages qui courent dans le ciel gris pâle.

Alors qu'elle se penche pour ramasser le journal, elle a la désagréable impression d'être observée. Relevant brusquement la tête, elle jette un coup d'œil sur le jardin impeccable des Martin : personne en vue. Le regard de Rachel va ensuite se poser sur la maison des Banks, voisine de celle des Martin. Tout semble calme. Les stores sont tirés et la voiture de Joël est encore dans l'allée. Rachel scrute la rue en fronçant les sourcils. Pas une âme en vue. Pourquoi éprouve-t-elle donc cette sensation désagréable ?

Son imagination doit lui jouer des tours, pense-t-elle en se penchant pour ramasser le journal dans son sac en plastique jaune. Elle l'ouvre et regarde la page de couverture en devinant ce qu'elle va y trouver.

Voilà. Sous son nez, la photo de Jane Kendall, avec un gros titre :

« LES RECHERCHES CONTINUENT POUR RETROUVER L'HÉRITIÈRE DISPARUE DE TOWNSEND HEIGHTS. »

— Seigneur Jésus ! murmure-t-elle en dépliant le journal pour survoler l'article. Pendant qu'elle lit, elle sent la chair de poule hérisser le duvet de ses bras. Brrr ! Elle se rend compte qu'elle gèle, dehors, seulement couverte de son fin peignoir.

Mais ça n'est pas pour ça qu'elle a la chair de poule. Elle a toujours cette impression de sentir un regard posé sur elle, elle n'arrive pas à s'en débarrasser. Brusquement, elle glisse le journal sous son bras et se dépêche de rentrer chez elle. Elle meurt d'envie de se retourner pour faire un doigt d'honneur en direction de la maison des Martin, tant elle est persuadée que ce vieux cochon est en train de la reluquer depuis sa fenêtre.

Après tout... qui cela pourrait-il être d'autre ?

Elle frissonne encore en atteignant la porte d'entrée, qu'elle a laissée entrouverte.

Jane Kendall. S'est-elle vraiment donné la mort ? Ou quelqu'un d'autre est-il responsable de sa disparition ? Et s'il s'agit d'une tierce personne, Jane Kendall a-t-elle été piégée avant d'être tuée ? A-t-elle eu elle aussi l'impression que quelqu'un la surveillait ?

Arrête, voyons, tu te fais des frayeurs, espèce d'idiote !

Rachel pousse la porte et rentre dans sa maison bien chaude avant de refermer à clé derrière elle.

— Rachel ?

Elle sursaute et pousse un cri en entendant la voix juste derrière elle.

Ben la regarde avec étonnement.

— Que se passe-t-il ?

— Tu m'as foutu les jetons !

Elle appuie une main sur son cœur affolé, secouant la tête avec véhémence. Son mari, qui part travailler, porte un pantalon en velours côtelé et une chemise jaune sous une veste marron. Elle remarque distraitement que le jaune de sa chemise est trop vif et, sans qu'elle sache pourquoi, cela l'agace. Il aurait mieux fait de mettre une chemise jaune pâle.

Ben ouvre le placard de l'entrée pour en sortir son imperméable kaki.

— N'oublie pas que je rentre tard, ce soir. J'ai ma réunion de parents.

— Bonne chance !

Ben râle toujours quand arrive cette réunion mensuelle où ses infirmières et lui doivent répondre aux questions des femmes enceintes et de leurs maris.

— Mouais. J'en ai marre d'entendre toujours les mêmes questions, soupire Ben en glissant son bip dans sa poche.

— Tiens donc ! Tu devrais passer une journée en compagnie de ta fille, rétorque Rachel en souriant. À propos, moi aussi, je sors ce soir.

— Ah ! Que fais-tu ?

— Je vais dîner avec Allen, explique-t-elle avec aisance.

Elle ne peut prétexter un dîner avec Tasha ou avec Karen, que Ben pourrait très facilement croiser par hasard. Allen est un de ses amis homosexuels qui habite New York. Elle le fréquentait avant son mariage, quand elle était styliste chez Saks ; il vient de partir chasser quelques semaines en Toscane.

Ben hausse un sourcil.

— Et Mme Tucelli, alors ?

— Qu'est-ce qu'elle vient faire là-dedans ?

— Je croyais que tu l'avais mise à la porte hier soir. Qui va garder les enfants ?

— Un garçon qui habite un peu plus loin dans la rue.

— Quel garçon ?

— Celui qui vit en ce moment chez les Gallagher. Tu sais, leur neveu.

— Ah ! Tu le connais ?

— C'est un brave gosse, répond Rachel en haussant les épaules. Et s'il a besoin de quoi que ce soit, son oncle et sa tante sont à côté.

Enfin, sa tante sera là.

— Tu n'as pas vu mon trousseau de clés ? demande Ben en tâtant la poche de son imperméable.

— Non.

— J'ai dû les laisser dans mon autre manteau.

Rachel se hausse sur la pointe des pieds pour déposer un baiser sur la joue de son mari.

— Passe une bonne journée, Ben. Je vais aller prendre un café et lire le journal.

— Ils ont retrouvé cette femme, Jane Kendall ?

Elle secoue la tête.

— Si l'on en croit les journaux, pas encore. À ton avis, qu'a-t-il pu lui arriver ?

— Rien de bon, d'après ce qu'on raconte. Ah ! les voilà !

Agitant son trousseau de clés, il referme le placard et attrape son sac.

— Je t'appelle dans la journée. Embrasse les enfants pour moi.

— Tu ne peux pas le faire toi-même ?

— Je les ai embrassés, mais ils ne s'en sont même pas aperçus. Ils sont scotchés à l'écran. Tu sais, Rach, je trouve qu'ils regardent trop la télévision.

Elle hausse les épaules.

— Il y a pire, Ben. À ce soir.

— Tu rentreras probablement avant moi. J'ai pas mal de paperasses à remplir après ma réunion. Amuse-toi bien.

— J'y compte bien, réplique-t-elle avec un petit sourire tandis qu'il s'en va.

Mitch se tient au pied d'un arbre, visant avec un gros pistolet Robbie Sussman, qui pleurniche accroché à une branche. Il s'applique à bien centrer le canon sur le visage barbouillé de larmes de cet imbécile de Robbie quand une sirène stridente vient tout faire rater.

La police, filons ! pense-t-il avant de réaliser qu'il s'agit simplement de la sonnerie de son réveil. Tout cela n'était qu'un rêve, hélas...

Le réveil éteint, il réalise qu'il règne un silence anormal dans l'appartement.

Où est maman ?

Il ouvre les yeux. La première chose qu'il voit, c'est un bout de papier plié sur la table basse. Il sait déjà ce qu'il dit. À tous les coups...

Mitch, il faut que je parte très tôt pour couvrir cette affaire. Prend ton petit déjeuner et ne sois pas en retard à l'école ! Baisers. Maman.

Tant mieux. Quand elle est là le matin, elle passe son temps à lui dire de se dépêcher. Aujourd'hui, il pourra traîner au lit quelques minutes de plus. Renversé en arrière sur son oreiller, il pense à son père. S'il vivait avec lui, il ne resterait jamais seul à la maison. Shawna serait toujours en train de lui tourner autour, s'évertuant à lui faire plaisir.

Parfois, il aime bien cette façon qu'elle a de vouloir jouer à la maman. Elle lui fait des gâteaux avec ces préparations de Pillsburry, pas comme la mère de Blake, qui fait toujours tout elle-même, mais ils sont quand même drôlement bons. Elle lui fait aussi des petits cadeaux, même si la plupart du temps ce sont des vêtements.

En revanche, elle essaie de le câliner, et ça, il n'aime pas. Peut-être parce que le seul dont il aimerait recevoir des câlins, c'est son père, et que celui-ci ne lui en fait jamais.

Il n'ose pas imaginer la colère de sa mère si elle savait que Shawna le dorlote comme s'il était son propre fils. Ça n'est pas son rôle de l'embrasser, de lui dire de manger ses légumes ou de se laver les oreilles. Il n'y a que les mamans qui peuvent vous dire ça.

Si Mitch vivait avec papa et Shawna, celle-ci serait probablement plantée devant lui pour qu'il se dépêche de sortir du lit.

Ouais, en fin de compte… Heureusement qu'il ne vit pas avec papa et Shawna.

Mitch se met en boule et referme les yeux.

Fletch sort de la salle de bains fumante de vapeur et revient dans sa chambre, une serviette nouée autour des reins. Apercevant son reflet dans la psyché en face de lui, il admire, satisfait, ses biceps musclés et son ventre plat. Plus tard dans la journée, il fera un peu de gymnastique. Il avait l'intention de jouer au golf, ce matin, mais il est trop tard – il a laissé passer l'heure à laquelle il a l'habitude de partir au country club.

Traversant la chambre en bâillant pour rejoindre la commode encastrée, il jette un œil sur le lit défait où Sharon dort encore, la bouche légèrement entrouverte. Elle était là quand il est rentré hier soir, et ça ne lui a pas fait très plaisir de la trouver déjà au lit. Il préfère être seul, ces derniers temps – comme souvent, d'ailleurs.

Il regarde sa femme, ses cheveux dorés étalés sur la taie d'oreiller, sa peau artificiellement hâlée, la fine bretelle de sa nuisette en soie qui a glissé de son épaule nue. Ses tiroirs sont remplis de ce genre de lingerie. Autrefois, ses petites tenues sexy lui faisaient de l'effet. Mais ça lui est passé depuis longtemps.

Elle est tellement immobile. *On dirait qu'elle est morte*.

Quand ils se sont connus, elle l'avait prévenu que rien ne pouvait la tirer de son sommeil, et Fletch s'était rapidement aperçu qu'elle n'exagérait pas. Il pouvait lui parler, allumer la lumière, monter le son de la télévision, la secouer, même, elle continuait à dormir comme une bienheureuse. Elle avait toujours été comme ça. Et ça continuait, à moins qu'elle ne fasse semblant.

Mais pourquoi feindrait-elle de dormir ? Pour éviter d'avoir à me parler ?

Peut-être. Après tout, lui aussi avait souvent fait le mort pour la même raison.

Bah, il se fiche de savoir si elle dort ou non.

Il se masse les épaules et attrape un survêtement. Il a soudain hâte d'aller au gymnase pour se défouler en boxant un peu.

Margaret sort de sa chambre, située au dernier étage. Elle porte un pantalon gris et une chemise en soie blanche sous une veste bleu marine. Elle a soigneusement tiré ses cheveux en arrière pour en faire un chignon et arbore le magnifique collier de perles que son père lui a offert pour ses quinze ans.

— Comme tu es belle, ma fille, lui avait-il dit ce matin-là en le lui attachant autour du cou.

Belle. Personne d'autre ne le lui avait jamais dit. Seul son père lui faisait ce genre de compliment…

Elle ne l'a jamais entendu dire que Jane était belle. Il l'a certainement fait – il adorait sa sœur, bien entendu, comme tout le monde. Mais il était le seul à être attentif à ce que vivait Margaret, à son complexe vis-à-vis de Jane. Il ne les comparait pas, ne faisait jamais rien qui pût déprécier Margaret. Alors que, chez leur mère, c'était comme une seconde nature.

Margaret passe devant la porte fermée de l'autre chambre d'amis, la grande, celle qui possède une salle de bains attenante. Évidemment, sa mère se l'est attribuée, hier soir, à son arrivée, obligeant sa fille à déménager au deuxième étage. Elle a invoqué son arthrose et sa difficulté à monter l'escalier. Mais Margaret sait parfaitement que ce n'était qu'un prétexte : sa mère a toujours considéré qu'elle passait avant tout le monde, et que le meilleur lui revenait de droit.

Jane lui manque. Elle ne l'a pas dit et refuse de l'admettre, mais Margaret sait très bien ce qu'elle pense : on s'est trompé de fille, c'est Margaret qui aurait dû disparaître, pas Jane.

Pas Jane, si parfaite, dans sa maison parfaite avec sa fille parfaite et son mari parfait.

Margaret se calme en pensant à Owen et ses poings se desserrent. La trace de ses ongles s'est incrustée dans sa chair.

En passant devant la chambre de Schuyler, elle s'arrête sur le pas de la porte pour jeter un coup d'œil dans la pièce jaune et blanc, si gaie. Les rideaux sont encore tirés, mais le berceau est vide. Margaret s'était dit qu'en dormant dans la chambre d'ami voisine, elle entendrait Schuyler se réveiller. Margaret fulmine. Elle avait prévu de se lever la nuit pour aller calmer le bébé : elle voulait être celle qui la lèverait ce matin, quand elle pleurerait, pour la consoler, l'habiller et lui donner son biberon.

Elle quitte la chambre de Schuyler et poursuit son chemin dans le corridor désert.

La porte de la chambre de Jane et Owen est entrouverte. Owen s'est-il couché, hier soir ?

Quand il est revenu de la conférence de presse, il s'est enfermé dans son bureau. Sa mère était déjà au lit, épuisée par son voyage. Margaret, elle, l'avait attendu : elle voulait être là au cas où Owen aurait eu besoin d'elle. Mais il ne l'avait même pas remarquée quand il était passé devant elle dans le salon, et il ne l'avait pas non plus entendue l'appeler tandis qu'il rejoignait son bureau.

Une fois au rez-de-chaussée, Margaret se dirige lentement vers le bureau et trouve la porte close, comme la nuit dernière.

Elle trouve le courage qui lui a manqué la veille et frappe doucement.

Pas de réponse.

Elle tape un peu plus fort et appelle.

— Owen ? Tu es là ?

Toujours pas de réponse.

Après un moment d'hésitation, elle tourne timidement la poignée, s'attendant à trouver la porte fermée à clé, mais non.

Elle entrouvre le battant et passe la tête à l'intérieur.

La lampe du bureau est allumée. Owen est assis, la tête enfouie dans ses bras. L'espace d'un instant, Margaret croit qu'il dort.

Puis elle voit ses épaules se soulever et entend un bruit très léger : ses sanglots étouffés.

Elle meurt d'envie de le prendre dans ses bras, de poser sa tête sur sa poitrine. Elle désire ardemment le consoler, être celle qui le délivrera de son chagrin. Mais, pétrifiée sur le pas de la porte, elle se contente de le regarder.

Puis, s'armant de courage, elle commence à avancer timidement quand elle entend un bruit dans son dos, des pas et une petite exclamation étouffée.

— Owen ! Mon pauvre petit ! Vous pleurez ?

Bess bouscule Margaret pour pénétrer dans la pièce. Elle court au bureau et prend son gendre dans ses bras.

— Je sais ce que vous éprouvez, Owen, sanglote-t-elle. Mon Dieu, je sais, oui, je sais...

Owen relève la tête, le visage ravagé par l'anxiété.

— C'est un cauchemar, Bess, souffle-t-il d'une voix rauque. Que dois-je faire ?

Margaret, incrédule, voit son beau-frère s'effondrer en larmes dans les bras de sa belle-mère.

Alors elle tourne les talons et part en remâchant sa colère et sa déception.

Tasha relève le store de sa chambre juste au moment où la BMW noire de Ben Leiberman sort de l'allée. Elle se souvient qu'elle doit appeler sa secrétaire, aujourd'hui, et prendre rendez-vous pour la visite de contrôle de Max, qui aura un an le mois prochain.

Comme s'il devinait qu'elle pense à lui, Max gazouille bruyamment sur la moquette derrière elle. En se retournant, elle s'aperçoit qu'il est en train de mâchonner un mocassin de Joël. Elle le prend dans ses bras.

— Ba ba ba ba? C'est bien ce que tu as dit, Maxie? Qu'est-ce que cela signifie? Oh! je sais, cela veut dire: «Et si on prenait un vrai petit déjeuner au lieu de cette chaussure dégoûtante?»

Elle l'oblige à lâcher le mocassin tandis qu'il proteste en poussant des cris.

— Non, Max, c'est trop sale!

Elle retient tant bien que mal le petit corps qui se tortille dans tous les sens pendant qu'elle relève les stores des autres fenêtres. Puis son regard tombe sur le lit défait. Si elle repose Max pour faire son lit, il va faire encore une bêtise. En soupirant, elle remet ça à plus tard.

Maintenant, il faut qu'elle descende pour mettre la main sur le livret d'entretien de la machine à laver. Il faut absolument qu'elle fasse une lessive, aujourd'hui.

— Au revoir, les enfants!

La voix de Joël résonne dans le hall d'entrée, venant couvrir la musique qui clôt l'épisode de *Rue Sésame*, que Hunter est en train de regarder dans la salle de séjour.

Tasha n'a pas encore adressé la parole à Joël, ce matin. Après une nuit agitée, elle s'est levée pour prendre une douche avant que le réveil ne sonne. Quand elle est sortie de la salle de bains, Max pleurait dans son berceau. Elle était en train de le changer quand Joël a pris sa douche. Au moment où il est descendu pour faire le café, Tasha sortait du lit un Hunter titubant de sommeil. Victoria s'était bien entendu instantanément réveillée, passant immédiatement à l'action, créant incident sur incident pendant que Tasha aidait son fils à s'habiller.

Tasha décide d'ignorer ces adieux désinvoltes, irritée de voir qu'il se comporte comme s'il ne s'était rien passé la nuit dernière. C'est typiquement Joël ! Il se défile toujours.

— Papa ! Attend !

Aïe aïe aïe ! Tasha entend courir des petits pieds dans le couloir : Victoria, à qui elle avait ordonné de jouer à la poupée dans sa chambre pendant qu'elle démêlait ses cheveux encore humides et enfilait son jean de la veille, se précipite pour voir son père.

— Papa ! Attends-moi ! Ne t'en va pas ! Je veux un baiser !

— Victoria ! Attention à l'escalier !

Tasha se précipite dans le couloir juste à temps pour voir Victoria basculer en avant. Au dernier moment, sa petite main potelée se raccroche à la rampe et elle reprend son équilibre.

Joël, en bas de l'escalier, a tout vu. L'espace d'une seconde, ils échangent un regard de soulagement. Puis celui de Joël se dérobe.

— Descend, Tori, dit-il en lui tendant les bras.

— Joël, monte la chercher. Elle n'a pas le droit de descendre seule l'escalier.

— C'est une grande fille, maintenant. Allons, viens, ma Tori. Papa va rater son train.

— Pas trop vite, Victoria ! recommande Tasha en juchant le bébé sur sa hanche et en rejoignant sa fille. Donne la main à maman, ma chérie. Fais attention, pas si vite.

Joël regarde sa montre. Son geste veut tout dire. La colère de Tasha se rallume instantanément.

— Tu n'as qu'à y aller, Joël, lance-t-elle avec aigreur.

Surpris, il relève la tête.

— Je sais que tu es pressé, alors vas-y.

— Non, maman ! Je veux faire un baiser à papa ! proteste Victoria en arrachant sa main de celle de Tasha.

Elle se précipite et manque une marche.

Joël la rattrape au vol.

Pendant une minute le silence règne.

— Ne fais plus jamais ça, Tori, lui dit son père en la serrant contre lui. Maman a raison, tu pourrais te faire mal dans cet escalier.

— Mais je voulais te faire un câlin, papa. Je ne te vois plus jamais !

Tasha guette une lueur de remords chez son mari. Elle est bien là, mais fugace.

— Je sais, Tori, lui répond Joël. Mais papa a beaucoup de travail, en ce moment. Tu sais bien que je préférerais être avec vous si je le pouvais.

Vraiment ? se demande Tasha en le voyant planter un baiser sur la joue de sa fille.

— Au revoir, Max, dit-il en tendant la main pour caresser la tête de son bébé.

À nouveau, il croise le regard de Tasha. Pendant un bref instant, elle pense au bon vieux temps où il l'embrassait à chaque fois qu'il sortait ou rentrait dans la maison.

— J'ai déjà dit au revoir à Hunter. Il regarde *Rue Sésame*.

Elle hoche la tête.

— À ce soir.

— D'accord.

Il fait demi-tour.

— Joël, se rappelle soudain Tasha.

— Oui ?

Il ne se retourne même pas.

— Ta mère a téléphoné, hier. Ils viennent à la maison samedi, dit-elle dans son dos.

— C'est noté.

C'est tout ce qu'il trouve à dire avant de sortir en refermant posément la porte derrière lui.

Tasha le foudroie du regard.

— Maman !

C'est Hunter qui l'appelle du salon. Victoria court le rejoindre.

Tasha la suit en portant Max.

— Que se passe-t-il, Hunter ?

— Cette vilaine dame parle depuis des heures !

Il lui montre le poste de télévision où une présentatrice souriante sollicite des dons pour une œuvre caritative. Tasha a horreur de ça. Cela dure des heures et exaspère les enfants, qui se désintéressent de la télévision.

Quelle mère tu fais ! se dit-elle, horrifiée, en réalisant ce qu'elle vient de penser. Jamais au grand jamais elle ne voudrait être de ceux qui collent leurs enfants devant la télévision pour être tranquilles. Mais aujourd'hui, elle sent que sa patience est très limitée, et tout ce qu'elle désire, c'est qu'ils soient occupés pour qu'elle puisse enfin réfléchir tranquillement.

— Maman ! Cette dame m'ennuie ! déclare Victoria d'une voix perçante. Je veux regarder les Minikeums ! Mets-moi la cassette.

— Mais je ne peux pas, Victoria, ce n'est pas une cassette vidéo. Cela ne dépend pas de moi, attends un peu.

— Je veux les Minikeums tout·de suite !

— Moi aussi, tu sais ! soupire sa mère.

Le téléphone sonne.

Sans prêter attention aux gémissements de Victoria, Tasha plante Max dans sa chaise d'éveil et empoigne le combiné.

— Qu'est-ce que tu fais ? s'enquiert Rachel.

— J'injurie la télé, rétorque Tasha en se réfugiant dans la cuisine.

— Ah oui ! Encore ces demandes de fonds… Mara râle parce que les Minikeums n'ont toujours pas commencé.

— Victoria aussi.

Tasha coince le combiné contre son épaule et se verse une tasse du café préparé par Joël, tachant sa manche au passage.

— Tu as lu le journal ?

— Non, pourquoi ?

— Ils n'ont toujours pas retrouvé Jane Kendall.

Tasha se mord la lèvre. Jane Kendall. Elle l'avait presque oubliée.

— La police a-t-elle une idée de ce qui a bien pu lui arriver ? demande-t-elle à Rachel.

— Rien de nouveau. Mais ce matin, j'ai eu la chair de poule en allant ramasser mon journal dans l'allée. J'avais l'impression que l'agresseur de Jane Kendall était caché dans les buissons et qu'il me regardait.

— C'était peut-être M. Martin en train de mater une fois de plus, réplique Tasha en levant les yeux au ciel.

Elle sait que Rachel considère ce brave retraité comme une sorte de pervers. Le problème avec les New-Yorkais, c'est qu'ils sont terriblement méfiants.

— Eh bien, si c'était lui qui me reluquait, il était bien caché, cette fois, parce que je ne l'ai pas vu.

L'idée de ce pauvre M. Martin transformé en vieux dégueulasse fait pouffer Tasha.

— Qu'est-ce qu'il y a de drôle ? demande Rachel.

— Rien. Que fais-tu aujourd'hui ?

— Je devais aller chez l'esthéticienne, mais je n'ai personne pour me garder les enfants. Tu ne voudrais pas les surveiller pendant une petite heure, cet après-midi ?

Un peu agacée, Tasha hésite avant de dire oui. Mara tiendra compagnie à Victoria, et Max sera content de retrouver Noah. Si elle réussit à les faire jouer dans la salle de séjour, elle réussira peut-être à nettoyer la cuisine.

— À quelle heure veux-tu me les déposer ?

— Tu ne voudrais pas plutôt venir, toi ? J'ai rendez-vous à une heure et Noah fera sa sieste. Tu n'auras que Mara à surveiller, Noah fait de longues siestes.

— Bon, d'accord, fait Tasha à contrecœur.

Adieu, le ménage de la cuisine. Regardant par terre, elle voit sur le carrelage des éclaboussures de lait qui ont séché. Il faut absolument qu'elle lave le sol avant l'arrivée de ses beaux-parents.

— Super ! s'exclame Rachel. Tu es un amour, Tasha. Je te revaudrai ça, tu sais.

— J'y compte bien, réplique Tasha.

Elle aussi aimerait bien s'échapper une heure ou deux. Aujourd'hui, par exemple.

— Aïe ! Maman ! hurle soudain Victoria dans la pièce voisine.

— Eh ! Arrête ! Maman, Victoria me tape ! se met à crier Hunter.

— Oh ! il faut que j'y aille ! soupire Tasha d'un ton las. À tout à l'heure.

— Karen ?

— Ben ! s'écrie Karen, soulagée d'entendre sa voix à l'autre bout du fil. Merci de me rappeler.

— Ce n'est rien. Qu'arrive-t-il à Taylor ?

— Elle vomit et elle a la diarrhée.

Ben lui pose une série de questions sur ce qu'a bu le bébé depuis la veille et lui demande ce que fait Taylor.

— Elle dort pour le moment, explique Karen. Elle est épuisée, elle n'a pas dormi de la nuit.

— Toi non plus, par conséquent, observe Ben avec sollicitude.

— C'est vrai.

Il est vraiment gentil. Ce n'est pas la première fois que Karen s'étonne de le voir marié avec Rachel – c'est sans doute parce qu'elle est très belle.

Aujourd'hui, plus elle pense à son amie, moins elle supporte son nombrilisme.

— Écoute, Karen, donne-lui du Pédialyte pour qu'elle ne se déshydrate pas et ne la force pas à manger. Si elle ne va pas mieux ce soir, amène-la-moi, je l'examinerai.

— Jusqu'à quelle heure je peux venir ?

— Je travaille tard, ce soir, et j'ai ensuite une réunion avec les nouveaux parents. Alors appelle si tu as besoin de moi, je serai là.

— Merci, Ben.

Karen raccroche et revient dans le salon où dort Taylor. La télévision bourdonne en sourdine : Karen avait mis *Rue Sésame* pour distraire sa fille. Taylor sourit toujours quand elle voit Elmo. Sauf aujourd'hui.

Karen éteint la télévision, coupant net la description enjouée que fait la présentatrice de tous les cadeaux que l'on peut gagner en faisant un don à PBS.

— C'était le docteur ?

Karen relève la tête et croise le regard de Tom qui se tient dans l'embrasure de la porte. Il a mis sa tenue de travail : un vieux jean usé et un grand sweat-shirt avec l'inscription de Rutgers.

C'est là qu'ils se sont connus, au collège. Il était étudiant en deuxième année, tandis qu'elle terminait sa dernière année. Dès le départ, elle avait été étonnée par tout ce qu'ils avaient en commun malgré leurs deux années d'écart et le fait qu'il soit issu de la bonne bourgeoisie protestante du Connecticut. Ils s'étaient fiancés deux ans plus tard, pendant qu'elle passait sa maîtrise et, deux ans après, ils s'étaient mariés.

Ils avaient ensuite attendu d'avoir bien démarré dans leurs vies professionnelles pour fonder une famille. Mais à leur grand désespoir, quand ils s'étaient sentis prêts à faire un bébé, celui-ci s'était fait désirer. Elle était même sur le point de consulter quand enfin elle s'était retrouvée enceinte.

— Qu'est-ce qu'il a dit? demande Tom en la rejoignant près de leur fille.

Karen lui résume en quelques mots sa conversation avec Ben.

— Du Pédialyte? On en a, à la maison?

Karen secoue la tête. C'est la première fois que Taylor est vraiment malade.

— Tu veux que j'aille en acheter? propose Tom.

Elle devine que cela ne l'arrange pas trop de s'absenter : il lui a dit ce matin qu'il avait du travail à ne savoir qu'en faire.

— Non, ça va aller, le rassure-t-elle. J'irai plus tard, quand j'aurai pris une douche et que je me serai habillée.

— Et si elle se réveille pendant ce temps-là? Tu ne crois pas que je devrais en avoir sous la main?

— Je vais appeler Tasha, décrète Karen en se dirigeant vers le téléphone. (Avec ses trois petits, celle-ci la dépanne toujours quand il lui manque quelque chose pour Taylor.) Elle en a probablement chez elle. Je vais lui demander si elle peut en déposer en allant accompagner Hunter à l'école. Elle devrait partir d'une minute à l'autre.

— Allons par là, dit Lily en s'arrêtant au coin de Townsend Avenue et de North Street.

Elle fait terriblement jeune, avec son énorme sac bleu marine accroché à ses frêles épaules, son jean trop grand qui balaie le trottoir et ses cheveux roux tout ébouriffés. C'est la dernière mode.

— Encore ? demande Jeremiah à contrecœur, sachant qu'il a perdu d'avance. Je croyais qu'on prenait le raccourci.

— Pas encore, répond Daisy, dont le regard passe successivement de sa jumelle à son grand frère. On ne veut pas pour le moment, Jer.

— D'ailleurs, renchérit Lily, il faut que nous jetions un coup d'œil à notre citrouille. Le concours a lieu samedi.

Il soupire tandis qu'ils s'engagent dans North Street. L'école des filles se trouve dans la direction opposée, mais elles aiment passer devant leur maison, ou plutôt devant ce qu'il en reste.

Avant de partir, il a promis à oncle Fletch de les déposer à la porte de l'école au lieu de les laisser au coin de la rue. Oncle Fletch a dit qu'il fallait redoubler de vigilance à cause de la disparition de cette dame.

Jeremiah enfonce ses mains dans les poches de sa veste en jean pendant qu'ils descendent la rue, leurs chaussures faisant crisser les tas de feuilles mortes qui jonchent le trottoir.

C'est un joli quartier, qu'il préfère à celui où vivent son oncle et sa tante. Ici, les maisons sont plus anciennes, certaines ont même plus de cent ans, à en juger par leurs porches tarabiscotés, leurs bardeaux festonnés et leurs toits à pignons. Des arbres gigantesques projettent leurs ombres tachetées sur les maisons et sur les trottoirs. Un bois touffu borde l'arrière des propriétés.

La plupart des demeures du quartier sont décorées pour Halloween. Des écheveaux de coton censés représenter des toiles d'araignée sont tendus sur les buissons, des petits fantômes miniatures pendent aux arbres et, tout le long du trottoir, des sacs poubelles orange remplis de feuilles mortes font office de citrouilles. Des habitants ont même confectionné un faux cimetière sur la pelouse avec des tombes plus vraies que nature, réalisées en papier mâché.

Jeremiah repense à ces vacances bizarres, quand il avait accepté à contrecœur d'accompagner les jumelles de maison en maison pour réclamer des bonbons. Il avait réalisé alors qu'il éprouvait un plaisir indéniable à prendre une autre identité, à se dissimuler sous un masque ou du maquillage, à se déguiser dans des vêtements qui n'étaient pas les siens. Il y voyait une façon de s'échapper.

Il s'échappait de Jeremiah Gallagher.

Il avait revêtu un déguisement qu'il s'était fabriqué lui-même, inspiré par une robe victorienne qu'il avait aperçu chez un brocanteur.

Son costume était sensationnel, parfait – sauf que personne n'avait compris ce qu'il était censé représenter.

— Qui es-tu ? avait-il entendu maintes et maintes fois de la bouche de ses sœurs, des passants et des voisins perplexes qui se tenaient sur le pas de leurs portes avec leurs paniers remplis de friandises.

Comment ne le devinaient-ils pas ? La robe, avec son col montant fin de siècle et ses manches bouffantes, était idéale. Tout comme la perruque, constituée d'un simple chignon tirant sur le roux. Il avait chapardé ces deux articles dans la réserve du club théâtre de l'école ; personne ne s'était aperçu de rien.

Mais le détail qui faisait tout, c'était la hache. Il l'avait prise sur un tas de bois, derrière la resserre. Comme son père n'était jamais là, personne n'avait rien remarqué – Melissa n'allait jamais dans le jardin, sauf pour monter dans sa voiture.

Il avait barbouillé la lame avec du ketchup et s'était même coupé au passage, mêlant son propre sang au mélange qu'il avait fabriqué.

— Mais qui es-tu donc ?

Quel manque d'imagination !

Lizzie Borden était l'une des plus fameuses criminelles ayant existé sur cette terre.

— Elle a tué son père et sa mère, c'est bien ça ? s'était enquis Melissa quand il lui avait expliqué qui il était, encore plus contrarié par ses questions que par celles de autres. Tout ce qu'elle faisait l'exaspérait. Absolument tout.

— Non, sa belle-mère, avait-il rectifié d'une voix glaciale en se réjouissant de la voir détourner le regard, mal à l'aise.

Il s'en souvenait très bien. Il se rappelait aussi les cris de dégoût des jumelles quand elles avaient vu le faux sang. Il les revoyait enfiler à contrecœur les déguisements que leur avait confectionnés Melissa.

— Vous êtes trop mignonnes ! s'était exclamée celle-ci tandis qu'elles lui jetaient des regards noirs : elles étaient déguisées en salière et en poivrier.

Si Melissa trouvait son idée géniale, Jeremiah, lui, la trouvait grotesque. Oncle Fletch aussi, qui s'était arrêté pour les emmener faire le tour du quartier. Il venait souvent à la maison, à l'époque, presque tous les jours, pour s'assurer que tout le monde allait bien en l'absence du père de Jeremiah.

— Sel et poivre, tiens, tiens... avait-il dit en voyant les jumelles.

Il s'était retourné vers sa belle-sœur en hochant la tête.

— Mel, pourquoi faut-il toujours qu'elles aillent par paire ?

Elle l'avait fait taire mais sans se fâcher. Elle était toujours de bonne humeur quand il était dans les parages.

Lui non plus n'avait pas pigé le coup de Lizzie Borden.

Jeremiah et les jumelles avaient patrouillé le quartier par une nuit venteuse et dépourvue de lune, sonnant aux portes et récupérant des bonbons dans leurs citrouilles en plastique. Les filles s'extasiaient devant les décorations de chacune des maisons et jacassaient en se demandant ce qu'elles feraient si leur mère les laissait décorer la leur, l'année prochaine.

Il faut dire que leur maison est vraiment l'endroit le plus étrange du quartier, constate Jeremiah en la voyant apparaître entre les hauts arbres qui s'érigent en remparts derrière le trottoir.

Tous les trois s'arrêtent et contemplent en silence ce qui reste à voir derrière le sinistre périmètre jaune dessiné par la police autour de la propriété.

Bientôt, il n'y aura plus rien, se dit-il en observant le tas de décombres calcinés d'où émergent une cheminée en brique et quelques poutres. Le corps de sa belle-mère a été retrouvé quelque part là-dedans, carbonisé, méconnaissable.

De l'autre côté de la maison se trouve la resserre, indemne. Jeremiah songe qu'il faudra y pénétrer samedi matin pour récupérer le chariot.

— Vous voulez voir votre citrouille ? demande-

t-il aux jumelles en jetant un coup d'œil au potager devant la resserre. Même de là où il se tient, il
peut voir les grosses citrouilles orange au milieu
de leurs feuillages, et la plus énorme d'entre elles,
celle que les filles veulent présenter au concours
ce week-end, domine les autres, telle une montagne.

— Tu viens avec nous ? demande doucement
Lily.

Mais il ne veut pas s'approcher davantage, pas
maintenant. Il secoue la tête.

— Ça suffit pour aujourd'hui, leur dit-il. C'est
bon, je la vois très bien de là où je suis.

— D'accord, concède Daisy. On reviendra la
chercher samedi matin, tu veux bien ?

Il acquiesce.

Ils restent là un long moment. Puis Jeremiah
prend chacune de ses demi-sœurs par une épaule
et les pousse devant lui sans mot dire.

*
* *

Tasha se gare devant la maison de Karen, à côté de
la boîte aux lettres qui porte les deux noms : Wu et
Simons. Chaque fois elle s'étonne que son amie ait
tenu à garder son nom de jeune fille. Elle-même
avait un moment envisagé de conserver le sien et
l'aurait certainement fait si elle l'avait aimé. Mais
Tasha Banks, ça faisait mieux que Tasha Shaugh-
nessy, et c'était plus facile à épeler.

Elle met le frein à main et attrape le sac en
plastique contenant le Pédialyte.

— Maman, qu'est-ce que tu fais ? demande Hunter, attaché sur son siège entre le rehausseur de Victoria et le siège auto de Max.

— Je dépose ça chez la mère de Taylor, explique Tasha.

Elle sort du véhicule, la clé de contact à la main : on ne sait jamais, un malfaiteur pourrait rôder dans les parages.

Un bruit sonore la fait sursauter. Le cœur battant, elle réalise que c'est une portière de voiture qui vient de claquer.

Levant les yeux, elle aperçoit Fletch Gallagher derrière le volant de sa Mercedes. Tasha reste pétrifiée : l'a-t-il repérée ?

Il lui fait un petit signe de la main derrière son pare-brise.

Elle lui répond vaguement et, serrant son paquet contre elle, se hâte vers la porte d'entrée de Karen.

— Fiche le camp, Fletch, profère-t-elle tout bas. Va-t'en !

Mais il sort de sa voiture.

— Comment ça va, Tasha ? demande-t-il en s'approchant d'elle.

Elle se force à s'arrêter et à se retourner alors qu'elle n'a qu'une envie : prendre ses jambes à son cou.

— Très bien, merci, répond-elle avec raideur, sur la défensive.

— Ça fait un moment qu'on ne s'est pas vus.

Parce que j'évite de traîner dans le coin. Quand je passe devant chez toi, je baisse la tête et j'appuie sur l'accélérateur au cas où tu serais dans les parages…

— Vous n'êtes pas en Floride ? balbutie-t-elle nerveusement.

Il esquisse un petit sourire.

— Comment savez-vous que je vais en Floride en octobre ?

Elle hausse les épaules en essayant de ne pas se démonter : elle ne veut surtout pas avouer qu'elle n'a rien oublié de ce qu'il lui a raconté – sa prédilection pour l'hiver en Floride n'est pas le seul souvenir qui rôde dans sa mémoire.

— Vous allez chez Karen ? poursuit-il, jovial.

Elle hoche la tête.

— Les enfants sont dans la voiture ?

Il lance un coup d'œil par-dessus l'épaule de la jeune femme pour regarder les petites têtes installées dans la Ford.

— Oui, je suis juste venue déposer quelque chose.

— Ils sont bien enfermés, j'espère ? demande-t-il en désignant la voiture.

Elle fait non de la tête.

— Je ferais attention à votre place, lui conseille Fletch. Vous êtes au courant pour Jane Kendall ?

— Sa disparition ?

Il acquiesce.

Dans ses yeux dorés et opaques, elle capte un éclair fugitif qui semble exprimer autre chose qu'un intérêt anodin. Mais elle refoule les soupçons qui naissent déjà, soulagée de le voir prendre congé.

— Bah ! Soyez prudente, Tasha. À votre place, je surveillerais constamment mes enfants.

— Mais je ne les perds jamais de vue, Fletch.

Il lui sourit.

— Je le sais bien. Allez, à la prochaine, Tasha.

Un frisson lui parcourt l'échine tandis qu'il regagne sa voiture en faisant danser son trousseau de clés. Son imagination lui joue peut-être des tours, mais il lui semble bien que sa nonchalance est affectée.

Paula s'arrête devant la gare juste au moment où le train de 8 h 22 arrive à quai. Les passagers qui en descendent sont en grande majorité des bonnes d'enfants, des femmes de ménage et des ouvriers travaillant à la journée chez les riches familles de la ville. Ils bavardent gaiement en se dirigeant vers l'escalier. Certains parlent anglais avec un fort accent, d'autres dans une langue étrangère.

Ils offrent un contraste criant avec les habitants des beaux quartiers de Townsend Heights, qui attendent sur le quai d'en face le train pour Manhattan : des étudiants et des lycéens en jean, les oreilles coiffées d'écouteurs, qui se préparent à rejoindre la fac ou leurs écoles privées, mais aussi et surtout des hommes d'affaires en costumes avec leur attaché-case et leur journal sous le bras.

Paula laisse tourner le moteur et baisse sa vitre pour aérer sa voiture, puis elle sort et laisse tomber son mégot allumé dans le caniveau avant de l'écraser sous son talon. Elle se dépêche d'atteindre le bas de l'escalier qui mène au passage piétons pour dévisager attentivement la foule des voyageurs, espérant y reconnaître un visage familier.

— Minerva ! s'exclame-t-elle en apercevant enfin celle qu'elle cherchait. Minerva Fuentes ?

Saisie, la femme jette un coup d'œil dans sa direction. Paula lui décoche un sourire encourageant.

La femme de ménage des Kendall s'arrête sur les marches, la main agrippée à la rambarde, hésitant à répondre.

— Puis-je vous parler un instant ? lui demande Paula sans cesser de sourire.

Minerva continue à descendre, détournant le regard. Lorsqu'elle arrive à sa hauteur, elle semble disposée à lui passer sous le nez sans s'arrêter, mais Paula lui effleure le bras.

La femme la regarde, très surprise.

— Je m'appelle Paula Bailey. Nous nous sommes rencontrées l'an dernier.

— Ah ! Vraiment ? répond Minerva d'une voix hésitante.

— Oui, chez les Kendall, reprend Paula, ravie de constater que Minerva ne se souvient de rien. (Inutile de lui préciser qu'elle est journaliste… pour le moment.) Nous bavardions, Jane et moi, et vous nous avez apporté du thé et des petites tartelettes exquises… au citron, que vous aviez vous-même préparées, d'après ce que m'a dit Jane.

À ce souvenir, le visage de Minerva s'éclaire, mais elle se rembrunit vite et prend une mine désolée.

— Mme Jane adorait mes tartelettes au citron.

— C'est vrai qu'elles étaient délicieuses, renchérit Paula. Où avez-vous eu cette recette ?

Minerva se frappe le front avec fierté.

— Là. J'aime cuisiner.

— Vous plaisantez ! s'exclame Paula. Alors là, vous m'épatez ! Moi, je rate tout, même un sandwich au beurre de cacahuète !

Minerva se met à rire et Paula l'imite, avant de reprendre avec douceur :

— Vous devez être bouleversée par ce qui est arrivé à Jane.

Les grands yeux noirs de Minerva se remplissent de larmes et elle hoche la tête.

— Que Dieu nous la rende saine et sauve ! souffle-t-elle en faisant un signe de croix.

— J'ai fait la même prière, compatit Paula. Dites-moi, vous allez chez les Kendall ?

Minerva acquiesce une fois de plus.

— Voulez-vous que je vous dépose ? Je sais que c'est à cinq minutes à pied, mais c'est sur mon chemin.

— Entendu, fait Minerva après avoir réfléchi une minute.

— Je suis garée juste là, reprend Paula en lui montrant le chemin.

Une fois qu'elles sont installées dans la voiture, elle prend tout son temps pour démarrer. Même si elle fait un petit détour et qu'elle conduit le plus lentement possible, elle ne dispose que de trois ou quatre minutes pour lui parler.

— Comment ça se passe chez les Kendall, Minerva ? demande-t-elle en se dirigeant vers la grand-rue. Ce pauvre Owen doit être effondré.

— Oh oui ! Tout le monde est bouleversé, même la petite Schuyler, qui réclame sa maman.

— C'est vous qui vous occupez d'elle ?

— Pas seulement. Ses grands-parents sont là aussi, le papa et la maman de M. Owen. (Paula devine à sa voix qu'elle ne les aime pas beaucoup.) Et puis sa tante, la sœur de Jane.

La sœur de Jane.

Une image surgit devant les yeux de Paula. Elle se souvient du cadre doré qu'elle a vu dans le salon des Kendall l'an dernier : une photo de Jane et d'Owen prise le jour de leur mariage. On y voyait la mariée, radieuse, accompagnée d'une femme affreusement terne.

— Qui est-ce ? avait-elle demandé à Jane.

— Ma demoiselle d'honneur, Margaret, c'est ma sœur aînée.

Paula avait été frappée par le contraste physique entre les deux sœurs. Elle avait presque oublié l'incident jusqu'à ce que...

Jusqu'à ce que ce souvenir de l'an passé en amène un autre, plus récent. Hier, la femme qu'elle a vu se hâter en direction de la maison des Kendall,

celle qui lui disait vaguement quelque chose...
C'était la sœur de Jane.

Paula range soigneusement cette information dans un coin de son esprit avant de poursuivre son interrogatoire.

— Alors maintenant, c'est la sœur de Jane qui s'occupe de Schuyler ?

La femme de ménage hausse les épaules avec un air désapprobateur.

— Oh ! elle n'y connaît pas grand-chose !

— Que pensez-vous qu'il soit arrivé à Jane, Minerva ? lui demande Paula d'une voix très douce en prenant la rue qui mène à Harding Place.

Elle n'a plus le temps de tourner autour du pot.

— Je n'en sais rien, s'écrie Minerva. (Au lieu de se dérober, elle semble avoir besoin de se confier, déversant un flot de paroles d'une voix tremblante d'émotion.) Je n'arrête pas de penser à ce qui a pu se passer. Aux infos, ils disent qu'elle s'est peut-être suicidée, mais je connais Mme Jane, elle adorait son bébé : jamais elle n'aurait fait ça.

— Je suis de votre avis. Mais qui aurait pu lui vouloir du mal ? Lui connaissez-vous des ennemis ?

L'espace d'une seconde, Minerva reste silencieuse. Puis elle finit par répondre :

— Non.

Mais son hésitation est révélatrice. Paula s'arrête à un stop et met le frein à main en se tournant vers la femme de ménage :

— Qu'y a-t-il, Minerva ? À quoi pensez-vous ?

— À rien...

— Vous pouvez me le dire, Minerva, même s'il s'agit d'un détail. Je ne crois pas non plus que Jane se soit jetée de la falaise. Je veux savoir ce qui s'est réellement passé : si ça se trouve, elle est encore vivante, on peut peut-être la sauver.

— Je ne veux plus parler à la police, déclare nerveusement Minerva. Je ne suis pas en règle, et s'ils…

— Si vous savez quelque chose, dites-le-moi. Je n'ai pas besoin de leur dire de qui je le tiens.

— Je leur ai dit que je ne savais rien, répète Minerva en se tordant les mains. Et c'est la vérité, je ne sais pas ce qui s'est passé.

— Mais vous avez pourtant une petite idée derrière la tête, observe Paula.

Un peu avant d'arriver à la maison des Kendall, elle s'arrête contre le trottoir, espérant que Minerva n'y fera pas attention.

— Vous savez quelque chose que vous n'avez pas dit à la police ?

— Je voulais simplement me débarrasser d'eux, souffle enfin Minerva en se retournant vers Paula. J'avais peur qu'ils ne réclament mon visa. Je ne veux pas retourner là-bas.

— Où ça ?

— En République dominicaine, c'est de là que je viens. J'ai besoin de travailler ici.

— Je vous comprends, et je ne ferai jamais rien pour mettre en danger votre travail et vous exposer à un rapatriement, Minerva. Jamais je ne révèle mes sources. (Paula se penche vers elle.) Que savez-vous sur Jane, Minerva ? Avait-elle un ennemi ? Qui était-ce ?

— J'ignore si elle avait un ennemi, mais…

— Mais ? insiste Paula en lui effleurant doucement la manche.

— Mme Jane avait un secret, un vilain secret, poursuit craintivement Minerva. Et j'ai peur que le malheur ne vienne de là.

À 12 h 50, Tasha traîne Victoria et Max de l'autre côté de la rue. Rachel l'attend sur le pas de la porte. Dès qu'elle les aperçoit, elle dévale l'escalier.

— Mara est dans la cuisine en train de manger un sandwich au beurre de cacahuète. Ramira fait le ménage dans la salle de bains d'en haut. Je lui ai dit de ne pas passer l'aspirateur pour éviter de réveiller Noah. Si elle fait trop de bruit, je te donne carte blanche pour la virer.

Tasha sourit. Ramira est la dernière femme de ménage en date des Leiberman. Elle se demande combien de temps la pauvre fille va tenir.

— Maman, c'est quoi « virer » quelqu'un ? demande Victoria tandis que Tasha referme la porte derrière Rachel.

— C'est lui retirer son travail.

— Oh !

La fillette, déçue, s'attendait visiblement à quelque chose de plus croustillant.

— Victoria, va rejoindre Mara dans la cuisine. Je vais chercher quelques joujoux pour Max.

Pour une fois, sa fille lui obéit sans rechigner – elle aime tellement Mara. Toute la matinée, elle a rué dans les brancards, mettant la patience de Tasha à rude épreuve et l'empêchant de s'occuper de la machine à laver. À cause des fredaines de sa sœur, le pauvre Max n'a pas quitté sa chaise.

— Maxie ? Tu veux jouer avec les cubes de Noah ?

Tasha se dirige vers la petite salle de jeux remplie de jouets, tous bien rangés dans des corbeilles ou sur des étagères : Ramira est passée par là... Mais Rachel y est pour beaucoup : c'est une vraie maniaque du rangement.

Tasha et Max paressent pendant quelques minutes. Au-dessus de sa tête, elle entend Ramira s'affairer. Elle sait qu'elle refuse de garder les enfants en plus de ses tâches domestiques, sans doute parce qu'elle se dit – et elle n'a pas tort – que Rachel profitera de la situation.

Max attrape un baril de Duplo.

— Tu aimes ça, Max ? D'accord, on va les emmener dans la cuisine pour que je puisse surveiller les filles.

Tasha l'emmène dans la cuisine étincelante de propreté et remplie d'appareils ménagers design en acier inoxydable. Un bouquet de lys trône au milieu de la table. Quel contraste avec sa propre cuisine, constellée de miettes et au sol collant !

Tasha pose Max sur le carrelage impeccable.

— Tu te débrouilles avec ton sandwich ? demande-t-elle à la fille de Rachel, qui essaie tant bien que mal de manger, coincée par Victoria qui lui grimpe dessus.

Mara hausse les épaules.

— Victoria, viens donc t'asseoir ici pour que Mara puisse goûter tranquillement !

— Je veux être à côté de Mara ! réplique l'enfant, obstinée.

Tasha soupire.

— Victoria, Mara ne peut pas manger si tu t'appuies sur elle comme ça. Laisse-lui un peu de place.

— Non !

Le regard de Tasha passe de la lueur mauvaise qui brille dans les yeux de sa fille à l'expression amusée de Mara. Puisque la fillette ne semble pas en colère, Tasha décide de baisser les armes – tout plutôt que d'affronter un autre caprice…

Elle va ouvrir le réfrigérateur pour y prendre quelque chose à manger : elle n'a même pas eu le temps de déjeuner. Mais, visiblement, elle est mal tombée. Le réfrigérateur est rempli de boissons et de condiments, mais il n'y a pas grand-chose à se mettre sous la dent. Les Leiberman achètent surtout des repas tout préparés, Rachel ne faisant pas la cuisine.

Tasha s'empare d'une cannette de Pepsi Light et s'apprête à se préparer un sandwich – mais le beurre de cacahuète fait tellement grossir...

Elle se rappelle sa rencontre avec Fletch, ce matin. Apparemment, il allait faire du sport. A-t-il remarqué qu'elle avait grossi depuis la naissance de Max ? Connaissant Fletch, ça n'a pas dû lui échapper.

Bon, allez, cela ne lui fera pas de mal de sauter un repas. Elle referme le réfrigérateur au moment où le téléphone se met à sonner.

— Maman, téléphone ! hurle Victoria.

— J'ai entendu, merci.

Elle se précipite pour décrocher, espérant entendre la voix de Joël avant de réaliser qu'elle est chez Rachel. Elle a attendu toute la matinée que le téléphone sonne, en vain. Et, pour une fois, elle n'a pas essayé d'appeler à son bureau.

— Allô ?

Silence sur la fréquence.

— Allô ?

Après une pause, elle entend un déclic.

Tasha fronce les sourcils et garde le combiné contre son oreille.

— Qui c'est, maman ? la harcèle Victoria.

— Personne.

Elle raccroche lentement, troublée. Une fois de plus, un pressentiment désagréable l'envahit, mais elle s'oblige à croire que son imagination lui joue des tours – elle a toujours eu un don pour le fantasme. Enfant, elle inventait des histoires de monstres redoutables et d'affreux croque-mitaines qui la terrorisaient. Sa mère avait coutume de dire que son pire ennemi était sa propre imagination et qu'elle devait prendre garde à ne pas se laisser emporter trop loin de la réalité.

— Comment, personne, puisque le téléphone a sonné ? demande Mara.

Tasha hausse les épaules en se demandant soudain si elle a bien fermé la porte à clé en entrant.

— Où vas-tu, maman ?

— Vérifier quelque chose, Victoria, je reviens tout de suite, lance Tasha en se précipitant dans l'entrée pour fermer la porte à double tour et mettre le verrou de sécurité.

Sois prudente, Tasha.

Elle revient en courant dans la cuisine tandis que les paroles de Fletch Gallagher résonnent dans ses oreilles.

Margaret soulève le rideau de dentelles masquant la fenêtre de l'entrée pour observer la foule qui a envahi la rue jadis si paisible. Des journalistes et des douzaines de badauds sont attroupés derrière les barrières de bois que la police a installées. La rumeur monte – les voisins doivent être furieux.

Elle laisse retomber le rideau, consciente soudain de ce que l'on peut éprouver dans une prison : on se sent impuissant, piégé, et on veut sortir à tout prix.

Sauf qu'elle n'est pas exactement...

— Margaret ?

Elle sursaute en entendant son nom.

Mère.

Elle se retourne en soupirant et voit sa mère avec Schuyler dans ses bras.

— As-tu vu Owen ?

Margaret secoue négativement la tête. Elle ne l'a pas revu depuis qu'elle l'a quitté, ce matin, alors qu'il sanglotait dans les bras de sa belle-mère.

184

— Il est peut-être reparti avec les inspecteurs, répond-elle d'une voix mal assurée.

Margaret contemple Schuyler, qui pleurniche et se cache le visage dans le cou de sa grand-mère.

— Que se passe-t-il, mon trésor ? chuchote Bess en lui tapotant le dos. Ne pleure plus, mère est là, mère va bien s'occuper de toi. Margaret, je vais aller la coucher pour sa sieste et m'allonger un peu, moi aussi. Je te laisse répondre au téléphone ou à la porte. Appelle-moi s'il y a quoi que ce soit.

Margaret regarde sa mère remonter l'escalier avec Schuyler.

Au bout d'un moment, elle entend couiner doucement la porte de la chambre du bébé. Puis un bruit de pas résonne dans le couloir avant qu'une deuxième porte ne se ferme.

Margaret ne peut plus supporter cette prison dorée. Minerva est dans les parages, elle peut parfaitement s'occuper de la porte et du téléphone.

La presse a fait fuir les parents d'Owen, qui ont annoncé qu'ils n'avaient pas l'intention de revenir avant la fin de l'affaire.

Bon débarras ! Alors, comme ça, ils préfèrent fuir les médias plutôt que de rester aux côtés de leur fils… Mais cet égoïsme démesuré ne la surprend pas.

Margaret a pris sa décision. Elle monte se changer dans sa chambre, rangeant méticuleusement son chemisier, son pantalon et son blazer sur les cintres de la petite penderie.

Puis, vêtue d'un pull en coton noir et d'un jean quasiment neuf, encore raide, elle redescend au rez-de-chaussée, une paire de lunettes noires à la main.

Cette fois-ci, elle se rend directement dans la cuisine : pas de Minerva à l'horizon – elle doit être en train d'épousseter les meubles quelque part.

Parfait.

Ouvrant la porte qui mène à la cave, Margaret descend lentement l'escalier très raide, se félicitant que les vieilles maisons, comme les êtres humains, aient leurs secrets.

7

Quand la sonnette retentit, Rachel est dans sa chambre en train d'attacher son collier en or. Elle jette un dernier coup d'œil à son reflet dans la glace, admirant ses formes avantageusement moulées dans un pull noir décolleté en V et une jupe très courte. Tournant le dos au miroir, elle aperçoit ses sous-vêtements en dentelle noire jetés sur le lit. Finalement, elle a choisi de ne porter qu'un string. Elle sourit en pensant à sa réaction quand il le verra.

Elle pose quelques gouttes de Chanel N° 5 derrière ses oreilles avant de descendre ouvrir.

— Jeremiah ? lance-t-elle en jetant un regard rapide au jeune garçon avant de l'entraîner à l'arrière de la maison. Viens avec moi, nous allons voir ce que trafiquent les enfants. J'espère qu'ils ne font pas de bêtises.

Ça n'est pas le cas : ils sont exactement là où elle les a laissés dix minutes plus tôt, quand elle s'est précipitée dans sa chambre pour s'habiller. Installée devant la table, Mara tourne avec application les boutons de son ardoise magique. Noah, par terre, s'amuse à empiler des Tupperware.

— Les enfants, je vous présente Jeremiah, annonce Rachel. Jeremiah, voici Mara et Noah.

Se retournant vers le neveu de Fletch Gallagher, elle remarque qu'il présente un magnifique spécimen d'acné juvénile. Pauvre gosse, il est affreusement gauche, et plus encore lorsqu'il croise son regard : il devient soudain écarlate et fixe d'un air gêné ses vieilles baskets blanches.

— Les enfants ont dîné et pris leur douche, explique-t-elle.

C'est Ramira qui s'en est chargée pendant qu'elle-même barbotait dans un bain moussant. Ramira, qui ne perd pas une occasion de lui rappeler qu'elle n'est pas une bonne d'enfants, a volontiers accepté de les laver en échange d'un petit supplément, mais elle a prévenu Rachel qu'elle ne devait pas en faire une habitude.

Il faut vraiment qu'elle trouve quelqu'un. Au moins, ce soir, elle a Jeremiah.

Elle se penche pour embrasser Mara et déposer un baiser sur le petit crâne de Noah.

— Est-ce... Est-ce qu'ils pleurent quand vous partez ?

Jeremiah a enfin ouvert la bouche. Sa voix est mal posée, comme celle de tous les adolescents. Une nouvelle bouffée de pitié envahit Rachel.

— S'ils pleurent ? Non, jamais. Ils sont peut-être ravis de me voir partir, répond Rachel avec un grand sourire en ébouriffant les cheveux de Mara.

Sa fille lui lance un regard étonné avant de retourner à ses dessins de géométrie sur son ardoise magique.

— À plus tard, les enfants, déclare Rachel en attrapant son calepin noir sur le plan de travail. J'irai vous embrasser dans votre lit à mon retour.

— Où allez-vvous ? demande Jeremiah tandis qu'elle se dirige vers la porte en enfilant son manteau noir.

Étonnée par sa question, elle se demande un instant s'il a des soupçons. Avant de se rappeler à temps qu'il n'est qu'un gosse et que c'est son premier baby-sitting : il est juste prudent, il veut probablement savoir où la joindre en cas de problème.

Elle élude la question.

— Tu as mon numéro de portable à côté du téléphone, ainsi que celui du cabinet de mon mari et son bip, tu es paré. À tout à l'heure.

— At... Attendez ! s'écrie-t-il.

Agacée, elle se retourne.

— Je... Je ne sais pas à quelle heure vous devez rentrer ni quand les enfants doivent aller se coucher... bredouille-t-il.

Pourquoi cette nervosité ? Elle se demande un instant si elle fait bien de confier ses enfants à ce garçon. S'y connaît-il seulement ? Elle ne sait rien de lui, après tout...

Mais c'est un petit voisin, et elle connaît sa famille. D'ailleurs, que pourrait-il donc se passer ?

Elle se souvient de l'étrange sentiment qui l'a envahie le matin même, quand elle ramassait le journal ; certes, elle s'était vite ressaisie, pourtant...

Jane Kendall.

— Ferme bien la porte derrière moi, Jeremiah, lui enjoint-elle en jetant un dernier regard à ses enfants.

Il acquiesce et la suit jusque dans le hall d'entrée.

— À quelle heure rentrez-vous ?

— Je n'en sais rien ! Certainement pas avant minuit. Si ça trouve, mon mari sera là avant moi. Il devrait rentrer vers 23 heures.

— Entendu, fait Jeremiah, qui semble énervé.

Soudain, elle comprend la raison de son embarras.

Elle ouvre son sac à main et en sort une poignée de dollars qu'elle lui fourre dans la main.

— Tiens, c'est pour toi. Au cas où mon mari rentrerait le premier : il ne saura pas combien te donner.

— Merci. Et les enfants ? À quelle heure je les couche ?

— Dès qu'ils seront fatigués, réplique-t-elle. Bon, il faut que j'y aille, maintenant. Ne t'inquiète pas, tout va bien se passer.

Sur ces mots, elle sort dans la fraîche nuit d'octobre, bien décidée à ignorer cet étrange pressentiment qu'elle ne s'explique pas.

— Tu veux regarder *Qui veut gagner des millions ?*, Lianne ? demande Mitch, assis à côté de la jeune fille sur le canapé du salon.

— Si tu veux, répond-elle en tournant une page de son magazine.

Elle n'est guère bavarde – en tout cas pas avec lui. En revanche, elle peut babiller pendant des heures au téléphone avec son petit ami ou ses copines, comme s'il n'existait pas.

Il se demande s'il n'aurait pas été mieux tout seul, même si cette perspective ne lui plaît guère : c'est tout de même sympa d'avoir quelqu'un avec qui parler.

— Eh ! Tu as entendu parler de cette dame qui a disparu dans le parc ? insiste-t-il pour la tirer de son article idiot sur les régimes amaigrissants.

Selon lui, Lianne n'en a vraiment pas besoin : elle est supermince. Jolie, aussi, avec une peau très blanche et de longs cheveux noirs qui lui frôlent les fesses.

Elle relève enfin le nez.

— Tu veux parler de Jane Kendall ?

— Mouais.

Ravi d'avoir enfin réussi à capter son attention, il poursuit :

190

— Maman écrit un article sur cette affaire.

— Cool ! Moi je connais celui qui a retrouvé la poussette dans le parc : Peter Frost.

— Ah ? Qu'est-ce qu'il a dit ?

— Je crois que le bébé hurlait et qu'il l'a arraché des griffes d'un animal féroce. Il est tellement courageux !

— Ah oui ?

Mitch réfléchit, se demandant quel genre de bête féroce vit dans High Ridge Park. Il aurait juré qu'il n'y avait que des écureuils, des daims et des mouffettes. Mais aucun de ces animaux n'attaquerait un bébé ! Peut-être s'agissait-il d'un ours. Ou bien d'un chat sauvage.

— À ton avis, que lui est-il arrivé ? lui demande Lianne d'un air inquiet.

— Au bébé ? Mais je croyais que ton ami l'avait sauvé ! s'exclame-t-il, horrifié, imaginant un bébé en train de se faire dévorer par un ours.

— Mais non, je parle de la mère, rétorque Lianne. Tu crois qu'elle a sauté dans la rivière ?

— Sans doute.

Mitch repense à la conférence de presse de la veille, s'efforçant de se rappeler ce qu'il y a entendu. C'était assez ennuyeux dans l'ensemble, mais personne n'a dit que la dame s'était jetée dans la rivière. Quoique... Il n'a pas vraiment fait attention, en fait. Il ne se souvient que de ce type, le mari, qui pleurait devant tout le monde.

Mitch se demande s'il a été gêné, ensuite. Lui, jamais il ne pleurerait devant quelqu'un. Déjà qu'il ne pleure pas quand il est seul, alors... Ce sont les bébés qui pleurent, les bébés et les filles. Sauf maman. Elle non plus ne pleure jamais, elle est toujours brave.

Shawna, elle, ne l'est pas, songe Mitch avec dédain. Sa belle-mère est très émotive : quand elle regarde un film triste à la télé, elle prend une boîte de mouchoirs en papier et la pose à côté d'elle sur le canapé. Le père de Mitch la taquine toujours à cause de ça, mais ça n'a pas l'air de la déranger.

Mitch non plus ne se fâche pas quand son père le taquine. Même si parfois ça l'énerve un peu, comme l'an dernier, à la plage, quand il lui a confié qu'il avait peur de l'eau et aurait préféré être une fille.

— Pourquoi ? s'était étonné son père.

— À cause des requins mangeurs d'hommes : ils laissent les filles tranquilles puisqu'ils ne mangent que les hommes. Et les garçons, j'imagine.

Son père s'était tordu de rire. Mais comment Mitch aurait-il pu deviner ce que signifiait vraiment l'expression « mangeur d'hommes » ?

— Eh, Mitch, ta mère a appris des détails sur l'affaire ? intervient Lianne, soudain plus prolixe.

— Je n'en sais rien. Probablement.

— Quoi, par exemple ?

Il hausse les épaules.

— Tu n'auras qu'à le lui demander.

— Tu sais ce que je crois ? À mon avis, il y a un tueur en série lâché dans la nature. Comme dans *Scream*. Je suis sûre qu'il a tué Jane Kendall et qu'il va frapper à nouveau.

Mitch se sent gagné par la terreur. Il a vu *Scream* sur le câble, un soir où sa mère travaillait tard : il a eu tellement peur qu'il a été à deux doigts de courir se réfugier chez Mme Ambrosini.

— Tu veux dire qu'il y a un type en peignoir dissimulé sous un masque qui va tuer des gens à Townsend Heights ?

— Pourquoi pas ?

Comment fait-elle pour rester sereine, si c'est vrai ?

Mitch regarde la porte par-dessus son épaule pour vérifier qu'elle est bien fermée à clé. Ouf! Le verrou est mis. Mais, tout à coup, il est pris de panique : et si le tueur était caché dans l'appartement ?

Soudain, Mitch éprouve le besoin de voir sa mère. Ou son père. Même Shawna ferait l'affaire.

— À ton avis, qui pourrait être l'assassin ? s'enquiert-il, essayant de parler d'une voix qui ne tremble pas.

— Je n'en sais rien. C'est ça qui fait peur... Peut-être ta mère a-t-elle une petite idée, elle qui est chargée d'enquêter sur cette affaire.

Mitch pense à *Scream* : il y a une journaliste, dans ce film. C'est même l'une des rares personnes qui ne meurt pas à la fin.

— Tu crois que ma mère est en danger ?

— Mon Dieu! Comment veux-tu que je le sache ? s'exclame Lianne.

Ce n'est pas du tout la réponse qu'attendait Mitch. Si Lianne avait été une grande personne, elle lui aurait certainement répondu que Paula ne courait aucun risque – les adultes cherchent toujours à rassurer les enfants. Lianne s'en fiche, apparemment.

Et si quelque chose arrivait à sa mère ?

Mitch se souvient de son angoisse de la veille, lorsque son père était venu le chercher et qu'il avait cru que sa mère avait été blessée ou, pire, tuée.

S'il devait arriver quelque chose, il irait sans doute vivre avec son père et Shawna, qui serait ravie : elle a tellement envie d'avoir un enfant. Un jour, elle pleurait à cause de ça, au téléphone, en parlant avec une de ses amies. Mais ça n'est pas un garçon de dix ans qu'elle voudrait, surtout si celui-ci a déjà une mère :

elle désire un bébé bien à elle. Pourtant, à en juger d'après la conversation qu'elle a eue ce jour-là, Shawna ne peut pas avoir de bébé. Elle serait peut-être contente que Mitch vienne vivre avec eux, contente qu'il arrive quelque chose à Paula, qu'elle meure d'un cancer des poumons parce qu'elle fume trop. Shawna deviendrait sa nouvelle maman…

Et papa pourrait être son papa tous les jours, pas seulement le week-end. Cette dernière éventualité le séduit tellement qu'il en oublie son point de départ : s'il arrivait quelque chose à maman…

À nouveau effrayé, il demande à Lianne :

— Si on parlait d'autre chose ? D'un truc qui ne fait pas peur ?

— Bien sûr, approuve-t-elle en se levant. Dès que j'aurais appelé mon copain. J'en ai pour une seconde.

Allons bon, se dit Mitch, accablé, en se laissant tomber sur le canapé et en serrant un oreiller contre son ventre, qui lui fait soudain très mal.

Margaret lance des regards furtifs autour d'elle tout en avançant sur le chemin pavé qui longe le bois. Après un virage, elle tombe sur une petite clairière.

Il a dû en passer, du monde, ici : les curieux qui campent devant la maison sont forcément venus là aussi, là où l'on a découvert la fille de Jane abandonnée dans sa poussette. L'emplacement était même indiqué dans le journal d'aujourd'hui.

Mais désormais, le sentier est désert : pas un coureur ni même un chien errant en vue. Il est trop tard. Le crépuscule est tombé depuis longtemps sur les grands arbres du parc qui domine l'Hudson.

Ou alors les gens ont peur, ils se disent qu'ils pourraient connaître le sort de Jane…

Les mâchoires serrées, Margaret accélère le pas jusqu'à un étroit parapet de pierres qui lui arrive à la taille. Fouillant dans sa poche, elle en sort un mouchoir bien plié.

— On ne sait jamais, se dit-elle, l'esprit un peu engourdi.

Serrant son mouchoir dans ses doigts, regardant droit devant elle, elle distingue les rochers escarpés et les arbres de la rive opposée.

À ses pieds, elle ne voit que l'eau noire et les rochers déchiquetés, ainsi que plusieurs bateaux paisibles, dont les lumières éclairent d'une lueur étrange la surface qui clapote. Des silhouettes en combinaisons de plongée sont réunies sur le pont de l'un des bateaux.

Des plongeurs! réalise-t-elle au bout d'un moment.

Elle sait bien ce qu'ils cherchent.

Margaret fait demi-tour et revient sur le sentier tout en déchiquetant le mouchoir qu'elle tient à la main.

Finalement, elle n'en a pas eu besoin.

Tasha n'a pas eu de nouvelles de Joël de toute la journée.

Tout en rangeant les assiettes des enfants dans la machine à laver, elle tente de se convaincre qu'il a essayé de l'appeler pendant son absence, sans laisser de message. Mais elle sait bien que c'est impossible : Joël n'aurait pas manqué cette occasion de lui prouver son appel, puisqu'elle lui reproche toujours de ne jamais lui téléphoner.

Soit il est encore fâché à cause d'hier, soit il est à nouveau pris par son travail, impossible de le savoir avant son retour. Et Dieu seul sait à quelle heure il rentrera...

Et si ce n'était pas son travail qui le retenait ?

Tasha referme le lave-vaisselle et se tient immobile dans la cuisine, tendant l'oreille. Elle a couché les enfants une heure plus tôt que de coutume, ce soir : elle n'en pouvait plus, ne les supportait plus. Sa tête de mule de fille a enchaîné les caprices une fois quittée la maison de Rachel, et Hunter est rentré de classe avec un long devoir de sciences naturelles à rendre pour le lendemain, dont Tasha a fait la majeure partie tant elle avait hâte d'en finir.

Tasha pense à Taylor, la fille de Karen, qui a attrapé une sorte de virus intestinal. *Mon Dieu, je vous en supplie, pas ça !* À la seule perspective d'une maisonnée remplie d'enfants malades, Tasha se sent prête à hurler à la mort.

Elle décroche le téléphone pour prendre des nouvelles de Taylor : Karen avait l'air tellement inquiète, ce matin, quand elle est passée lui déposer le Pédialyte. C'est toujours comme ça, au début. Tasha se souvient qu'elle se précipitait au cabinet de Ben dès que Hunter avait le moindre rhume.

Elle épluche une banane en composant de l'autre main le numéro de Karen, soudain affamée : elle n'a même pas eu le temps de manger un morceau, aujourd'hui.

— Allô ?

— Bonsoir, Karen. C'est moi, Tasha.

— Ah, salut !

— Comment va Taylor ?

— On dirait qu'elle va mieux, elle a eu la diarrhée et vomi toute la matinée, et puis ça s'est arrêté. Je lui ai donné un peu de Pédialyte et elle a réussi à le garder.

— Ça va probablement durer vingt-quatre heures. Tant mieux. Qu'est-ce que tu fais ?

— Une nouvelle lessive. La petite dort, je crois qu'elle est crevée. Tom a dû s'absenter pour aller voir un de ses clients. Du coup, je suis toute seule.

— Moi aussi, rétorque Tasha, la bouche pleine.

— Joël travaille toujours aussi tard ?

— Moui. (Tasha hésite un instant avant de lâcher le morceau.) Du moins c'est ce qu'il prétend.

Après un moment de silence, Karen reprend :

— Il y a quelque chose qui cloche, Tasha ?

— Je n'en sais rien, avoue-t-elle.

Elle s'en veut un peu pour ses paroles mais elle est quand même soulagée de pouvoir raconter leur dispute et expliquer à son amie combien Joël est débordé de travail, ces temps-ci.

— Mais tu ne m'as pas dit qu'il venait d'avoir une promotion ? Avec de grosses responsabilités ?

— Si... Mais depuis quelque temps, j'ai des soupçons, je ne sais pas pourquoi...

— Si ça peut te rassurer, je ne vois pas Joël mener une double vie.

— Moui, approuve Tasha, bel et bien réconfortée. Moi non plus.

Et pourtant...

Même une personne qui n'a pas l'habitude de mentir peut se retrouver prise au piège par une passion inattendue.

La gorge nouée, Tasha a du mal à avaler sa banane. On peut être l'épouse la plus aimante et se retrouver soudain dans les bras d'un étranger qui vous promet...

— Oh ! j'entends Taylor pleurer ! s'écrie soudain Karen. Je vais essayer de lui donner à manger avant de la coucher. Je me dépêche !

— D'accord.

— Écoute, Tasha, si tu as besoin de parler, je suis là, d'accord ? Mais, à ta place, je ne m'en ferais pas trop pour Joël, c'est sûrement à cause de son boulot. On oublie tellement vite ce que c'est quand on arrête de travailler... Moi aussi, quand Tom s'attarde chez un client, je peste. Mais je faisais comme lui quand j'étais prise par mon travail, et cela se reproduira sûrement. J'espère seulement que Taylor sera alors assez grande pour se passer un peu de moi. Quoi qu'il arrive...

— Va t'occuper de ta fille, Karen ! lui enjoint Tasha à contrecœur avant de raccrocher.

Debout dans la cuisine, elle tend l'oreille pour déceler le bruit d'une clé dans la serrure. Joël lui manque tellement... Pourvu qu'il rentre vite !

Elle ferait mieux de regarder un film en l'attendant. Ils repassent *Il faut sauver le soldat Ryan*, ce soir. Elle l'a déjà vu deux fois, mais elle se sent d'humeur à regarder un long film de guerre bien déprimant.

— Comme ça, j'aurai l'impression que mes problèmes à moi sont de la gnognotte ! se dit-elle à haute voix, brisant le silence qui, loin d'être paisible, lui semble soudain lourd de menaces.

Elle s'aperçoit qu'elle tient toujours à la main sa peau de banane et va la jeter à la poubelle avant de se rendre dans le salon plongé dans l'obscurité.

Dehors, le vent fait rage, et les feuilles mortes balaient le béton en tourbillonnant.

Tasha s'arrête devant la fenêtre pour regarder dans la rue. La maison des Leiberman est étrangement sombre : la lumière du porche et celle de l'allée sont éteintes. C'est alors qu'elle se souvient que Rachel est sortie. Elle lui a vaguement dit qu'elle allait dîner avec des amis et que Jeremiah, le neveu des Gallagher, gardait les enfants. Tasha lui avait proposé de lui laisser son numéro au cas où il aurait besoin de quelque chose. Mais Rachel l'avait remerciée en disant que tout irait bien.

Quand Tasha et Joël sortent, ils laissent toujours plusieurs numéros de téléphone, dont celui des Lei-berman. Tasha se sent un peu trop mère poule, elle n'aime pas prendre de risques, contrairement à Rachel.

Parfois, Tasha se dit que, dans dix ans, quand ses enfants auront grandi, Rachel s'en ira en quête d'aventures. Peut-être même plus tôt que ça. Le plus drôle, c'est que Ben et les enfants n'y verront sans doute aucun inconvénient : on ne peut pas dire qu'elle soit une mère ou une épouse très dévouée... Elle est plutôt du genre égocentrique.

Ce qui ne veut pas dire qu'elle veuille quitter sa famille, se fustige Tasha, qui s'en veut d'avoir de telles pensées. Mais elle sait pourquoi : c'est à cause de Jane Kendall. Elle ne peut chasser de son esprit l'image de cette femme si parfaite fuyant sa vie parfaite.

Elle s'écarte de la fenêtre et allume la lampe, chassant la nuit de la pièce.

Si la Mercedes argentée ne ralentit pas, Paula va la perdre de vue : sa petite Honda bleue toute cabossée n'arrive pas à suivre à cette allure dans les virages serrés de Sawmill River Parkway – elle ne peut courir le risque de perdre le contrôle de sa voiture et de se flanquer dans le fossé.

— Salaud ! grince-t-elle en maudissant le conducteur qui déboîte pour doubler un véhicule qui lambine.

Paula l'imite néanmoins, roulant à une vitesse excessive le long du muret de béton qui la sépare du flot de voitures arrivant dans la direction opposée. Elle aperçoit les feux arrière de la Mercedes qui se rabat brusquement dans la file de droite : il prend la bretelle de sortie. Génial !

Appuyant sur le champignon, elle se rabat elle aussi en faisant une queue de poisson à une Jeep, qui se met à lui corner dans les oreilles.

— Oh ! pardon ! s'exclame Paula hypocritement en prenant la sortie, priant le Ciel pour que la Mercedes n'ait pas disparu.

Elle est arrêtée là, juste devant elle, au feu rouge.

Les yeux légèrement plissés, elle fixe attentivement la voiture : le conducteur tourne la tête vers le passager assis à sa droite. Ils discutent. Puis ils s'embrassent, leurs silhouettes se dessinant avec une étonnante netteté dans les phares de Paula.

— Si tu t'imagines que tu es la seule, grince-t-elle à l'intention de la femme blottie dans les bras de Gallagher.

Non, Jane Kendall n'est pas la seule à cacher un secret honteux à Townsend Heights, songe Paula en secouant la tête avant d'appuyer sur l'allume-cigare du tableau de bord.

Le feu passe au vert mais la Mercedes ne démarre pas, le conducteur étant visiblement occupé à autre chose.

Paula n'ose pas klaxonner.

Finalement, Gallagher s'aperçoit que le feu est vert et traverse le carrefour.

Toujours à sa suite, Paula attrape une cigarette, l'allumant de la main droite tout en tenant le volant de la main gauche. La Mercedes emprunte une route qui traverse un quartier résidentiel pour aboutir dans une zone commerciale où pullulent fast-foods, concessionnaires automobiles, super-marchés, et stations-service.

Paula jette un coup d'œil à sa jauge : elle est dangereusement basse. Si elle s'arrête maintenant pour faire le plein, elle va perdre la Mercedes, mais si elle continue, elle va finir par tomber en panne... C'est perdu d'avance.

Merde, merde et merde !

C'est alors qu'elle voit la voiture mettre son clignotant à droite.

— Salaud de Gallagher ! murmure-t-elle en réalisant qu'il s'arrête au parking de l'Holiday Inn à côté duquel s'élève une station à essence. Après tout, c'est peut-être mon jour de chance, se ravise Paula avec un grand sourire en mettant à son tour son clignotant.

Éclairée par la lueur de la veilleuse, Karen repose le bébé dans son berceau et le recouvre de sa petite couverture rose en chuchotant :

— Bonne nuit, mon trésor.

Elle lui envoie un baiser du bout des doigts et effleure doucement le petit crâne duveteux, mourant d'envie de s'attarder dans la chambre. Pauvre Taylor, elle a été tellement malade ! Enfin, elle a l'air de récupérer. Elle vient de boire un peu de lait de soja et a commencé à prendre le Pédialyte en fin d'après-midi après l'avoir recraché toute la matinée. Dieu merci, son état s'est amélioré.

Maintenant que la crise est passée, Karen réalise qu'elle est sous pression et épuisée. Elle n'a plus qu'une seule envie : dormir. C'est finalement une chance d'avoir la maison pour elle.

Elle jette un dernier regard au bébé paisiblement endormi dans son berceau.

— Ne t'en fais pas, mon ange, murmure-t-elle. Maman veille sur toi.

Elle branche le baby-phone et quitte la pièce en laissant la porte entrouverte.

De retour en bas, elle se laisse tomber sur le canapé et allonge la main pour attraper la télécommande. Elle n'est pas très fan de télé, mais ce soir elle est tellement à plat qu'elle se sent prête à regarder n'importe quoi, même *Qui veut gagner des millions ?*, du moment que ça la rassure. Elle se laisse absorber par l'émission pendant quelques minutes – si elle avait participé, elle aurait déjà gagné 125 000 dollars. Elle est sur le point de doubler son gain quand elle entend une porte de voiture claquer.

C'est Tom qui revient, se dit-elle, soulagée, réalisant soudain que sa solitude lui pesait.

Elle coupe le son de la télévision pour guetter le bruit de ses pas, mais en vain.

Karen se lève et va jeter un coup d'œil par la fenêtre qui donne sur l'allée : elle ne voit que sa Volvo, la petite Saab noire de Tom n'est pas là.

Ce n'était donc pas lui...

La déception vient se mêler à une angoisse qui lui noue les tripes.

Elle observe la maison des Gallagher. Leur allée et celle de Karen sont séparées par une pelouse étroite. La voiture de Fletch n'est pas là, mais elle voit la petite Lexus SUV de Sharon : ce devait être elle qui rentrait.

Elle retourne s'installer sur le canapé, mais n'arrive plus à se concentrer sur les questions du présentateur. Elle ressent cruellement le besoin d'avoir Tom auprès d'elle – et pas seulement parce que Taylor est malade.

Karen remonte ses genoux contre son torse et se met en boule, gagnée par une appréhension qu'elle ne s'explique pas, se demandant une fois de plus ce qui a pu arriver à Jane Kendall.

Jeremiah ouvre doucement la porte de la chambre du bébé en priant pour qu'elle ne grince pas. Ouf !

Il aperçoit Noah dans son berceau, qui ronfle doucement. Mara elle aussi dort profondément, il vient d'aller vérifier.

Jeremiah referme la porte, retenant son souffle en entendant le déclic du pêne. Il s'immobilise, la main sur la poignée, au cas où le bruit aurait réveillé l'enfant.

Rien.

Parfait.

Il revient lentement dans le long couloir. Ça fait drôle d'être seul dans une maison qui n'est pas la vôtre, surtout la nuit. Il avait la même impression, au début, chez oncle Fletch et tante Sharon. Et puis il s'y est fait.

Mais ils font partie de sa famille. Avec Rachel Leiberman, c'est différent.

Jeremiah s'arrête en haut de l'escalier, à l'affût du moindre bruit. Toujours rien. Comme si la maison tout entière retenait son souffle en attendant de voir ce qu'il s'apprête à faire.

Tremblant un peu, il regarde sa montre : il a le temps. Tout son temps.

Le cœur battant, il fait un pas avant de s'arrêter, hésitant encore. Ira-t-il jusqu'au bout ?

Puis il prend sa décision, ouvre la porte de la chambre de Rachel et se faufile à l'intérieur.

Il est minuit passé quand Rachel revient chez elle. Chantonnant tout bas, elle pénètre dans la maison endormie et lance ses clés sur la table basse, près de la porte. Elle entend la télévision dans la salle de séjour.

Elle ôte ses souliers et s'y rend pieds nus. Jeremiah est là, assis sur le canapé. Il n'est pas en train de somnoler, comme on pourrait s'y attendre. Il se tient bien droit.

Il est même perché au bord du fauteuil, les mains sagement posées sur les cuisses. Il est bizarre, songe Rachel, soudain mal à l'aise. Il a presque un air coupable, assis dans cette position affectée.

— On dirait que je suis la première à rentrer, déclare-t-elle en essayant de prendre une voix enjouée. Comment ça s'est passé avec les enfants ?

— Très bien. Ils dorment tous les deux, répond-il très vite, malgré son bégaiement.

Trop vite ?

— J'espère bien, vu l'heure qu'il est, réplique-t-elle en affectant un ton léger.

Il se tourne vers elle, lui lançant un coup d'œil fugace mais intense, avant de se fixer à nouveau sur le poste. Il regarde MTV, mais ne semble pas vraiment pris par le film. Il semble qu'il ait allumé la télévision pour sauver les apparences et lui faire croire qu'il n'est qu'un baby-sitter comme les autres...

Brusquement, Rachel a envie qu'il s'en aille. Tout de suite.

Elle ouvre son porte-monnaie

— Je vais te payer et tu pourras...

— Vous m'avez déjà payé, coupe-t-il.

C'est vrai, elle l'a fait avant de partir.

— Alors c'est bon, dit-elle.

Elle toussote.

Que faire s'il ne veut pas partir ? Ô mon Dieu, et s'il avait une idée derrière la tête ?

Tandis qu'il se lève docilement et se dirige vers elle, elle retient son souffle.

Il ne la regarde pas, gardant les yeux obstinément baissés. Quelque chose dans son attitude déclenche une sonnette d'alarme chez la jeune femme. Mais quoi ? Aurait-il terminé la glace qui était dans le congélateur ? Un des enfants aurait-il fait une bêtise en son absence ?

— À une autre fffois, peut-être, balbutie-t-il en rejoignant la porte d'entrée.

— Bien sûr.

Jamais de la vie, songe-t-elle en refermant avec soulagement la porte derrière lui et en allumant la lumière extérieure pour Ben.

Quand la lanterne extérieure s'allume sur le perron des Lciberman, elle éclaire la pelouse qui se trouve devant la maison et une grande partie du jardin. Mais le bosquet d'arbustes à feuilles persistantes reste plongé dans l'ombre : aucun voisin indiscret ne pourra apercevoir la silhouette vêtue de noir qui se dissimule dans les branchages – Rachel non plus, d'ailleurs.

Elle a laissé la lumière pour son mari, c'est clair.

Que se passera-t-il si Ben revient avant que sa tâche ne soit terminée ?

Tu fileras à l'anglaise avant qu'on ne te voie et puis tu essaieras une autre fois.

Mais cela risque de prendre des jours. Or ça ne peut pas durer indéfiniment. Plus ça traînera, plus il aura des chances de se faire prendre.

La clé !

Détends-toi, elle est là, dans ta poche.

Ça a été un jeu d'enfant de récupérer cette clé, grâce à Mme Tucelli. Il était facile de savoir que l'ancienne bonne de Rachel allait tous les matins à la messe dans la même église. Facile aussi de se glisser sur le banc derrière elle pour lui chiper ses clés dans son sac pendant qu'elle s'agenouillait après la communion. La musique de l'orgue avait même étouffé le léger tintement et, quand Mme Tucelli avait fini ses prières et s'était rassise, le banc derrière elle était vide.

Quand la vieille dame s'est-elle aperçue de la disparition de ses clés? Les policiers l'interrogeront-ils quand ils découvriront Rachel, demain? Que leur dira-t-elle au sujet du trousseau? Qu'elle l'a perdu? Sans doute – comment pourrait-elle se douter qu'on lui a volé pendant la messe?

Rachel non plus ne se doute de rien, à l'heure qu'il est. Elle ignore que, d'ici peu, le rideau va tomber sur sa vie dorée.

Le pressent-elle? Si c'est le cas, elle ne peut plus rien faire, de toute façon. Elle ne peut arrêter le cours des événements, même si elle soupçonne ce qui l'attend.

Cette impression de pouvoir est grisante. Il serait tellement tentant de s'attarder ici en jouissant de cette sensation… Mais ce ne serait pas sage.

La lumière s'est éteinte, là-haut, dans la chambre. Il est temps d'agir.

Il ne faut pas prendre le risque de se mettre sous la lumière du porche; la même clé ouvre la serrure de la porte d'entrée et celle de la porte de service.

Le jardin du fond est plongé dans l'obscurité, désert, et les rafales de vent atténuent le bruit des chaussures qui écrasent les feuilles mortes. Dix secondes pour aller des buissons jusqu'à la porte; cinq secondes pour ouvrir la serrure.

Un bruit de pas résonne à l'étage. Rachel est dans sa chambre. De la cage d'escalier, on l'entend chantonner.

Comme tu as l'air satisfaite, Rachel. Comme une femme qui revient d'un rendez-vous galant avec son amant. Une femme qui ignore qu'elle va mourir.

En haut, le couloir est plongé dans l'obscurité

mais un rai de lumière filtre de la chambre de Rachel. La porte est entrebâillée.

Le plan est le suivant : l'attaquer par surprise et l'étrangler avec le bout de corde qui se trouve dans sa poche, à côté de la clé.

Mais un objet apparaît dans son champ de vision, qui chamboule le plan : un haltère.

Alors c'est comme ça que tu restes en forme, Rachel ? Tu t'exerces aussi à la maison, pas seulement à tes cours de gymnastique... Tu fais des haltères toute seule dans ta belle chambre...

La rage l'envahit sournoisement. Comme la dernière fois. Elle s'amplifie. Se décuple. Très bien, ça aide.

Tu vas le regretter, Rachel, tu vas regretter d'avoir passé tellement de temps à soigner ton apparence.

La rage familière, dévorante, mauvaise.

Moi aussi, je peux soulever des haltères, tu sais. Je peux en soulever un et le faire retomber. Fort. Assez fort pour détruire à jamais ton ravissant visage.

*
* *

— Tash ?

— Oui ?

Elle se retourne dans son lit, enfouie sous l'édredon, prête à sombrer à nouveau dans le sommeil.

— Tasha...

Le cauchemar recommence : elle est à nouveau dans une ville bombardée de la campagne française et se bat contre les nazis tandis que les sirènes retentissent.

— Tasha !

Elle ouvre les yeux en grand.

La chambre est plongée dans la pénombre, mais elle voit Joël près du lit, sa silhouette découpée sur la lumière du couloir. Il est en costume, son manteau boutonné. Il arrive ou il repart ? Quelle heure est-il ?

Elle jette un coup d'œil à son réveil. 2 h 30.

Ce bruit perçant de sirènes n'est pas un rêve, et il ne s'agit pas d'une alerte aérienne. C'est la police ou les pompiers.

— Qu'est-ce que tu fais ? bredouille-t-elle en se frottant les yeux avant de se dresser sur son séant.

— Je viens de rentrer.

Et c'est pour lui dire ça qu'il la réveille ? Pourquoi diable ne se déshabille-t-il pas ? Pourquoi ne vient-il pas se coucher ?

Il s'assied près d'elle. Surprise, elle le dévisage. Il lui prend la main et la serre très fort.

Il va me demander pardon pour notre dispute idiote, suppose-t-elle, soulagée.

Mais l'instant d'après, elle s'affole : *Il va me dire qu'il en aime une autre et qu'il me quitte.*

Oh, Seigneur ! Elle n'est pas prête à l'entendre dire ça. Malgré ses soupçons, malgré ses inquiétudes, jamais elle n'a vraiment cru que cela pouvait se produire. Jamais.

— Tasha...

Il s'interrompt.

Nouveau silence que pas un bruit ne déchire, sinon celui de cette sirène stridente qui se rapproche.

— Dis-le, Joël.

— Dis-le ? répète-t-il d'une voix incrédule. Mais alors... tu sais ?

C'est donc vrai. Il me quitte.

Elle a l'impression de se prendre un train de plein fouet et fait un effort surhumain pour ne pas se jeter sur lui en le bourrant de coups de poing.

Elle s'apprête à lui demander avec qui il part. Sa secrétaire ou quelqu'un d'autre ? Mais sans lui laisser le temps de parler, il reprend :

— Comment l'as-tu appris ?

Trop fatiguée soudain pour se mettre en colère, elle se contente de lui répondre :

— Je m'en suis douté.

Silence. Et encore cette sirène, de plus en plus proche.

Mais dis quelque chose, espèce de salaud ! hurle une voix en elle. *Dis-moi qui c'est ! Dis-moi ce qui te pousse à flanquer toute notre vie en l'air !*

— Tasha, je crois que nous ne parlons pas de la même chose, déclare enfin Joël.

Interdite, elle le dévisage. Elle ne distingue toujours pas ses traits dans la pénombre, mais il lui tient toujours la main, la presse dans les siennes. Il ne ferait pas ça s'il essayait de lui dire qu'il ne l'aimait plus.

— Que se passe-t-il, Joël ? demande-t-elle brusquement, effrayée.

Quelque chose ne va pas. Elle le devine, et réalise en même temps que cette sirène est bien trop proche. On dirait que la voiture est en bas... dans la rue.

— Ce n'est pas facile à dire, Tasha. Il s'agit de Rachel : elle a été assassinée.

*
* *

Les sirènes.

On les entend même à travers les fenêtres fermées, tellement stridentes qu'elles ont dû réveiller la ville tout entière. Le sommeil des habitants a-t-il été troublé ? Ou se disent-ils que rien de tout cela ne les concerne ?

Après tout, Townsend Heights est une petite ville si tranquille, où il ne se passe jamais grand-chose.

C'est fini désormais. Les privilégiés de Townsend Heights vont devoir affronter la réalité, ce matin : parmi eux rôde un assassin froid et méthodique. Quand ils le sauront…

Plus personne ne se sentira en sécurité. Sauf toi, bien sûr.

Vendredi 12 octobre

8

— Margaret? Tu es là?

Surprise, Margaret sursaute et s'arrache de la télévision. Sa mère s'agite derrière elle, dans l'encadrement de la porte de la salle de séjour.

— Margaret! Il s'est passé quelque chose d'horrible... s'écrie-t-elle. Oh! mais tu es au courant...

Son regard vient soudain se poser sur la télévision. Elle est branchée sur la chaîne locale, et un journaliste à l'expression sévère fait un compte rendu en direct devant une maison blanche de style colonial avec des volets noirs. Derrière, dans le ciel bleu foncé, on distingue les premières lueurs roses de l'aurore.

Absorbée par le journal télévisé, Margaret n'a pas réalisé que le soleil se levait. Jetant un coup d'œil par l'immense fenêtre, elle voit que les arbres qui lui font face sont drapés d'une lumière blafarde. Il est plus de 6 heures.

— Alors, tu as appris la nouvelle?

— Au sujet de cette femme, Rachel Leiberman? Oui, je suis au courant, répond-elle à sa mère avant de reporter son attention sur la télévision.

Bess traverse la pièce et se laisse tomber, accablée, sur le canapé.

— Qu'est-ce que tu fais debout à cette heure-ci?

— Je n'arrivais pas à dormir...

— Moi non plus. (À coup sûr, sa mère va attirer la conversation sur elle et sur Jane.) Je souffre d'insomnies terribles depuis que Jane…

— … Et j'ai entendu les sirènes, poursuit Margaret comme si sa mère avait fini son discours.

— Je n'en puis plus ! gémit celle-ci. Cette femme-là est morte. S'il y a un rapport quelconque avec la disparition de ta sœur, je…

— Personne n'a dit qu'il y en avait, observe Margaret.

— Mais elle ressemble tellement à Jane : elle était si belle, bien que différente – une femme qui ne passait pas inaperçue, en tout cas. Tu as vu sa photo ?

Margaret hoche la tête. C'est vrai, Rachel Leiberman était très belle. Et, comme Jane, elle avait tout pour elle. Tout ce que l'argent peut vous offrir, et le reste : un mari éperdument épris, doté d'une belle situation, des enfants exquis…

Une vie parfaite, qu'on lui a ôtée sans scrupules.

Margaret remarque le tremblement qui agite les mains de sa mère, se demandant si elle doit les prendre dans les siennes.

Depuis ces derniers jours, elle évite tout contact physique avec Bess. Comme elle l'a toujours fait, d'ailleurs – contrairement à Jane, si câline, qui lui caressait toujours le bras, la serrait contre elle… Si Jane était là, si elle voyait sa mère dans cet état, elle la prendrait dans ses bras pour la consoler.

Mais Jane n'est pas là. C'est justement la raison pour laquelle sa mère est bouleversée.

Et, par tous les saints du paradis, Margaret se sent physiquement incapable de consoler Bess, même maintenant.

— Maman, on a retrouvé cette femme assommée dans son lit. Dans sa propre maison. Quant à Jane, rien ne prouve qu'elle soit morte, elle a seulement disparu. Elles n'ont peut-être rien à voir ensemble.

— Nous sommes à Townsend Heights, Margaret! Pour l'amour du Ciel, essaierais-tu de me convaincre qu'il pourrait y avoir deux assassins sadiques en liberté dans cette ville?

— Jane n'a pas été assassinée, maman. (Margaret serre la télécommande nerveusement sur ses genoux, sentant la tension monter douloureusement en elle, contractant ses mains, ses épaules, ses mâchoires.) Elle a simplement disparu. Personne n'a jamais dit qu'elle avait été assassinée.

Bess se contente de fixer l'écran de télévision, les yeux rougis. Margaret la dévisage longuement avant de détourner le regard vers la fenêtre.

Le journaliste de la télévision est en train d'interroger une femme qui travaille au cabinet de Ben Leiberman. Elle sanglote : «Le docteur est tellement merveilleux... Ce qui vient d'arriver à sa charmante femme est abominable... Pensez à ces pauvres enfants qui se retrouvent orphelins...»

Schuyler.

— Maman, je vais monter voir si le bébé ne pleure pas, déclare soudain Margaret en se souvenant de sa nièce. Elle devrait bientôt se réveiller.

— Elle est déjà levée. Owen l'a prise avec lui, dans sa chambre.

— Je vais voir s'il a besoin de moi, insiste Margaret en se levant.

Elle n'a pas encore vu son beau-frère, aujourd'hui. Elle porte ses mains à ses cheveux pour arranger sa coiffure – ce matin, elle a failli ne pas les attacher, pour changer. Et puis elle n'a pas osé et les a noués en chignon, comme d'habitude.

Sentant soudain se poser sur elle le regard scrutateur de sa mère, elle laisse retomber ses mains et les enfonce dans les poches de son pantalon noir.

— Laisse Owen et Schuyler tranquilles, Margaret, ordonne sèchement Bess.

Sa mère sait.

— Mais j'essaie seulement… Maman, il doit être épuisé. Je l'entends faire les cent pas dans la maison à toute heure du jour et de la nuit. Je vais simplement m'occuper de la petite.

— Non. S'il a besoin qu'on s'en occupe, c'est moi qui m'en chargerai. Schuyler est plus à l'aise avec moi.

Margaret pivote sur ses talons et quitte la pièce, blessée mais consciente que sa mère a raison – sur ce point, du moins.

— Reprenons depuis le début, mon garçon. L'enquêteur aux cheveux gris croise les bras sur sa large poitrine. À quelle heure avez-vous couché les enfants ?

— Je vous l'ai ddéjà ddit, coasse Jeremiah d'une voix mal assurée. Il devait être 20 heures, environ.

— Et ensuite vous avez regardé la télévision dans la salle de séjour, c'est bien ça ? Mais vous ne vous souvenez pas de ce que vous avez vu ?

Fletch lance un regard à son neveu, qui se tortille, mal à l'aise, sur le canapé.

— Je ne regardais pas vraiment, bafouille-t-il. Je travaillais en même temps. Alors je ne faisais pas vraiment attention à la télé.

— Je vois.

Le policier se tourne vers Sharon, assise dans un fauteuil à l'autre bout de la pièce.

— Madame Gallagher, votre neveu affirme que Mme Leiberman l'a renvoyé chez lui vers minuit. L'avez-vous entendu rentrer ?

— Non, je dormais dans ma chambre. J'ai un sommeil très profond.

Elle regarde du côté de Fletch, assis sur le canapé à côté de Jeremiah, et il lit sur son visage : *Dis-leur que c'est vrai.*

Jusqu'à présent, il avait l'intention de se taire, mais il réalise que le policier le regarde d'un air interrogateur.

Il confirme alors :

— C'est exact, elle a un sommeil de plomb.

— Et vous, monsieur Gallagher, avez-vous entendu rentrer votre neveu ?

Il bouge un peu sur le coussin du canapé, se forçant à répondre d'une voix neutre.

— Non. Moi aussi, je dormais.

— Et, bien entendu, vous avez un sommeil aussi profond que celui de votre épouse.

Il hausse les épaules. Ce n'est plus une question. Le policier aurait-il des soupçons ? Non… Fletch se rappelle que le principal suspect ici, c'est Jeremiah. Pas lui, ni Sharon : ils ne sont que des témoins ou, plutôt, ils n'en sont pas.

— Quand tu es rentré chez toi, Jeremiah, qu'est-ce que tu as fait ? interroge le policier.

— Je suis allé me coucher.

— Quelle heure était-il ?

— Je vous l'ai déjà dit, il devait être minuit, je n'ai pas regardé ma montre.

Jeremiah regarde son oncle d'un air suppliant. Il est temps de mettre un terme à cette entrevue. Voilà plusieurs heures qu'on l'interroge, depuis que la sonnette a retenti en pleine nuit et que Fletch a ouvert pour se retrouver nez à nez avec deux flics aux visages peu amènes.

Il se lève.

— Oui, tu le leur as déjà dit, encore et encore. Ne dis plus rien, Jeremiah, ordonne-t-il à son neveu.

— Monsieur Gallagher…

— Oui ?

Il lance un regard glacial au policier. Summers, c'est ainsi qu'il s'est présenté. Muté dans le coin après avoir passé près de vingt ans dans le sud du Bronx, il devait sans doute s'imaginer qu'il allait se la couler douce en attendant sa retraite.

— Si vous voulez bien nous laisser terminer l'interrogatoire de votre neveu, nous...

— Vous le ferez en présence de mon avocat, déclare fermement Fletch. C'est d'ailleurs ce que j'aurais dû vous dire tout de suite, mais... Il s'interrompt pour s'éclaircir la voix, puis regarde l'enquêteur droit dans les yeux, tâchant de prendre l'attitude de l'oncle indigné.

— Ainsi vous désirez que cet interrogatoire se poursuive en présence de votre avocat ? reprend le policier.

— Absolument.

Fletch se rend compte qu'il est en train de se mordre les lèvres. Un goût de sang lui vient à la bouche.

— Fletch... tu en es bien sûr ? intervient Sharon timidement.

— Sûr et certain, confirme-t-il.

Le regard de sa femme se pose sur Jeremiah. Son neveu est l'image même de la désolation : frissonnant dans son tee-shirt à manches courtes et son caleçon, il serre ses bras blancs autour de sa maigre poitrine pour se tenir chaud. L'immense salon que l'on n'ouvre jamais est glacial, à cette heure-ci. Fletch note distraitement qu'il lui faudra monter le chauffage après le départ de Summers.

Que veut-il apprendre en cuisinant cet enfant ? Jeremiah lui a péniblement narré par le menu les événements de la nuit dernière, et ce à plusieurs reprises. Son récit n'a pas varié : il a couché les enfants, puis regardé la télévision pendant plusieurs heures d'affilée. Rachel est rentrée vers minuit et l'a renvoyé chez lui. Il est alors revenu directement à la maison et est monté se coucher.

Le policier finit par partir, à contrecœur, après avoir précisé qu'il reprendrait contact sous peu. Lorsque la porte se referme derrière lui, Fletch pousse un énorme soupir de soulagement. Il penche la tête et frotte ses yeux qui le piquent par manque de sommeil.

— Tu ne crois tout de même pas que c'est lui, non ?

Il sursaute en entendant la voix qui chuchote dans son dos : Sharon l'a suivi dans le hall d'entrée. Emmitouflée dans son peignoir en soie blanche, elle l'observe attentivement.

Serait-ce une accusation qu'il lit dans ses yeux ? Le soupçonnerait-elle ?

Soudain accablé, Fletch rejoint en quelques enjambées le thermostat pour monter le chauffage, avant de revenir dans le salon où Jeremiah est resté prostré.

— Fletch ? Tu ne penses tout de même pas qu'il est coupable ? répète Sharon à voix basse.

Elle court derrière lui et pose une main sur son bras.

Il s'arrête et se retourne.

— Je n'en sais rien, Sharon. Honnêtement, je n'en sais rien.

— Grand Dieu, Fletch ! Tu imagines sérieusement que Jeremiah...

— Je dis simplement que je ne sais pas quoi penser. Ne parle de lui à personne, même aux flics.

Il franchit le palier du salon. Son neveu est toujours assis sur le canapé. Des larmes coulent sur ses joues boutonneuses.

— Jeremiah...

Fletch s'assoit à côté de lui sans trop savoir quoi lui dire, puis finit par décréter qu'il va téléphoner à son avocat.

Le garçon acquiesce avant d'ajouter :

— Et mon ppère ?

— Lui aussi, je vais l'appeler. À moins que tu ne veuilles le faire toi-même.

Jeremiah secoue négativement la tête.

Luttant pour cacher son trouble, Fletch donne une petite tape sur le bras maigre du gamin. À l'autre bout de la pièce, Sharon l'observe, impénétrable.

— Tu es sûre que ça va aller, Tash ? s'inquiète Joël, la voyant enfiler un col roulé en étouffant un bâillement.

Ils sont dans leur chambre à coucher, où l'air est saturé d'humidité à cause des douches qu'ils viennent de prendre.

C'est vrai qu'on se gèle, ici, pense-t-elle machinalement. À moins que ça ne vienne de moi.

Elle a la chair de poule. On dirait que sa chemise irrite le moindre centimètre de peau en contact avec le coton.

— Tash ?

Son visage humide émerge du col roulé et elle le regarde. Il la dévisage, une main posée sur la poignée de la porte. Il est en chemise, et sa cravate dénouée pend autour de son cou.

— Tu comptes toujours aller au bureau aujourd'hui ? demande-t-elle.

La première fois qu'il lui a répondu affirmativement, elle n'en a pas cru ses oreilles.

Après tout ce qui venait de se passer...

Joël s'était précipité chez Ben après avoir prévenu Tasha du drame. Cette dernière était partagée entre l'envie de l'accompagner et le désir de rester avec ses enfants. Pendant tout le temps que son mari était resté absent, elle avait fait les cent pas, allant d'une fenêtre à l'autre, d'une porte à l'autre, pour s'assurer que la maison était bien fermée, vérifiant inlassablement les verrous.

Quand Joël avait enfin retraversé la rue, portant Mara endormie dans ses bras, Tasha avait couché la fillette dans son lit. Une minute plus tard, Joël revenait avec Noah, qu'il avait délicatement déposé dans un petit berceau, à côté de sa sœur. Ils avaient ensuite quitté la pièce sur la pointe des pieds avant de s'effondrer dans les bras l'un de l'autre.

Un peu plus tard, ils avaient bu un café tout en allant à tour de rôle jeter un coup d'œil dehors, où régnait un grand remue-ménage : les policiers allaient et venaient ; le coroner était là. Les médias arrivaient par grappes, de plus en plus nombreux. À l'aube, la rue était encombrée de camionnettes et de journalistes escortés de leurs équipes techniques.

Les petits Leiberman continuaient à dormir paisiblement. Comme leurs propres enfants.

Ben était complètement effondré, selon Joël. Sous le choc.

— Il faut que l'un de nous deux aille le voir, répétait Tasha.

Mais son mari insistait pour qu'ils restent en dehors de cette affaire, à l'abri chez eux. La sœur de Ben était en route, elle allait s'occuper de lui.

Tout comme Joël s'occuperait de sa femme – c'était du moins ce qu'elle croyait.

— Tu ne peux vraiment pas annuler cette réunion ? répète-t-elle sans le regarder tout en enfilant son sempiternel jean.

La machine à laver, songe-t-elle tout à coup. Elle n'a toujours rien fait. Bah, cela lui semble moins urgent, maintenant ! Elle portera le même jean pendant des semaines, s'il le faut. Cela n'a aucune importance.

— Je te l'ai déjà dit, reprend Joël avec lassitude, s'obligeant à faire preuve de patience. Ce n'est pas une réunion, c'est un tournage. Et je suis déjà en retard. Les CEO des deux sociétés seront là. Il faut absolument que j'y sois, moi aussi. Mais c'est promis, je reviens dès que c'est fini.

Elle sait tout ça, il le lui a déjà dit quinze fois. Il est même entré dans les détails, lui expliquant que le tournage ne pouvait être repoussé, la vedette étant un top-modèle à l'emploi du temps surchargé et les décors ayant été commandés depuis des lustres. Le pompon, c'était quand il lui avait dit – sans rire – qu'il ne pouvait quand même pas annuler un tournage pour un simple meurtre.

Pendant qu'il se dépêche de nouer sa cravate devant la glace, Tasha enfile ses baskets sans même prendre la peine de nouer ses lacets.

— Parée ? demande Joël.

Elle hoche la tête.

— D'accord, j'ouvre la porte, chuchote son mari.

Elle éteint la lumière de la salle de bains et le suit dans la chambre plongée dans la pénombre, regardant au passage les petits corps pelotonnés dans les lits. Les enfants de Rachel dorment profondément, sans se douter qu'ils n'ont désormais plus de maman.

Suis-je celle qui devra le leur annoncer ? se demande Tasha, épouvantée.

Et ce salaud de Joël qui la laisse toute seule dans de telles circonstances !

Tandis qu'il lui tient la porte de la chambre, elle se glisse dans le couloir. Puis il referme doucement la porte derrière eux.

— Ça va aller ?

Ça changera quoi, qu'elle lui réponde le contraire ?

— On fera aller, répond-elle en se dirigeant vers l'escalier.

Il lui emboîte le pas.

— N'ouvre à personne en mon absence, lui ordonne-t-il tandis qu'ils descendent les marches. Et ne mets pas Hunter à l'école, aujourd'hui.

Elle approuve. Ils se sont déjà mis d'accord sur ce point.

— J'ai dit à Ben de passer dès qu'il se sentira prêt à voir les enfants.

Nouveau hochement de tête. Ça aussi, il lui a déjà dit.

Au pied de l'escalier, il prend son manteau dans le placard.

— La police va certainement vouloir te poser des questions, Tash.

Elle ouvre des yeux ronds.

— À moi ?

— Tu es passée chez elle, hier...

— Mais qu'est-ce que j'ai à voir dans cette affaire ? Ils ne vont tout même pas croire...

— Non, bien sûr, mais ils voudront voir tous ceux qui pourraient leur apporter des renseignements.

— Mais je ne sais rien !

— Tu en es sûre ? (Joël la regarde attentivement, comme s'il la testait.) Tu ne vois aucun détail susceptible de faire avancer l'enquête ? Rien du tout ?

— Je... je ne sais pas, Joël, balbutie-t-elle en plongeant son regard dans ses yeux bruns.

Des pleurs de bébé se font entendre.

— Oh ! c'est Max ! dit-elle. Je me dépêche avant qu'il ne réveille les autres.

— Je rentre le plus vite possible, Tash, lance son mari dans son dos.

— D'accord, répond-elle en se forçant à y croire.

Jeremiah entend une porte claquer, en bas. Par la fenêtre de sa chambre, il voit son oncle s'éloigner avec Daisy et Lily dans l'allée. Oncle Fletch n'est plus en tenue de sport : il porte un pantalon de velours noir et une chemise à carreaux sous son blouson de cuir noir. Les jumelles, que Jeremiah n'a pas encore vues aujourd'hui, sont en pull et en jean. Tous trois montent dans la Mercedes argentée. Oncle Fletch démarre rapidement en marche arrière.

Visiblement, il les emmène à l'école élémentaire de Townsend Heights. Il n'a même pas proposé à son neveu d'y aller, après le départ de l'enquêteur, et Jeremiah n'en a pas parlé non plus. Tous deux se doutaient qu'il n'irait pas. Pas après ce qui s'était passé : il est sans doute la dernière personne à avoir vu Rachel Leiberman en vie, et la police pourrait encore venir l'interroger.

Dieu merci, oncle Fletch a fini par interrompre cet inspecteur Summers. Jeremiah songe qu'il n'aurait pu en supporter davantage, au point où il en était. Cet homme le passait littéralement sur le gril, exigeant de savoir dans les moindres détails ce qu'il avait fait chez les Leiberman. Ainsi, quand oncle Fletch les avait coupés pour expliquer qu'il allait appeler son avocat, Jeremiah était sur le point de craquer et de tout avouer.

Ouf ! Oncle Fletch l'a tiré de ce mauvais pas !

Tandis qu'il s'éloigne de la fenêtre, son regard tombe sur son bureau, sur lequel s'entasse une pile de feuilles et de livres au sommet de laquelle se trouve un article de la *Gazette de Townsend* datant de la mi-août. Il l'a lu et relu, mais il le parcourt une fois de plus après avoir contemplé la photo de sa belle-mère. Melissa paraît plus jeune qu'elle ne l'était – la photo doit dater d'avant la naissance des jumelles. Elle sourit, très bronzée, et ses cheveux blonds tombent en cascade sur ses épaules. Quand Jeremiah l'a connue, elle avait les cheveux plus courts. Et elle souriait moins, avec lui en tout cas – sauf si son père était dans les parages.

L'INCENDIE D'UNE MAISON DANS NORTH STREET
FAIT UN MORT
Par Paula Bailey

Le terrible incendie qui a eu lieu dans la nuit de vendredi à samedi met à la rue une famille de Townsend Heights. Trois enfants se retrouvent orphelins. Melissa Gallagher, âgée de quarante ans, qui vivait au 40, North Street, a péri dans l'incendie qui a démarré dans sa cuisine en début de soirée. Les enquêteurs n'en ont pas encore déterminé l'origine.

Son fils, Jeremiah, et ses deux filles, Daisy et Lily, n'étaient pas chez eux au moment du drame. Son époux, Aidan Gallagher, militaire de carrière, se trouve en mission à l'étranger depuis la mi-juin. À l'heure qu'il est, nous n'avons toujours pas réussi à le contacter pour recevoir son témoignage.

Au dire de son frère, Fletcher Gallagher, qui vit également à Townsend Heights, la famille possédait cette maison depuis plusieurs années. « Nous sommes atterrés, a déclaré cet ancien lanceur de l'équipe de base-ball de Cleveland reconverti en présentateur sportif pour les Mets de New York. Ma femme et moi allons nous occuper des enfants jusqu'au retour de leur père. C'est la deuxième fois qu'il est veuf et le pauvre homme est anéanti. »

*Le commandant de la brigade des pompiers de notre
ville, Ray Wisnewski, a constaté que le feu s'était rapidement propagé dans la maison, dont la structure
était en bois. On a retrouvé la victime dans la cuisine,
son corps carbonisé était difficilement identifiable.
« Nous allons poursuivre nos recherches », a déclaré le
commandant Wisnewski à la* Gazette *de Townsend.*

*Melissa Gallagher était originaire du comté de
Fairfield, dans le Connecticut, et diplômée de Vassar.
Elle a enseigné dans plusieurs écoles primaires de
l'enseignement privé dans le comté de Westchester
voilà une dizaine d'années. Les funérailles auront
lieu lundi matin à la Holy Father Church de Townsend Heights, et l'inhumation se fera dans l'intimité
à Fairfield.*

Une sorte de grondement vient soudain troubler
le silence qui règne dans la maison.

Jeremiah reconnaît ce bruit : c'est l'eau qui passe
dans les canalisations – quelqu'un prend une douche.

Jetant la coupure de journal sur son bureau, il va
tout doucement entrouvrir la porte de sa chambre.
Il est seul avec tante Sharon, qui doit être dans sa
salle de bains. Enfilant rapidement un jean et une
polaire offerts par Fletch, il s'apprête à mettre ses
baskets mais se ravise pour prendre ses boots à
semelles épaisses. Puis il attrape sa parka bien
chaude.

Un instant plus tard, il se faufile dans le couloir
et descend l'escalier. C'est le moment ou jamais : il
arrive à sa tante de s'attarder sous la douche, mais
son oncle ne va pas tarder à revenir de l'école. Dans
le hall d'entrée, Jeremiah jette un coup d'œil par
la fenêtre qui donne sur la grande rue bordée
d'arbres : il y a des voitures garées partout et, de là
où il se trouve, il aperçoit la foule qui se presse

devant la maison des Leiberman. Il s'attend presque à voir un policier monter la garde devant chez eux, mais la voie est libre. Il s'arrête quelques instants pour réfléchir et revoir son plan.

Le soupçonnent-ils vraiment d'avoir tué Rachel Leiberman ? On dirait, d'après l'attitude de l'enquêteur Summers.

Jeremiah refuse de prendre le risque.

Et si Summers revenait ? S'il fouillait la maison et l'abri de jardin ? S'il l'arrêtait ?

Il faut absolument agir, et tout de suite.

Mais que vas-tu faire ? Tu n'auras pas le temps de te débarrasser de tout ça, souffle une petite voix dans sa tête tandis qu'il se dirige vers la cuisine.

Il inspecte le jardin bien entretenu pour s'assurer que personne ne le verra. Puis, rempli d'appréhension, il s'aventure dehors et traverse la pelouse, obnubilé par une idée fixe : se protéger coûte que coûte, avant qu'il ne soit trop tard.

Paula hésite avant de sonner à la porte des Banks : il n'est pas encore 8 heures. Mais elle a du pain sur la planche, elle appuie sur la sonnette. De toute façon, tout le quartier doit être réveillé : comment dormir au milieu d'un tel tintamarre ? L'agitation qui règne devant la maison des Leiberman est plus dense encore que la cohue de Harding Place.

— Qui est là ? demande une voix féminine derrière la porte.

— Paula Bailey.

— Qui ça ?

— Paula Bailey. J'habite en ville. Il faut que je vous parle, madame Banks.

— À quel sujet ? fait la voix, soupçonneuse.

— Puis-je entrer ? reprend Paula. Écoutez-moi, je suis une maman comme vous. Je sais ce que vous devez ressentir, mais il faut me faire confiance, je vous assure.

À sa grande surprise, la porte s'ouvre. Impercep-tiblement, mais c'est déjà ça... Un visage fatigué, encadré de cheveux bruns et ternes, apparaît, qui la dévisage. Elle reconnaît Tasha Banks et voit à son expression qu'elle ne lui est pas inconnue non plus – la ville n'est pas grande, elles ont dû se croi-ser plusieurs fois, dans la rue.

— J'aimerais vous dire deux mots, lui dit Paula. Puis-je entrer ?

— Vous êtes journaliste, n'est-ce pas ?

— Oui, à la *Gazette de Townsend*.

Paula cherche à convaincre Tasha qu'elle n'a rien à voir avec la meute de charognards qui rôdent dans la rue : elle n'est qu'une simple habitante de Townsend Heights, inquiète comme elle de la tour-nure que prennent les événements.

Tasha la dévisage un moment.

— Écoutez, je sais que je ne suis pas la première journaliste à frapper à votre porte, ce matin, reprend Paula.

— C'est exact.

— Avez-vous parlé à quelqu'un d'autre ?

— Non. Et je ne devrais pas vous parler à vous non plus...

— Mais vous allez le faire ? insiste Paula.

Au même instant, elle entend un enfant pleurer derrière Tasha.

— C'est mon fils, il faut que j'aille voir...

— Entendu, je vous attends.

Paula bloque la porte du pied avant de la refer-mer derrière elle en se faufilant dans la maison. C'est audacieux de sa part, mais elle n'a pas le choix : elle fait son boulot.

Tasha lui lance un coup d'œil atterré. Puis elle enjambe quelques jouets qui jonchent le sol et se précipite vers la cuisine, à l'arrière de la maison. Elle revient quelques secondes plus tard, tenant dans ses bras un bébé qui sanglote.

— Eh bien, mon garçon, que t'est-il arrivé ? s'enquiert Paula en lui caressant gentiment la tête. Il s'est fait mal ? demande-t-elle à la mère.

— Non. Il était simplement contrarié de rester seul. Depuis ce matin, il geint. Je crois qu'il couve quelque chose, il ne veut pas quitter mes bras.

— Mon fils me faisait la même chose. Il doit percer une dent, suggère Paula en adoptant un ton compatissant. En tout cas, avec Mitch, c'était toujours les dents : chaque fois qu'il en venait une, il voulait que je le porte pendant des journées entières.

— C'est probablement ça, admet Tasha, qui semble plus détendue. Mais mes autres enfants ne m'ont jamais fait ça. Hunter, mon fils aîné, a toujours été très indépendant, très facile. Je ne crois pas qu'il ait jamais été capricieux ou crampon. Victoria, en revanche... elle était toujours en train de râler, alors c'était difficile de savoir quand elle n'était pas dans son assiette. D'ailleurs, elle n'a pas changé de comportement – sauf avec mon mari.

— Tant mieux !

— Ce qui serait mieux, c'est qu'il soit là, marmonne Tasha.

— Il s'absente souvent ? interroge Paula, surprise par tant de candeur.

Tasha hausse les épaules.

— C'est une façon de voir les choses. Il travaille à New York, et prend le train tous les jours. Du coup, il rentre tard. En plus, il doit voyager pour son travail...

— Ça n'est pas évident. Et vous, vous restez seule avec les enfants, observe Paula avec compassion.

— Moui. Si ce n'était qu'en semaine, je ne dirais rien, mais cela commence à empiéter sur nos week-ends. Dimanche dernier, il a dû prendre un vol pour Chicago en fin d'après-midi parce qu'il avait une réunion là-bas le lundi matin. Mais... je ne sais pas pourquoi je vous raconte tout ça...

— Parce que vous en avez assez. Écoutez, je sais ce que c'est que d'être seule avec des enfants. (Tu parles! songe-t-elle, désabusée.) Par moments, on a vraiment envie de rendre son tablier, pas vrai ?

Paula lui sourit, se voyant enfin récompensée de ses efforts par le bref sourire que lui rend Tasha. Mais celle-ci se rembrunit vite, penchée sur le bébé qui pleurniche toujours.

Paula devine ce qu'elle pense : elle songe à Rachel Leiberman. Elle a tapé dans le mille. Ces deux-là étaient amies.

— Vous devez être bouleversée, Tasha, reprend-elle. Je suis désolée pour ce qui est arrivé à Rachel.

— Je n'arrive pas à y croire, déclare Tasha en relevant ses yeux pleins de larmes. C'est un vrai cauchemar... Et le pire, c'est que... sa fille joue avec la mienne, en haut. Et son bébé dort dans ma chambre. Ils ne se doutent de rien.

— Personne ne les a prévenus ?

— Non. Et ce n'est pas à moi de le faire. En se réveillant, ils m'ont demandé ce qu'ils faisaient ici. Je leur ai répondu que leurs parents avaient dû s'absenter. Ils sont si petits... Ils ne m'ont même pas posé de questions.

La voix de Tasha se brise.

Paula fouille dans sa poche pour en tirer un mouchoir, qu'elle tend à la jeune femme.

— Merci, renifle Tasha en essuyant ses yeux rougis.

— Écoutez, je comprends que vous vivez des instants très pénibles et je ne voudrais pas vous importuner mais... pourriez-vous répondre à quelques questions sur votre amie ?

— Quel genre de questions ?

— C'est moi qui suis chargée de l'enquête.

Bon, ça n'est pas tout à fait vrai... Tim, son patron, ne serait pas d'accord avec elle. Mais il ne sait pas ce dont Paula est réellement capable. Jamais il ne lui a donné sa chance. Alors comme elle est fatiguée d'attendre, elle a pris les choses en main pour faire ses preuves.

— J'ai bon espoir de tenir une piste qui m'aidera à trouver qui a tué votre amie.

— N'est-ce pas le travail de la police ?

— Si, bien sûr. Mais je ferai tout ce que je peux pour les aider. Si un assassin se promène en liberté dans Townsend Heights, je veux qu'on l'arrête avant qu'il ne frappe à nouveau.

— Moi aussi, dit Tasha d'une toute petite voix. J'ai tellement peur... Un assassin en liberté, que voulez-vous dire par là ?

Paula hausse les épaules.

— On ignore la raison pour laquelle votre amie a été assassinée.

— Vous ne croyez pas qu'il s'agissait d'un maraudeur ? Que cela aurait pu arriver à n'importe qui ?

— C'est ce que vous croyez ?

— Je n'en sais rien, répond lentement Tasha.

Le bébé se remet à pleurer. Distraitement, Tasha se penche pour ramasser une petite voiture en plastique et la lui donner. Puis elle reprend :

— Je ne peux pas m'empêcher de penser à Jane Kendall – je me demande si cela a un rapport avec elle...

— Ah ! Vous connaissiez Jane, aussi ?

— Un peu.

— Jane et Rachel avaient-elles des points communs, d'après vous ?

— À part les réunions du *Gymboree*, je ne vois rien, répond Tasha. Nous nous y rendions toutes une fois par semaine avec nos enfants. À part ça, Rachel et Jane n'avaient pas le même cercle d'amies.

— Et vous ne voyez personne qui aurait eu des raisons de vouloir les tuer ?

Tasha tressaille.

— Non.

C'est fini. Elle n'en dira pas plus.

Le visage de Tasha se ferme. Paula n'aurait pas dû employer le mot « tuer ». Elle s'est laissé emporter et a commis une erreur. Il est peut-être encore temps de...

— Dites... Il faut que je monte m'occuper des enfants, coupe brusquement Tasha.

— Je vous attends ici...

— Non, il vaut mieux que vous partiez, maintenant... S'il vous plaît.

Elle essaie d'être ferme, constate Paula, mais ce n'est pas dans sa nature. Tant mieux : elle pourra peut-être en soutirer encore quelque information. Mais pas aujourd'hui.

— Si nous nous retrouvions une autre fois pour en parler ? propose-t-elle. Autour d'un café, dans un jour ou deux, par exemple, quand le calme sera revenu. Hein ? Tiens, on n'a qu'à se voir quand votre mari sera parti... Vous aurez peut-être envie de prendre un peu l'air, non ?

— J'ai toujours mes enfants avec moi...

— Eh bien, nous bavarderons autour d'une pizza. Je vous appellerai.

Paula se dépêche de fouiller dans son sac pour trouver une carte de visite.

— Tenez, voilà où vous pouvez me joindre : à la maison, au bureau ou sur mon portable. Si vous pensez à quoi que ce soit qui puisse m'intéresser, je vous en prie, appelez-moi.

— D'accord, répond Tasha en regardant la carte, puis son interlocutrice.

— Je suis tellement navrée pour votre amie, insiste Paula en lui pressant gentiment la main. Écoutez, si je peux me rendre utile... Je ne sais pas, vous garder un peu les enfants, ou autre chose... Dites-le-moi, n'hésitez pas.

Tasha a l'air surprise, mais elle la remercie.

Paula lui sourit.

— Je suis une maman, moi aussi, je sais ce que c'est. Ils sont épuisants, à cet âge-là. Ne vous en faites pas trop, d'accord ?

— Je vais essayer. À plus tard, peut-être.

— Ça me ferait très plaisir. À bientôt, Tasha.

Paula sort sur le perron et jette un coup d'œil à la maison d'en face : la foule a grossi. Inutile d'espérer approcher Ben Leiberman, aujourd'hui.

Elle se tourne vers l'autre bout de la rue.

D'ici, elle distingue à peine la maison des Gallagher mais, en revanche, elle voit très bien la Mercedes argentée garée dans l'allée. Elle pense un instant à mettre Fletch au pied du mur.

Et puis non. Il est encore trop tôt.

— Mitchell ?

Il lève le nez de son cahier, sur lequel il s'amusait à dessiner un personnage masqué.

Aïe ! Mlle Bright est en train de le dévisager. Il était censé répondre aux questions consacrées au troisième chapitre de son livre de sciences naturelles.

— Oui ? demande-t-il, méfiant.

— Je viens de recevoir un mot, dit-elle en agitant un bout de papier.

Mitch fronce les sourcils. Il n'a même pas vu que quelqu'un était venu déposer un message. Probablement était-il absorbé par son dessin et par ses réflexions : qui pouvait bien être le tueur de Townsend Heights ?

Il se pourrait bien que Lianne ait raison, après tout. Sa mère l'a réveillé aux aurores pour l'envoyer chez Blake parce qu'un meurtre s'était produit et qu'elle devait couvrir l'affaire. C'était encore une dame de Townsend Heights à qui il était arrivé quelque chose. Mitch avait dissimulé tant bien que mal son effroi pendant qu'il regardait Channel 12 avec la famille de Blake, avant de partir à l'école. Il avait cru voir sa mère dans la foule qui se pressait devant la maison de la dame morte, mais il n'en était pas très sûr.

— Le principal veut vous voir dans son bureau tout de suite, lui annonce Mlle Bright. Prenez vos affaires avec vous.

Il entend un petit ricanement dans son dos.

— Qu'est-ce que tu as encore fait, Bailey ? chuchote Robbie Sussman.

Il fronce les sourcils : il n'a rien fait. Pourquoi le principal veut-il le voir ? À moins que... Il a l'impression de recevoir un coup de poing dans l'estomac. Maman ! Lui est-il arrivé quelque chose ?

Il attrape son livre et son cahier avant de se diriger comme un automate vers la porte.

Debout dans sa cuisine, Karen vide ce qui reste de café dans l'évier. Le breuvage est devenu infect, après avoir mijoté sur le feu pendant plusieurs heures. Elle l'a préparé vers 3 heures, quand elle et Tom ont réalisé qu'ils ne dormiraient plus.

Elle se repasse en mémoire les événements des six dernières heures, s'efforçant de se rappeler les moindres détails. Elle cherche à se persuader que ce qui vient d'arriver à Rachel aurait pu lui arriver à elle. En toute vraisemblance : elle aussi était seule chez elle, vers minuit. Elle aussi a éteint les lumières avant d'aller se coucher sans attendre le retour de son mari.

Tom est rentré peu de temps après et s'est glissé dans le lit à côté d'elle. Elle ne dormait pas. Elle s'est blottie contre sa chaleur rassurante en lui disant que le bébé allait mieux et se reposait. La crise était passée. Tom l'avait mise au courant de ses péripéties avec son client, qui voulait le revoir le lendemain. Ensuite, ils avaient fait l'amour doucement, et Karen s'était endormie dans les bras de son mari.

Les sirènes les avaient tirés de leur sommeil. Ce n'était qu'en entendant les voitures de police se ruer dans leur petite impasse tranquille qu'ils s'étaient levés pour voir ce qui se passait. Tom était sorti dans la rue avant de revenir lui annoncer l'affreuse nouvelle.

Karen n'arrive toujours pas à digérer les faits. Elle ne peut croire que son amie est morte. Pas seulement morte, mais *assassinée*! Sauvagement. Dans son lit.

C'est ce que Tom lui a dit. Mais il ne s'est pas attardé sur les détails, les policiers l'ayant écarté. Il n'a même pas réussi à parler à Ben Leiberman.

Tom est en train de somnoler sur le canapé. Taylor est dans sa petite balancelle. Elle a sifflé tout son biberon, ce matin : tout est rentré dans l'ordre.

Karen a eu Tasha au téléphone, tout à l'heure. Elle n'en savait pas plus que Tom. Les enfants de Rachel étaient chez elle et elle faisait tout son possible pour leur dissimuler le ramdam de l'autre côté de la rue. Karen sait qu'elle devrait lui proposer de venir lui donner un coup de main. Elle peut très bien laisser Taylor avec Tom. Mais quelque chose en elle la retient, l'empêchant d'affronter la réalité. Tant qu'elle reste chez elle, dans son cocon, elle peut retarder l'inévitable confrontation avec l'horrible vérité.

Mais cela ne durera qu'un temps...

Du coin de l'œil, Karen détecte un mouvement bref sous sa fenêtre. Elle regarde plus attentivement : Jeremiah Gallagher, vêtu d'un anorak sur son jean et chaussé de bottes, traverse le jardin d'à côté.

Non, il ne le traverse pas : il se faufile, réalise-t-elle soudain. Oui, il y a indéniablement quelque chose de furtif dans sa démarche. Comme s'il préparait un mauvais coup et avait peur de se faire prendre.

Elle repose la cafetière dans l'évier, s'écartant instinctivement de la fenêtre – au cas où le garçon la surprendrait en train de l'observer. Elle le voit toujours, de là où elle se trouve : il y a un jour entre les rideaux blancs en dentelles. Mais lui ne peut la voir.

Que diable fait-il ? À nouveau, il entre dans l'abri de jardin avant de refermer la porte derrière lui.

Pourquoi ? Qu'y a-t-il dans cette cabane ?

Karen joue avec une mèche de ses cheveux noirs en se demandant ce qu'elle doit faire. Faut-il réveiller Tom pour le prévenir ? Mais à quel titre ? Simplement parce que le petit voisin s'est enfermé dans la resserre du jardin ?

Non, se reprend-elle. Parce que ce garçon est la dernière personne à avoir vu Rachel vivante, et parce qu'il se comporte bizarrement. Comme s'il y avait dans cet abri un objet qu'il cherchait à dissimuler.

Karen plisse les yeux à l'instant même où la porte s'ouvre à nouveau, brusquement. Jeremiah émerge de la resserre, un paquet sous le bras. Puis il s'immobilise dans le jardin.

Elle s'attend à le voir rentrer chez lui avec son paquet, ce qui lui donnerait l'occasion de mieux le voir, mais il s'enfonce dans les bois qui bordent le fond de la propriété en jetant un coup d'œil en arrière, comme pour s'assurer que personne ne l'a vu.

Karen le suit du regard jusqu'à ce qu'il ait disparu entre les arbres. Puis elle se détourne de la fenêtre en se demandant ce qu'elle doit faire.

9

— Tu es sûr que maman va bien ? demande Mitch à Frank Ferrante, qui change de file pour suivre la direction de Whitestone Bridge.

C'est la route qu'ils prennent tous les vendredis pour se rendre à Long Island mais, d'habitude, c'est le soir, et cela prend beaucoup plus de temps à cause des embouteillages. Le vendredi matin, il n'y a pas trop de circulation. Il y a une demi-heure, ils sont passés chez Mitch pour qu'il prenne ses affaires pour le week-end.

— Bien sûr que ta mère va bien !

— Elle était d'accord pour que je quitte l'école plus tôt pour partir avec toi ? interroge Mitch, incrédule.

— C'est bon, Mitch, je suis ton père : ça n'est pas comme si je te kidnappais ! Je peux aller te chercher et t'emmener à la maison plus tôt si cela s'avère nécessaire. Je t'ai déjà dit que j'étais venu ce matin en ville pour mes affaires. Je n'allais pas tourner en rond jusqu'à la fin de tes cours !

Mitch hoche la tête, cela semble logique. Mais il a du mal à croire que sa mère a accepté que Frank passe des heures supplémentaires avec lui. Elle n'est jamais d'accord avec son père, surtout quand il s'agit de lui.

— Papa ?

— Oui ?

— Qu'est-ce qu'on va faire à Long Island?

— On va s'arrêter pour manger un morceau, lui répond son père. Il y a un nouveau restaurant formidable, à côté de la maison. Tu aimes les spaghettis, je crois?

— C'est mon plat préféré.

— C'est parce que tu es italien, observe son père, ravi.

— Maman n'est pas italienne.

— Mais moi, oui. Et tu es mon fils, donc tu es à moitié italien.

— Tiens, c'est vrai, je n'y avais jamais pensé.

— Forcément, ta mère a tenu à changer ton nom, gronde son père. Tu t'appelais comme moi, avant, Ferrante. Mais elle t'a fait appeler Bailey.

— Ah!

Mal à l'aise, Mitch se tourne vers la fenêtre pour regarder les panneaux vert et rose qui indiquent les voies express au péage du pont. Ils devraient arriver au restaurant d'ici à une demi-heure, peut-être moins.

— Et après le déjeuner, papa, on fera quoi?

— Je te déposerai à la maison, Shawna sera là. J'ai du travail qui m'attend, cet après-midi.

— Ah! souffle Mitch, un peu déçu.

Il espérait passer la journée avec son père, tout seul avec lui… Il va devoir rester avec Shawna jusqu'à ce que son père rentre.

Bah! C'est déjà mieux que l'école. Peut-être réussira-t-il à s'en débarrasser pour jouer avec la play-station Sony que son père lui a offerte.

Cette perspective le fait sourire tandis qu'il regarde se détacher à l'horizon la barre des gratte-ciel de Manhattan pendant qu'ils franchissent le pont. Le ciel est d'un bleu intense et le soleil d'octobre fait scintiller un avion qui s'apprête à atterrir sur l'aéroport de La Guardia, plus à l'ouest.

— Sûr que c'est beau, commente-t-il.

— Quoi donc ?

— La vue.

— Tu parles ! approuve son père en regardant dans la même direction.

Pendant quelques secondes, Mitch a l'impression que son cœur va exploser de bonheur.

Puis il se souvient de sa mère : elle est toute seule à la maison. Et si le tueur s'en prenait à elle ? Il n'y aura personne pour la défendre. Mitch n'aurait peut-être pas dû partir. Ce week-end, il aurait mieux fait de ne pas aller à Long Island…

— Papa ? demande-t-il, le cœur battant.

— Moui ?

Il se tait et regarde son père.

— Non… rien.

— Tasha ?

— Ben ! (Elle serre de toutes ses forces le combiné contre son oreille.) Comment vas-tu ? Oh ! Ben…

Elle étouffe un sanglot, pressant de sa main ses lèvres tremblantes. C'est la première fois qu'elle lui parle, depuis le drame.

— Comment vont les enfants ? demande-t-il d'une voix rauque.

— Ils ne savent rien…

Elle se laisse tomber sur une chaise de la cuisine.

— Il faut que je leur parle. J'ai besoin de les voir.

— Tu veux que je te les amène ?

— Je ne suis pas à la maison, Tasha.

— Où es-tu ?

— Au commissariat.

Elle se sent prise au dépourvu. Toute la matinée, elle l'a imaginé reclus de l'autre côté de la rue. Mais s'il est au commissariat…

— Ben, ils ne s'imaginent tout de même pas…

— J'ignore ce qu'ils s'imaginent ! Ils m'ont interrogé toute la nuit, toute la matinée. J'ai passé mon temps à leur dire que je ne savais rien. Tout ce que je sais, c'est que je suis rentré tard – j'avais un monceau de paperasses à trier, au cabinet. Et quand je suis arrivé, je l'ai trouvée… Je ne l'ai même pas reconnue, sa tête était si… Sans ses vêtements, son truc noir en dentelles, jamais je n'aurais…

— Ben…

Tasha refoule un sanglot.

Ô mon Dieu !

— Écoute, déclare-t-il, se ressaisissant. Ma sœur va venir chercher les enfants d'ici une petite heure, d'accord ? Préviens-les seulement que tante Carol va arriver et que je les retrouverai chez elle. S'ils te demandent où est Rachel…

— Ils me l'ont déjà demandé, l'interrompt Tasha, l'estomac noué.

— Dis-leur que… Non. Ne leur dis rien, je leur parlerai.

— D'accord, Ben, entendu. Si tu as besoin de quoi que ce soit…

— Merci, Tasha.

Elle bredouille une réponse idiote avant de raccrocher et d'éclater à nouveau en sanglots.

— Oh ! Rachel ! murmure-t-elle tout bas en se mouchant. Que s'est-il passé ? Qui t'a fait ça ?

Prostrée dans la cuisine silencieuse, elle écoute les voix assourdies des enfants qui jouent au-dessus de sa tête. Noah et Max font la sieste, mais Hunter joue à la ronde avec les filles. Ils pouffent tous les trois.

Comme ils sont innocents, songe Tasha. Leur petit univers vient de s'écrouler et ils ne s'en doutent même pas…

Si seulement elle pouvait appeler Joël pour lui confier sa peine et entendre ses paroles de réconfort... Mais elle sait que c'est impossible. Il n'est pas à son bureau, il est à ce fameux tournage. Elle a déjà essayé de le joindre deux fois sur son portable, sans succès.

Il aurait tout de même pu appeler pour s'assurer que tout allait bien. Il n'a pas eu le temps, sans doute. Et s'il était sur le chemin du retour ? Il a promis de rentrer le plus vite possible.

La sonnette retentit.

Tasha soupire. Ça n'a pas arrêté de la matinée. Toujours ces journalistes... Pour la énième fois, elle l'ignore.

Elle repense à cette fille du journal local : elle ne ressemblait pas aux autres journalistes qui sont venus frapper à sa porte, elle était moins envahissante, plus douce. Elle n'était pas escortée d'un cameraman, n'avait même pas de calepin à la main. Elle avait vraiment l'air consternée en parlant de Rachel et de Jane, comme si elle les connaissait. Est-ce que Paula, comme elle, se demandait avec appréhension qui allait être la prochaine victime ?

La sonnette retentit à nouveau.

Se souvenant que la sœur de Ben doit passer prendre les enfants, Tasha se dirige à contrecœur vers la porte. Ben lui a dit que Carol serait là dans une heure, mais peut-être s'est-il trompé...

— Qui est là ? demande-t-elle à travers la porte.

Si seulement elle avait un judas pour identifier les visiteurs... Mais la porte d'entrée est en bois plein, et les deux fenêtres étroites qui l'encadrent sont placées de telle sorte qu'elle ne voit pas qui sonne de l'intérieur de la maison.

Pour la première fois, elle se dit que c'est dangereux. À New York, ils avaient un œil-de-bœuf. Et quatre ou cinq verrous.

Ici, elle n'en a qu'un. Jamais il ne lui était venu à l'idée que ce pouvait être insuffisant. Jusqu'à ces derniers temps, elle s'était toujours sentie en sécurité, à Townsend Heights.

— Madame Banks, je m'appelle Georges DeFand, déclare une voix masculine. Je travaille au *New York Post*. Je me demandais si...

— Fichez-moi la paix ! se fâche-t-elle, prenant soudain conscience de la fatigue accumulée qui joue sur ses nerfs. Allez-vous-en ! Je n'ai rien à vous dire.

Il insiste jusqu'à ce qu'elle le menace d'appeler la police.

Tout ce cirque devant chez les Leiberman lui fait penser à celui qui régnait chez les Kendall, il y a quelques jours à peine. Combien de fois a-t-elle allumé la télévision pour tomber sur leur belle demeure en brique cernée par les policiers et les journalistes ?

Toute la presse nationale est là, visiblement. Sa mère vient d'appeler de Centerbook, très inquiète : elle avait entendu le nom de Rachel et reconnu les images d'Orchard Lane. Tasha l'a rassurée : ils n'ont rien, elle la rappellera... Oui, ils viendront lui rendre visite, à Noël. Ils ne se sont pas encore occupés des billets, mais ils vont le faire. Dès que cela se calmera...

Tasha se demande une fois de plus si la mort de Rachel est liée à la disparition de Jane Kendall. Elle rumine cette question que lui a posée Paula Bailey, ce matin. Une fois sur deux, elle conclut que les deux affaires sont forcément liées. Le reste du temps, elle essaie de n'y voir qu'une coïncidence.

Après tout, Rachel est morte. Pas Jane... Mais une petite voix intérieure lui souffle le contraire.

— Jeremiah ?

Fletch frappe à nouveau à la porte, et élève la voix :

— Jeremiah ?

Pas de réponse.

Il attend un petit moment avant de tourner la poignée. Si Derek ou Randi s'étaient barricadés dans leur chambre en refusant de répondre, il aurait pris moins de gants, mais il est leur père. Jeremiah, lui, est le fils de son frère.

Fletch a cherché à respecter l'intimité de son neveu depuis qu'il l'a recueilli chez lui, lui donnant toute la liberté dont il avait besoin. Le pauvre gosse avait déjà beaucoup souffert, et il a visiblement besoin d'espace vital. Comme Randi et Derek au même âge.

Mais avec Jeremiah, c'est différent. C'est un gamin lunatique, un drôle d'oiseau. Pourtant, Dieu sait qu'il a essayé de l'aider... mais que faire avec un enfant pareil ? Cela ne suffit pas de lui acheter des vêtements neufs et de lui montrer comment manier une batte de base-ball. Ni même de l'emmener avec lui dans la cabane des Catskills pour lui apprendre à pêcher et à chasser.

Fletch ouvre la porte en grand, imaginant le spectacle qui l'attend : Jeremiah doit bouder sur son lit, peut-être en fumant une cigarette ou un joint. Mais il ne s'attend pas à trouver une chambre vide.

— Jeremiah ?

Perplexe, Fletcher regarde autour de lui. Il n'est pas revenu dans cette chambre d'amis depuis que son neveu s'y est installé. Elle est... disons, « habi-

244

tée » ! Il y a des livres et des vêtements partout : sur le lit défait, sur la commode, sur la chaise. L'ordinateur est allumé et un dragon crache du feu sur l'écran de veille. Des cannettes vides et des emballages de nourriture jonchent la moquette et le bureau. Sharon va piquer une crise en voyant l'état de la pièce. La femme de ménage ne vient que lundi. Quel cochon ! Derek est battu à plates coutures !

Il n'y a personne, dans la chambre.

Où diable est-il parti ?

Fletch ressort dans le couloir.

La porte de leur chambre est ouverte. Sharon pointe le bout de son nez, les cheveux enturbannés dans une serviette de bain, drapée dans un peignoir en éponge.

— Que se passe-t-il ? Encore des journalistes ?

Il scooue la tête.

Le défilé a commencé ce matin. Fletch a passé son temps à ouvrir la porte pour déclarer sèchement à chacun d'entre eux :

— Nous n'avons rien à dire, merci.

Dieu merci, leur numéro de téléphone est sur liste rouge. Pour l'instant, aucun des journalistes n'a réussi à l'obtenir, mais ce n'est qu'une question d'heures…

— Sais-tu où est Jeremiah ?

— Il était dans sa chambre, quand je suis montée prendre ma douche, il y a cinq minutes. Pourquoi ?

— Il n'y est plus.

Ils échangent un long regard.

— Il ne se serait pas enfui, Sharon ?

— Bien sûr que si, réplique-t-elle. Ce sale type l'a terrorisé !

— Mais… il va revenir.

— J'en suis moins sûre que toi, Fletch.

— Arrête, Sharon ! Où veux-tu qu'il aille ?

— Aussi loin de Townsend Heights que possible...
s'il est coupable. Et s'il ne l'est pas...

Fletch attend qu'elle termine sa phrase.

Mais elle hausse les épaules et lui tourne le dos
pour aller s'enfermer dans leur chambre.

— Et s'il avait quelque chose à voir avec le meurtre
de Rachel ? déclare Karen à son mari.

Elle fait le tour de la petite balancelle de Taylor
qui, bercée par le doux mouvement, s'est endormie
la tête sur le côté dans une position plutôt inconfor-
table. Karen n'essaie pas de la redresser, de peur de
la réveiller.

— Si tu en es persuadée, vas-y, dis-le aux flics, lui
répond Tom en soupirant. Mais je ne trouve pas
que ce soit une bonne idée d'aller t'en mêler, surtout pour un détail qui me paraît somme toute parfaitement anodin : le petit voisin s'est enfermé dans
la resserre du jardin... Et après ?

— Il est parti dans la forêt avec un paquet, Tom,
lui rappelle Karen en revenant s'asseoir à côté
de lui sur le canapé.

Elle n'aurait pas dû le réveiller pour lui faire part
de ses doutes, elle aurait dû se douter que son mari,
qui a les pieds sur terre, lui reprocherait d'exagérer.

En outre, Tom est obsédé par le souci de les préserver du monde extérieur – sans doute un relent
de son éducation : en Nouvelle-Angleterre, la bonne
société prône le principe du « Chacun chez soi et
les vaches seront bien gardées ». Il serait très humi-
lié de devoir admettre que sa femme espionne les
voisins, même si Karen sait que ça n'est pas le cas.

*Pourtant, c'est bien ce que tu faisais ! Tu t'es même
éloignée de la fenêtre pour ne pas être vue...*

Peut-être, mais ce n'est pas son genre d'aller fourrer son nez dans les affaires des autres. Après tout, elle a grandi à New York, où chacun s'obstine à préserver son intimité, obéissant à la bonne vieille règle du chacun pour soi.

Pourquoi se sentirait-elle soudain obligée de suivre à la trace les allées et venues du neveu des voisins... pour en faire le compte rendu aux autorités ? Deviendrait-elle paranoïaque ?

Peut-être...

Peut-être aussi ferait-elle mieux d'obéir à son instinct et d'aller voir les flics sans demander son avis à Tom.

Il déteste toute forme de publicité. Toute la journée, il a été sur la brèche avec cette sonnette qui n'arrête pas et ces journalistes assoiffés de commentaires. Il les a tous repoussés, allant même jusqu'à baisser tous les stores pour se soustraire au vacarme qui règne à l'autre bout de la rue... sans doute aussi pour éviter les regards indiscrets des « charognards », comme il les appelle. Tom continue à insister.

— Ce n'est qu'un gamin, Karen, les gosses adorent jouer dans les bois. Tu m'aurais dit qu'il transportait un cadavre ou une arme couverte de sang...

— Oh ! ça suffit, Tom !

— Oui ou non ?

— Bien sûr que non. Mais je ne sais pas ce que c'était, et il avait l'air anxieux.

— En es-tu bien sûre ? Ton imagination te joue peut-être des tours. Tu es bouleversée par ce qui vient d'arriver à Rachel, c'était ton amie. C'est normal de réagir comme ça.

— Je n'en sais rien, dit-elle lentement. Tu as sans doute raison, j'ai dû me faire des idées. Après tout, il ne faisait peut-être rien de mal...

— Ou alors tu avais raison et il méditait vraiment quelque chose, Karen. Je ne sais pas, moi, il partait fumer en cachette ou lire *Lui*. C'était peut-être ça, le paquet qu'il transportait. Ce n'est qu'un gosse, répète-t-il à son grand agacement.

Seigneur !

Elle aurait mieux fait de se taire.

— Ce sont des trucs d'adolescents, poursuit Tom. Ils vont fouiner partout et ne font guère preuve de jugement. Mais c'est tout de même assez rare qu'ils aillent assassiner une femme innocente dans son lit.

— C'est bel et bien ce qui s'est passé, Tom : quelqu'un est entré dans la chambre de Rachel et l'a...

Sa voix se brise, étouffée par l'émotion.

— Je sais. (Il la prend dans ses bras et la serre contre lui.) Calme-toi, Karen. Laisse la police faire son boulot. Tu as vu ce détective qui est allé chez les Gallagher, ce matin. Il est resté longtemps. Il a dû cuisiner ce gamin et lui poser un tas de questions, il gère la situation. S'il le soupçonnait, il l'aurait déjà arrêté, tu ne crois pas ?

— Si.

— Écoute, si tu es inquiète, va voir Fletch et Sharon et parle-leur. Ensuite, laisse-les faire. S'ils pensent qu'il faut prévenir la police, ils le feront.

Elle commence à envisager cette option quand le bébé s'agite dans sa balancelle.

— Alors, que vas-tu faire ? demande Tom.

— Pour l'instant, je vais donner à manger à Taylor, répond-elle en serrant sa fille contre elle. Je réfléchirai plus tard.

Joël revient alors que Tasha vient de coucher Max pour la sieste. En entendant la porte d'entrée s'ouvrir et se refermer, Tasha a un moment de panique, craignant soudain d'avoir oublié de fermer à clé et qu'un des journalistes n'en ait profité pour s'introduire dans la maison. Mais lorsqu'elle se précipite en haut de l'escalier, elle aperçoit son mari dans le hall en train de verrouiller la porte d'entrée.

— Qu'est-ce que tu fais là ? s'étonne-t-elle en descendant à sa rencontre.

— Je t'avais promis de revenir le plus tôt possible.

Il enlève son manteau et le range dans le placard. Écartant les cintres, il marmonne :

— Il n'y a jamais de place pour...

— Ça manque de cintres, acquiesce Tasha en s'arrêtant au milieu de l'escalier. Tu n'as qu'à l'accrocher dans la cuisine...

— Tant pis. (Il met son manteau sur une veste de Hunter et referme le placard.) Les enfants de Rachel sont encore là ?

Les enfants de Rachel.

Cette simple phrase suffit à nouer la gorge de Tasha. Mara et Noah ne sont plus les enfants de Rachel, seulement ceux de Ben. Rachel n'est plus là et ne reviendra jamais.

Ça fait bizarre de penser que, la veille, elle imaginait son amie abandonner sa famille pour partir en quête d'aventures. Une fois de plus, sa légendaire imagination l'avait emportée...

À moins que ce ne soit prémonitoire : comme si, dans son subconscient, elle avait pressenti que Rachel les quitterait quelques heures plus tard... Mais lui était-il venu à l'esprit que Rachel pouvait mourir ?

Non. C'était seulement une coïncidence.

En y repensant, elle comprend soudain que, au cours de ces journées tendues qui avaient suivi la disparition de Jane Kendall, c'était pour sa propre vie qu'elle avait peur. Aujourd'hui, c'est difficile de s'en souvenir. Elle a l'impression de nager en plein brouillard – sûrement à cause du manque de sommeil. Elle est aussi en état de choc.

— La sœur de Ben est passée les chercher il y a un petit moment, répond-elle à Joël.

— Ils savent ?

Tasha secoue la tête.

— Je ne leur ai rien dit. Ben leur parlera.

— Il est encore chez lui ? J'ai aperçu sa voiture dans l'allée.

— Non, il est au commissariat. Ils l'interrogent.

Joël n'a pas l'air étonné.

— Est-ce que la police est venue te voir ?

Tasha fait non de la tête.

— Ça ne devrait pas tarder.

Cette froide logique la rend folle. Mais il a raison. Bien entendu, la police va vouloir l'interroger. Hier après-midi, elle était chez les Leiberman, et elle était l'une des amies de Rachel.

À nouveau une grosse boule se forme dans sa gorge. Comment se peut-il que Rachel soit morte ? Hier encore, elle était là, ravissante, vive et espiègle. À présent, son corps repose à la morgue, glacé, sans vie. Méconnaissable, d'après Ben.

Elle ne veut même pas penser à ce qu'il a vu lorsqu'il est entré dans leur chambre. Elle ne veut pas non plus évoquer ni voir Rachel morte.

Tasha sait que le corps a été transporté hors de la maison. Elle a jeté un bref coup d'œil au dernier journal télévisé pendant qu'elle essayait d'endormir Max en le berçant. Elle s'est mise à sangloter en voyant les images qu'elle n'avait, Dieu merci, pas vues lorsqu'elles s'étaient déroulées en direct devant chez elle : on voyait sortir de la maison des Leiberman une civière dissimulant un corps sans vie. Prise au dépourvu par cette vision macabre, elle avait essayé d'étouffer ses sanglots en montant le son pour ne pas alarmer Hunter et Victoria.

Elle ne leur avait encore rien dit. Ô mon Dieu, comment faire ? Ils seront bouleversés. Inquiets. Épouvantés.

Elle laissera peut-être Joël leur parler.

— Je suis tellement contente que tu sois là, lui dit-elle en jetant un coup d'œil par la fenêtre pour la centième fois : la rue est encore pleine de journalistes. Tu n'as pas été trop agressé par la presse ?

Il hoche la tête.

— J'ai dit que je n'avais pas de commentaires à faire et leur ai demandé de sortir de chez moi. C'est une véritable émeute, dehors. Ont-ils essayé de te parler ?

— Toute la journée. Toutes les cinq minutes, il y en a un qui sonne.

— Tu n'as rien dit à personne, j'espère ?

Elle pense à Paula Bailey. Doit-elle avouer à Joël qu'elle lui a parlé ? Non, ça va le contrarier : il lui avait demandé de ne pas parler à la presse. Il ne comprendra pas qu'elle ait fait une exception pour cette femme. Tasha avait eu envie de l'aider parce qu'elle était d'ici, que c'était une maman comme elle et qu'elle savait ce que c'était d'avoir un bébé qui braille en permanence dans vos bras.

— Non, je n'ai parlé à personne.

— Ben tient le choc ?

Elle hausse les épaules.

— Il passe un sale moment. Mets-toi à sa place.

— Sa sœur t'a dit quelque chose, quand elle est passée ?

— Seulement qu'elle téléphonerait pour nous dire quand aurait lieu l'enterrement.

— Sûrement demain, c'est la coutume, explique Joël, qui est juif, comme les Leiberman.

Quand le grand-père de Joël est mort d'un infarctus, l'année de leur mariage, Tasha s'était émerveillée de la simplicité des rites funéraires israélites. Le lendemain de la mort de Grand'Pa Jake, ils s'étaient retrouvés au cimetière pour jeter une poignée de terre sur son cercueil.

Le contraste était frappant avec les funérailles catholiques de son propre père, qui avaient eu lieu trois jours après sa mort. Heureusement, dans un sens, car il leur avait fallu toute une journée pour se rendre en Ohio avec les enfants. Joël avait trouvé affreusement frustrant de devoir attendre deux jours avant d'enterrer son beau-père. Alors que Tasha, de son côté, y puisait un certain réconfort.

— Joël, on ne peut pas enterrer Rachel demain, la police n'a pas encore ramené son… (Elle hésite avant de prononcer : son corps.) Il y a une enquête criminelle, je ne sais pas combien de temps cela prendra.

Il hoche la tête.

— Je n'y avais pas pensé. J'espère que je pourrai y assister.

— Qu'est-ce que tu veux dire ?

— Je dois partir en voyage, cette semaine, tu te souviens ? J'ai réservé un vol pour Chicago dimanche soir. Je ne rentrerai que lundi soir.

Elle avait complètement oublié ce voyage.

Ils restent silencieux un moment.

— Comment ça s'est passé, aujourd'hui ? demande-t-elle alors que flotte entre eux le spectre de son travail.

— Hum ?

— Ton tournage, rappelle Tasha. À New York. Avec le supermannequin.

— Ah oui ! Très bien, répond-il en se dirigeant vers l'escalier. Je monte me changer.

— Si tu as la chance de trouver quelque chose à te mettre, murmure-t-elle dans son dos.

Il s'immobilise.

— Pourquoi tu dis ça ?

— Je n'ai toujours pas fait de lessive. Je te rappelle que la machine à laver est en panne.

Il renverse la tête en arrière comme s'il était exaspéré.

— Elle n'est toujours pas réparée ?

— Hélas non !

— C'est bon, soupire-t-il. Je vais tâcher d'y jeter un coup d'œil. Où est le livret ?

— Dans le tiroir de la cuisine.

Elle n'a même pas eu le temps d'essayer de voir d'où venait la panne. Il lui semble que des années se sont écoulées depuis le moment où elle s'est aperçue que la machine ne fonctionnait pas... Dire qu'en réalité cela remonte à deux ou trois jours à peine.

Au moment où elle se faisait déjà du souci à cause de la disparition de Jane Kendall. Et maintenant, il y a Rachel...

Le flash d'informations que Tasha a réussi à voir aujourd'hui semble faire un lien entre les deux affaires, même si la police n'a rien confirmé.

Tasha ne sait plus quoi penser.

Bon, Joël est là, maintenant. Tu devrais te sentir en sécurité, pour le moment, du moins. Alors pourquoi es-tu si inquiète ?

En ouvrant la porte de son appartement, Paula s'attend à entendre un quelconque générique télévisuel. Mais un grand silence règne, seulement troublé par le ronronnement du réfrigérateur.

— Mitch ? appelle-t-elle, étonnée.

Pas de réponse.

Aucune trace de son fils. Inutile de le chercher : la première chose que fait Mitch lorsqu'il rentre de l'école est de s'affaler devant le poste – si la télévision est éteinte, c'est qu'il n'est pas là, tout simplement.

Elle fronce les sourcils en regardant sa montre : il est à peine 15 heures. Elle est rarement là quand Frank vient chercher son fils, mais elle sait que Mitch ne part jamais avant 16 heures – ce qui est d'ailleurs un objet de discorde entre Paula et son ex-mari, Mitch devant rester seul pendant plus d'une heure après l'école, le vendredi. Même si cela arrive plusieurs fois par semaine, Paula ne comprend pas pourquoi Frank ne se débrouille pas pour arriver une heure plus tôt, surtout après tout le foin qu'il a fait pour obtenir un droit de garde pendant le week-end... Il a vaguement prétexté qu'il ne pouvait pas se libérer plus tôt, mais Paula n'est pas née de la dernière pluie : Frank est son propre patron, non ? S'il le voulait, il pourrait parfaitement s'arranger pour récupérer Mitch à la sortie de l'école comme elle l'exigeait.

Si Mitch n'est pas là alors qu'il est trop tôt pour que Frank soit allé le chercher, où peut-il bien être ? Mlle Bright a dû le punir, songe Paula en se dirigeant à grandes enjambées vers le téléphone. Dans sa hâte, elle ne prend même pas la peine de chercher dans l'annuaire, demandant directement le numéro aux renseignements sans se soucier des frais que cela implique.

Vite... Vite...

Elle est seulement passée chez elle pour se changer avant de repartir à Orchard Lane. En effet, elle s'est aperçue que son ami Brian Mulvaney était de garde devant la maison des Leiberman et souhaiterait lui demander un petit service : pourrait-il la laisser entrer dans la maison, histoire de jeter un œil sur les lieux du crime ? Elle sait que l'endroit est interdit aux journalistes mais elle est du coin, elle, et Brian est son pote.

D'ailleurs, il lui est redevable : elle n'a pas cité son nom, l'an dernier, quand il a failli être arrêté au cours d'une bagarre de comptoir dans le comté voisin.

En attendant qu'on lui réponde, elle envoie promener ses chaussures pour se masser les pieds – celles-ci lui font mal, il faut absolument qu'elle s'en achète une autre paire...

— École primaire de Townsend Heights, j'écoute.

— Paula Bailey à l'appareil. Mon fils Mitch est scolarisé chez vous. Pourrais-je parler à Mlle Bright, sa maîtresse ?

— Une minute, je vais voir si elle est encore là, Madame...

— Mademoiselle ! aboie Paula, excédée.

Elle allume une cigarette et se rend dans sa chambre pour se changer, le combiné coincé contre l'épaule. Il lui faut s'habiller un peu plus chaudement que ce matin. Elle n'a aucune idée de l'heure à laquelle elle va rentrer ce soir et la météo a prévu une chute de la température.

Elle entend un déclic à l'appareil.

— Je vous passe Mlle Bright.

— Mitch est-il avec vous ? attaque Paula sans préambule.

Après quelques minutes de silence, la voix empruntée de l'institutrice résonne à son oreille.

— Non, il...

— Vous l'avez encore puni ?

— Non, mademoiselle Bailey, répond sèchement la maîtresse en insistant bien sur le *mademoiselle*.

Son père est venu le chercher ce matin, il a dit qu'il s'agissait d'une urgence familiale.

— Et vous l'avez laissé emmener Mitch ? glapit Paula, hors d'elle.

— C'est son père, mademoiselle Bailey. Il a le droit de venir chercher son fils à l'école, vous avez vous-même signé l'autorisation.

— Parce que je pensais qu'il n'outrepasserait pas ses droits. Il ne m'était pas venu à l'esprit qu'il pourrait débaucher mon fils simplement parce qu'il a envie de le voir !

— Eh bien je crois qu'il vous faudra résoudre ce problème avec votre ex-mari.

— Comptez sur moi !

Écumant de rage, Paula raccroche sans même dire au revoir puis aspire une longue bouffée de tabac, maudissant Frank. Pour qui se prend-il ?

Un sentiment d'inquiétude l'envahit fugacement. Évidemment, cette urgence familiale n'était qu'un prétexte. Et quand bien même ce serait vrai, elle se moque éperdument de ce qui pourrait arriver à Frank et à de son idiote de femme. Seul Mitch compte pour elle, Mitch et le souci qu'elle a de le soustraire à l'influence néfaste de son ex-mari. Frank va faire tout son possible pour le monter contre sa mère et le convaincre de venir vivre avec lui à Long Island.

C'est injuste, ils ne se battent pas avec les mêmes armes, et ce maudit Frank le sait bien. Il sait qu'elle n'a pas les moyens d'offrir à son fils ce qu'il lui propose : ici, il n'y a pas de beau-père, pas de piscine, pas de chambre avec salle de bains, pas de loisir dernier cri...

Mais il y a une mère bien décidée à se battre pour garder son enfant, se reprend-elle en composant à nouveau le numéro des renseignements pour joindre Frank.

— Il est sur liste rouge, madame, lui répond l'opératrice.

— Et merde !

Elle raccroche brutalement avant de fourrager dans un tiroir à la recherche de son carnet d'adresses. Le numéro est vite trouvé.

Un déclic.

— Vous êtes bien chez les Ferrante, grésille la voix suffisante de son ex-mari. Désolé de ne pouvoir vous répondre pour le moment. Si vous voulez bien nous laisser vos coordonnées, nous vous rappellerons dès que possible.

— Espèce de salaud ! grince Paula à l'appareil. Comment as-tu osé sortir mon fils de l'école sans mon autorisation ? Je veux que Mitch me rappelle sur mon portable à l'instant même où tu écouteras ce message, compris ?

Après avoir raccroché, tremblante de rage, elle aspire une autre bouffée de cigarette en essayant de reprendre son sang-froid.

Elle connaît l'adresse de Frank... Et si elle allait récupérer Mitch ?

Mais son travail, nom d'un chien ? C'est le plus gros coup de toute sa carrière : son avenir se joue maintenant... et avec lui la garde de son fils. Va-t-elle tout laisser tomber simplement parce que son ex a poussé le bouchon un peu trop loin ?

Elle n'a pas le choix.

— Un jour, tu me le paieras, Frank Ferrante, jure-t-elle à voix haute en écrasant sa cigarette dans un cendrier près de son lit.

Elle va jusqu'à son placard et ouvre la porte en grand.

— Je te garantis que je n'ai pas dit mon dernier mot.

— Margaret?

La jeune femme lève les yeux, frémissant de bonheur en entendant Owen prononcer son nom – c'est tellement rare. Depuis qu'ils se connaissent, il ne s'est quasiment jamais adressé directement à elle, et ils ont rarement eu l'occasion de se trouver seuls tous les deux.

Cela ne s'est produit qu'une fois avant la disparition de Jane : le matin de la naissance de Schuyler. Margaret était venue à la maternité rendre visite à sa sœur et à sa nièce, un gros bouquet de fleurs et une jolie poupée en porcelaine sous le bras. En entrant dans la chambre, elle était tombée sur Owen, rayonnant de fierté sur la chaise où il avait passé la nuit.

Jane était couchée, enveloppée dans un peignoir blanc, le visage pâle et tiré. Leur mère s'affairait à ses côtés en faisant signe à Margaret de ne pas déranger sa sœur épuisée par l'accouchement.

Margaret, qui – contrairement à sa mère – avait l'impression de déranger le jeune couple, avait maladroitement demandé si elle pouvait voir le bébé à la nursery avant de repartir. Owen avait alors bondi sur ses pieds et offert de l'accompagner.

Margaret est bien consciente aujourd'hui, comme elle l'était alors, que son empressement reflétait seulement sa fierté. Pourtant elle est émue en pensant à leur courte marche à travers les couloirs silencieux de la maternité. Ils avaient bavardé comme de vieux amis, Owen lui narrant en détail le miracle de la nuit précédente. Il avait été bouleversé par cette naissance, et plus encore par le rôle qu'y avait joué Jane – il voyait un exploit héroïque dans ce que des milliards de femmes avaient fait depuis la nuit des temps…

À présent Margaret contemple son beau-frère, debout dans l'embrasure de la porte de la cuisine : il a vieilli de dix ans. Ses yeux sont cernés, son teint cireux, et sur ses tempes ont poussé en une seule nuit des cheveux gris…

Une bouffée de désir la traverse.

Je l'ai aimé dès l'instant où je l'ai vu.

Non, c'est faux. Elle n'a d'abord été qu'attirée par lui – l'amour est venu après, lorsqu'elle l'a mieux connu et a partagé sa vie. Car oui, elle la partageait, d'une certaine manière, par l'intermédiaire de Jane ; c'est étrange, mais c'est comme ça. Elle l'a vu tomber amoureux, elle a été témoin de sa fervente dévotion et de sa tendresse espiègle. Et il est devenu pour elle l'homme idéal, celui pour lequel une femme serait prête à *tout*. Vraiment tout.

Aujourd'hui Owen a besoin d'aide. Il a besoin d'être soutenu et consolé.

Margaret brûle tellement de jouer ce rôle auprès de lui qu'elle doit faire un effort surhumain pour ne pas le prendre dans ses bras – elle se contente de serrer de toutes ses forces sa tasse de café.

— Savais-tu que Jane écrivait un journal ? l'interpelle Owen.

— Oui, elle en tenait un autrefois. Ça ne me surprend pas qu'elle ait continué, déclare Margaret, qui sent ses jambes flageoler : elle est seule avec lui et il lui parle.

Pour une fois il n'y a ni Jane, ni sa mère, ni même Schuyler.

— Je ne suis pas tout à fait sûr qu'elle ait continué, poursuit Owen, je sais simplement qu'elle tenait un journal quand nous nous sommes mariés. Elle écrivait chaque matin, en se levant. Mais ça m'étonnerait qu'elle ait brisé cette habitude qui lui tenait tellement à cœur, qu'en penses-tu ?

— Tu as raison. Jane aimait observer des rituels, se souvient Margaret.

Elle aimait se tenir à une certaine routine, même quand elle était petite.

On dirait qu'un détail tracasse Owen. Margaret le devine à son regard absent, elle le lit dans la façon dont il ouvre et referme la main, dans toute son attitude. Mais elle ne lui pose aucune question : elle ne veut pas l'importuner, espérant que, à force de patience, il lui révélera de lui-même ce qui l'obsède.

Elle n'a pas à attendre longtemps.

Il tire une chaise pour s'asseoir à côté d'elle, joignant les mains sur la table.

— Tous ses cahiers sont dans la bibliothèque de notre chambre, rangés par ordre chronologique. Dès qu'elle en termine un, elle l'apporte chez le graveur pour faire imprimer les dates au dos du volume. Celui qu'elle était en train d'écrire est là, je l'ai parcouru : elle y rapporte surtout des anecdotes à propos de Schuyler, sur ce qu'elles ont fait ou vu ensemble. Parfois, ce ne sont que de brèves annotations.

— Elle écrivait des pages entières, autrefois, observa Margaret, elle me les montrait, parfois.

Elle avait bien souvent rongé son frein en lisant page après page la prose enfantine que Jane consacrait à Owen, se demandant comment réagirait sa sœur si elle savait que ses propos reflétaient mot pour mot les attentes secrètes de Margaret...

— Oui, elle écrivait plus, au début de notre mariage, concède Owen, qui avoue en rougissant : j'ai lu ses cahiers, sans sa permission, mais hier, seulement. Jamais je ne me serais permis de violer son intimité auparavant. Je l'ai fait uniquement pour faire avancer l'enquête.

— Et tu as trouvé quelque chose ?

— Non. J'ai simplement constaté une anomalie.

Il se penche sur elle, si près qu'elle respire son parfum. De l'eau de Cologne. Elle sent son cœur battre et doit se retenir pour ne pas se pencher elle aussi. Elle meurt d'envie de poser sa tête au creux de son épaule, de s'enivrer de son odeur. Elle s'enquiert d'une voix tremblante :

— Laquelle ?

Il respire profondément.

— Il y a un trou dans les dates. À moins qu'elle n'ait cessé d'écrire pendant presque une année... Mais c'est improbable : un des recueils a disparu, Margaret. Et j'ai retourné toute la maison en vain pour mettre la main dessus.

Samedi 13 octobre

10

Tôt le matin, Tasha est réveillée par la sonnerie du téléphone.

Joël tâtonne à la recherche du combiné sur la table de nuit avant de marmonner d'une voix pâteuse :

— Allô ?

Parfaitement réveillée maintenant, Tasha sent son cœur s'emballer en repensant aux événements de la veille. Elle s'assied sous l'édredon et noue ses bras autour de ses genoux. Hier soir, exténuée mais incapable de s'endormir, elle a fini par prendre plusieurs comprimés de Tylénol sous les conseils de Joël, visiblement soucieux de la voir se reposer un peu. Pourtant elle n'a pu s'empêcher de se demander si c'était par sollicitude ou simplement parce qu'elle l'empêchait de dormir.

Elle regarde son réveil et s'aperçoit qu'il est plus de 7 heures. Elle a dormi comme une souche mais sa tête est lourde.

— Attends, elle est à côté de moi.

— Qui est-ce ?

— C'est Ben, chuchote-t-il.

Elle l'interroge du regard.

— Il veut te parler.

— Oui, mais…

— Je te la passe, fait Joël en lui tendant l'appareil, qu'elle prend à contrecœur.

Elle ne se sent pas en mesure de parler à Ben maintenant : elle a besoin de reprendre ses esprits et n'est pas encore prête à affronter la réalité.

— Bonjour, Ben, salue-t-elle, réunissant tout son courage pour affronter l'émotion qui la gagne.

— Bonjour, Tasha.

Il a la voix rauque.

— Comment vont les enfants ? finit-elle par demander, voyant qu'il reste muet.

— Aussi bien que possible compte tenu des circonstances. Je ne crois pas qu'ils se rendent vraiment compte de ce qui se passe.

— Quand leur as-tu annoncé ?

— Hier soir, chez Carol, quand les policiers ont bien voulu me lâcher... Ça a duré des heures.

— Ils t'ont... ?

Comment faire pour ne pas le blesser ? Réalisant que c'est impossible, elle poursuit d'une voix hésitante :

— Ils t'ont innocenté ?

Il a un rire bref et désabusé :

— C'est une façon de voir les choses... Disons qu'ils m'ont laissé partir. Mais j'ai le sentiment que ce n'est pas terminé. Mon avocat m'a dit que, dans ce genre d'affaire, le coupable est souvent le mari.

Mal à l'aise, Tasha regarde Joël, renversé en arrière sur son oreiller, qui l'observe d'un air soucieux.

— Mais Ben, Rachel et toi n'étiez pas... Je veux dire, pourquoi te soupçonneraient-ils d'avoir commis une telle abomination ? Il n'y a aucune raison...

— Ils m'ont demandé si je savais que Rachel avait une liaison, l'interrompt-il brutalement.

Éberluée, Tasha s'accroche au téléphone.

— Que se passe-t-il ? chuchote Joël en lui effleurant le bras.

Le cerveau de Tasha est en ébullition. Rachel avait une liaison ?

Bien sûr que oui, souffle une voix intérieure. *Il fallait être aveugle pour ne pas s'en rendre compte.*

Rachel avait une liaison. Qu'y a-t-il de si surprenant ?

Jamais elle n'avait envisagé cette possibilité auparavant. À vrai dire, un peu jalouse de l'existence dorée de Rachel, elle ne s'était jamais vraiment demandé ce que son amie faisait de son temps libre. Pour Tasha, elle jouait au golf et allait chez la manucure. Certes, elle y allait bel et bien, il n'y avait aucun doute à ce sujet, Mais…

— Tasha, reprend Ben à l'autre bout du fil, est-ce que c'est vrai ? Rachel t'en avait-elle parlé ?

— D'une liaison qu'elle aurait eue ?

Elle sent Joël se raidir à ses côtés. Elle se tourne vers lui tout en répondant :

— Seigneur non, Ben ! Je l'ignorais. Elle ne m'a jamais rien dit.

Joël écoute en se frottant la joue. Elle cherche son regard mais ses yeux restent baissés. Pourquoi ? Se sent-il coupable en l'entendant prononcer le mot « liaison » ?

Dans les affres qui ont suivi la mort épouvantable de Rachel, elle a presque oublié ses soupçons à l'encontre de Joël. Presque. Et voilà que ça la reprend : est-ce son travail ou une femme qui occupe ses pensées, ces derniers temps ?

La voix de Ben résonne à son oreille :

— Tu ne l'as jamais vue avec un autre homme ?

Elle reprend ses esprits pour l'écouter. Chaque chose en son temps.

— Non Ben, réaffirme-t-elle, je te le jure. Sais-tu de qui il s'agissait ?

— Je n'en ai pas la moindre idée.

— Comment la police est-elle au courant de ça ?

— Ils ont interrogé beaucoup de monde, quelqu'un a dû le leur dire. Je suppose que je suis le dernier à être au courant.

— C'est peut-être faux, remarque Tasha pour le consoler.

— Peut-être. (Il s'éclaircit la voix.) Écoute, j'appelais surtout pour te prévenir : je vais m'installer chez ma sœur avec les enfants pendant quelques jours. Ils ont besoin de quelques bricoles... Mara réclame Clemmy...

— C'est sa poupée.

— Tu sais laquelle ?

— Oui.

— Dieu soit loué ! Tasha, pourrais-tu avoir la gentillesse d'aller chez moi et de me ramener quelques-uns de leurs jouets ? Toi ou Joël pourriez me les déposer ici. Je suis désolé de vous imposer ça...

— Je t'en prie, Ben, nous ne demandons qu'à t'aider.

— C'est que... Je ne peux plus y retourner. J'ai regardé la télévision et j'ai vu que la presse campait devant la maison. Je ne me sens pas le courage d'affronter ça en plus... en plus du reste.

— Je vais y aller, promet Tasha sans trop savoir si elle-même en est capable.

De toute façon, elle n'a pas le choix : Ben a besoin d'elle, il n'a qu'elle vers qui se tourner. Pauvre de lui, seul avec les enfants... Il va devoir vivre le restant de ses jours avec la vision horrible du cadavre de Rachel...

— Tu es vraiment gentille. La police est dans la maison. Ils te laisseront entrer mais ne te lâcheront pas d'une semelle : il s'agit d'un crime, il ne faut toucher à rien.

— Que te faut-il d'autre, à part Clemmy ?

Il lui fait une liste qu'elle s'efforce de mémoriser : quelques jouets et des vêtements pour les enfants. Et son carnet d'adresses, qui se trouve dans le tiroir de son bureau.

— Je dois passer des coups de fil… prévenir la famille, les amis, et m'occuper de l'enterrement.

— Tu veux que je le fasse à ta place, Ben ? propose Tasha.

— Non, Carol va m'aider. Les parents de Rachel aussi, ils sont arrivés de Floride cette nuit.

— Ils doivent être bouleversés.

Rachel, fille unique, avait toujours été terriblement gâtée par ses parents, qui l'avaient eue sur le tard. À maintes reprises, Rachel lui avait confié en riant que la vie de ses parents tournait autour d'elle.

— Ils sont anéantis, confirme Ben d'une voix tendue.

— Je vais te laisser, Ben. On viendra déposer les affaires chez ta sœur. Donne-moi son adresse.

Puis elle raccroche et se tourne vers Joël.

— Alors ?

— Tu as pratiquement tout entendu : Ben a besoin de deux ou trois bricoles. Je vais passer chez lui tout de suite avant que les enfants ne se réveillent. Je vais prendre ma douche.

— Je lancerai une autre lessive, pendant ce temps, promet Joël en se levant à son tour.

— Et tes parents, au fait ? Oh ! j'oubliais le concours de citrouilles !

Il s'arrête et la dévisage :

— Qu'est-ce que tu veux faire ?

— Je ne sais plus…

269

En réalité, elle sait bien ce dont elle a envie : elle voudrait mettre sa tête au creux de l'épaule de son mari et sentir ses bras autour d'elle. Mais le lit les sépare, tel un fossé.

— Je vais appeler mes parents et leur dire de rester chez eux.

Elle réfléchit un instant. Ses beaux-parents avaient appelé hier, plusieurs fois. Ayant appris la nouvelle à la télévision, ils proposaient de venir s'installer chez eux jusqu'à ce que l'on arrête l'assassin. Tasha était presque tentée d'accepter, tant elle avait peur, mais Joël avait mis son veto en jurant qu'elle ne risquait rien. Les Banks avaient quand même insisté pour venir déjeuner comme prévu.

— Non, laisse-les venir, dit-elle à Joël. Ça changera les idées aux enfants.

Les parents de Joël ne l'aiment pas beaucoup, mais ils adorent leurs petits-enfants, qui le leur rendent bien : ils arrivent toujours les bras chargés de cadeaux et de friandises.

— Crois-tu qu'il soit bien utile de descendre en ville pour le festival d'automne ?

— Oui, à condition qu'il soit maintenu, décrète Tasha en se dirigeant vers la salle de bains avant de lancer par-dessus son épaule : Merci pour la lessive, Joël.

— De rien.

Elle lui sourit, et il lui rend son sourire. L'espace d'un instant, ils sont redevenus le couple d'antan, sans enfants, avant la promotion. Il n'est plus un étranger comme ces derniers temps, elle n'est plus irritable ni soupçonneuse. Si seulement ça pouvait toujours être ainsi…

Tout à coup, elle se souvient. Le moment est loin d'être idyllique : elle est sur le point d'affronter l'insoutenable réalité, le meurtre de son amie…

Son sourire s'estompe tandis qu'elle s'enferme dans la salle de bains.

Tout en se déshabillant, elle se demande pourquoi Joël s'est soudain mis à l'aider pour les travaux ménagers. Elle ne lui avait pas demandé de faire une lessive, hier, après qu'il eut réparé la machine, et il avait même fait la vaisselle pendant qu'elle lisait une histoire aux enfants. D'habitude, il se levait et quittait la table sans rien faire – sauf si elle le lui demandait expressément.

Est-ce parce qu'il la sait bouleversée par la mort de son amie ? Ou parce qu'il a mauvaise conscience ?

Ben ne se doutait pas que Rachel le trompait. Tasha non plus.

Mais ces derniers jours, elle s'était mis dans la tête que Joël la menait en bateau. Pourquoi ? Parce qu'il n'avait jamais eu autant de travail au bureau et parce qu'il lui paraissait totalement indifférent à ce qui se passait chez lui. Pourtant, elle n'avait pas repéré les indices classiques : pas de rouge à lèvres sur sa chemise ni de boucles d'oreilles oubliées dans sa voiture, pas de note d'hôtel ni d'achat chez un bijoutier, pas même un appel mystérieux à la maison.

Frappée par ce dernier détail, elle se rappelle soudain le coup de téléphone qu'elle a reçu la veille chez Rachel : la personne avait raccroché sans rien dire. Était-ce son amant qui essayait de la joindre ? Rachel était-elle avec lui, hier soir, pendant que Jeremiah Gallagher gardait ses enfants ? Qui était-ce ?

Tasha se repasse en mémoire les hommes que Rachel a évoqués dernièrement. L'autre jour, elle délirait au sujet de Claude, son coiffeur, mais il était homosexuel. Elle parlait aussi souvent de Michael, son professeur de gymnastique, qui l'épate avec tous ses muscles. Et de Jason, un moniteur de golf qui lui donnait des leçons cet été et avait de beaux yeux. Mais aucune de ces histoires n'était sérieuse. Tasha s'en serait douté, non ?

Tout en essayant d'identifier le mystérieux amant de Rachel, Tasha essaie de chasser une idée qui la tarabuste.

Non, se convainc-t-elle en ouvrant le robinet. Pas lui, ce serait une coïncidence inouïe. C'est forcément quelqu'un d'autre. Mais qui ? Et de toute manière, qu'aurait-il à voir avec la mort de Rachel ?

Réveillée par le téléphone, Paula attrape l'appareil tout en jetant un coup d'œil à son réveil. Elle gémit : elle n'aura dormi que trois heures, cette nuit. Après avoir interrogé tous ceux qui lui tombaient sous la main au sujet de l'affaire Leiberman, elle a assisté à une interminable conférence de presse qui ne lui a rien appris. Puis elle est revenue au journal rédiger son papier pour l'édition qui va sortir.

— Allô ? balbutie-t-elle.

Ce doit être Mitch. Il n'a pas rappelé, hier.

— Mademoiselle Bailey ?

— Oui ?

Elle fronce les sourcils en se dressant sur un coude : cette voix féminine ne lui dit rien.

— Qui est à l'appareil ?

— Glenda Kline, je suis infirmière à Haven Meadows.

Haven Meadows. L'endroit où se trouve son père.

— Il y a un problème ? demande Paula le cœur battant.

— Votre père vous réclame. Il est… au plus mal. Nous avons pensé qu'il valait mieux vous prévenir.

— Il me réclame ? répète Paula en écho.

Son père ne parle plus, depuis la chute qui a contraint Paula à l'installer dans cette maison médicalisée.

— Il prononce votre nom, explique l'infirmière, il est très agité. Il se fait peut-être du souci, cela fait longtemps que vous n'êtes pas venue…

Elle croit déceler un accent accusateur dans la voix de Glenda Kline. Paula se frotte les yeux. Si cette Glenda Kline savait le stress qu'elle endure en ce moment…

— Ce serait bien si vous pouviez lui rendre visite, mademoiselle Bailey, simplement pour lui montrer que vous allez bien. Je crois vraiment que ça lui ferait plaisir.

Elle réfléchit à cette éventualité, passant en revue les rendez-vous qu'elle a pris pour aujourd'hui, les pistes à suivre…

Sa dernière visite à Haven Meadows remonte à plusieurs semaines. La dernière fois, son père était comme d'habitude : il fixait ses mains croisées sur ses genoux et ne l'écoutait pas. Il n'avait même pas regardé le dessin que lui avait fait Mitch. L'infirmière de garde l'avait accroché sur le mur, à côté de son lit, prétendant que cela égaierait ses journées.

Mais M. Bailey n'était ni triste ni déprimé. On aurait plutôt dit qu'il était… ailleurs. Et pas près d'en revenir, apparemment.

Et s'il s'était produit un changement ? Si tel était le cas, elle devait absolument le voir.

— C'est bon, dit-elle à l'infirmière, dites-lui que je viendrai cet après-midi.

— Je suis sûre qu'il va être ravi.

Cela fait plusieurs années que son père ne manifeste plus aucune émotion. Même la présence de Mitch ne suscite chez lui aucun intérêt. Du coup, Mitch ne veut plus aller rendre visite à son grand-père, ça lui fait mal au cœur de le voir dans cet état : Paula a cessé d'insister pour qu'il l'accompagne, mais il continue à lui écrire et à lui fabriquer de petits objets.

Mitch.

Paula se lève et se rend dans la pièce d'à côté pour rappeler Frank.

— Allô ? fait une voix de femme endormie au bout de la troisième sonnerie.

— Paula à l'appareil, je voudrais parler à Frank.

— Une seconde.

Elle entend un bruit étouffé et un murmure inintelligible. Paula réalise que la seconde femme de Frank a mis sa main sur le combiné. Pourquoi ? Que trament-ils, ces deux-là ?

— Qu'y a-t-il ? répond enfin Frank.

— Il y a que je t'ai laissé un message hier en demandant que Mitch me rappelle ! Je n'ai eu aucune nouvelle de lui.

— Nous sommes sortis dîner et nous sommes rentrés tard. Il était crevé, il s'est couché tout de suite. Il va bien, alors ne...

— Ne me dis pas ce que je dois faire, coupet-elle. Hier, tu es allé à l'école pour enlever mon fils...

— Mitch est aussi mon fils, je te signale, et je ne l'ai pas enlevé, je l'ai simplement récupéré un peu en avance. Il était convenu qu'il passait le week-end avec moi, non ? J'étais loin de penser que tu t'en apercevrais.

— Qu'est-ce que tu sous-entends ? riposte Paula sans hausser le ton.

Cette fois-ci, il ne lui fera pas le coup, elle ne se laissera pas faire.

— Que je croyais que tu travaillais, voilà tout. Mitch m'a dit que tu étais très prise, en ce moment.

Il a forcément entendu parler de ce qui se passe à Townsend Heights, même si Mitch ne lui a rien dit : tous les médias se répandent sur l'affaire. Il faudrait vivre sur une île déserte pour ne pas savoir que, dans leur petite ville, une jeune femme a été assassinée et qu'une autre a disparu.

Choisissant d'ignorer le coup de griffe de Frank sur son travail, elle reprend d'une voix très calme :

— Il ne peut se permettre de manquer l'école. Si tu oses encore l'en retirer sans mon autorisation, je te ferai supprimer tes droits de garde !

— Comme si ça n'était pas déjà ton objectif ! grommelle Frank.

— Passe-moi Mitch, l'interrompt Paula. Je veux lui parler.

— Il dort.

— Eh bien réveille-le !

— Non, il a besoin de se reposer. Il t'appellera dès qu'il sera réveillé.

Mais elle ne sera plus là, nom d'un chien !

— Tu as intérêt à tenir parole. Qu'il m'appelle sur mon portable, ordonne-t-elle à Frank sans rentrer dans les détails de la journée qui l'attend.

Elle raccroche sans rien ajouter. Elle imagine Frank en train de se tourner vers sa blonde idiote en traitant Paula de garce. Ils doivent probablement se moquer d'elle, ou alors faire des plans pour obtenir la garde de son fils.

— Tu n'y arriveras pas, murmure Paula en gagnant la cuisine à grandes enjambées rageuses pour se faire un café, espérant que le tabac et la caféine lui donneront un coup de fouet.

Une journée chargée l'attend, avec une visite à Haven Meadows, et une autre, en prime, à Fletch Gallagher.

Fletch attend une heure décente pour téléphoner à son avocat. À 8 heures, il s'enferme dans son bureau pour éviter les oreilles indiscrètes. Ses nièces sont au courant de ce qui s'est passé, elles savent que la voisine a été assassinée et que leur frère, impliqué dans ce drame, a disparu. Sharon lui a dit qu'elles avaient pleuré toute la nuit.

— Jeremiah est revenu ? demande l'homme de loi.

— Non. J'ai passé une partie de la nuit à le chercher, j'ai sillonné tout le quartier en voiture. Sharon est restée près du téléphone au cas où il appellerait. En vain.

— Tu as une idée de l'endroit où il pourrait se trouver ?

— Pas la moindre.

C'est faux. Il a bien une petite idée, mais c'est tellement tiré par les cheveux qu'il n'ose pas en parler à l'avocat : la cabane des Catskills, le seul endroit où il ne l'a pas cherché. Pour deux raisons : Jeremiah y est déjà allé, mais ça n'est pas facile à trouver, même si l'on connaît l'adresse. Et puis c'est à deux heures d'ici en voiture : comment s'y serait-il rendu ? Et quand bien même il se serait débrouillé pour y aller, Fletch a vérifié son trousseau de clés et celui de Sharon : rien ne manque.

— Tout ça ne joue pas en sa faveur, Fletch, observe son avocat.

Tu crois, mon pote ? Il retient à temps la réplique sarcastique.

Ça n'est pas le moment de se mettre son avocat à dos… Qui sait si lui-même n'aura pas besoin de ses services… Son estomac se soulève à cette perspective et il s'empresse de chasser l'idée de son esprit.

Chaque chose en son temps.

— Combien de temps pouvons-nous retenir les flics ?

— Jusqu'à ce qu'ils se présentent chez toi avec un mandat. Ce qui peut advenir d'une minute à l'autre…

— Ou peut-être jamais, suggère Fletch, plein d'espoir. Ils ont peut-être cru le gosse.

— Peut-être.

Fletch sent une réticence dans la voix de son ami. Son estomac se noue instantanément.

— Écoute, Fletch, je vais faire une partie de racket-ball. Si tu as besoin de moi, j'ai mon bip. Sinon, je te rappelle un peu plus tard, d'accord ?

— Pas de problème, acquiesce Fletch en raccrochant.

Assis à son bureau, il regarde sans les voir les trophées sur l'étagère. Où diable peut bien se trouver ce gamin, et quand son père va-t-il se décider à appeler ?

Il a laissé deux messages à son frère, hier, mais on lui a répondu qu'Aidan n'était pas joignable. Il lui en veut – et ce n'est pas la première fois – de lui avoir fourgué ses enfants avant de repartir à l'étranger après la mort de sa deuxième femme : dès que le temps se gâte, Aidan prend le large. La fuite a toujours été son style – il ressemble à leur père.

Fletch n'a pas envie de penser à leur père. Il a déjà passé une partie de sa vie à décortiquer ce qui s'est passé dans leur enfance… Leur père avait abandonné leur mère dans un petit appartement du Queens avec deux enfants en bas âge et une montagne de dettes. Elle avait réussi à s'en sortir en travaillant comme secrétaire à Manhattan, mais un cancer foudroyant l'avait emportée, il y a des années.

Quant à leur père, ce salaud, il n'était jamais revenu. Fletch n'a pas essayé de le retrouver, il ne s'est même pas soucié de savoir pourquoi il était parti. Le couple battait de l'aile. Ses parents ne se disputaient pas beaucoup, mais ils étaient distants, froids. L'amour était absent de leurs relations.

C'est au lycée que lui et Aidan avaient appris la vérité sur la conduite infâme de leur père. Les adolescents avaient juré de garder le secret jusqu'à la tombe, mais cette histoire avait profondément marqué leurs vies et leurs choix de carrière.

Aujourd'hui encore, en pensant à son père, Fletch serre les poings tandis qu'une haine familière bout dans son cœur.

Depuis sa chambre, au dernier étage, Margaret entend enfin le bruit qu'elle guette depuis ce matin : à l'étage du dessous, une porte s'entrouvre en grinçant avant de se refermer, et les pas d'Owen s'éloignent dans le couloir puis dans l'escalier.

Il s'est réveillé plus tard que les autres jours, ce matin. Peut-être a-t-il fini par prendre les somnifères prescrits par le docteur.

Et moi, alors ? Margaret frotte un point douloureux entre ses omoplates. Cela fait plusieurs nuits qu'elle ne dort pas plus d'une heure d'affilée. Elle fait des cauchemars et se réveille en sursaut dans ce lit inconnu. Parfois, elle arrive à se rendormir. D'autres fois, elle reste allongée en attendant que le jour se lève et que la maison s'anime.

Aujourd'hui, elle s'est réveillée vers 3 heures, s'est lavée et habillée. Elle a pris le temps de se coiffer et de se maquiller en sachant qu'elle le verrait. Ça la rend folle de dormir sous le même toit que lui, et son imagination l'entraîne souvent sur des terrains dangereux – qu'elle ferait mieux d'éviter pour le moment.

Maintenant qu'elle a entendu Owen, elle reste immobile devant la porte entrebâillée. Sa mère est descendue avec Schuyler voilà plus d'une heure, et Margaret est sûre qu'elles ne remonteront pas avant l'heure de la sieste : elle a encore une bonne heure devant elle.

Minerva ne vient pas, le week-end. Si Owen est descendu, cela signifie que l'étage du dessous est désert, y compris la chambre du jeune couple.

Margaret descend furtivement l'escalier en retenant son souffle. Ce qu'elle s'apprête à faire est audacieux, pourtant elle n'a pas le choix. Owen cherche le journal manquant de Jane.

Il ne t'a pas demandé d'aller fouiller dans sa chambre, mais seulement si tu savais qu'il manquait un recueil.

Mais Margaret croit savoir où sa sœur a caché le volume manquant.

Avec l'impression désagréable de trahir son beau-frère, elle s'arrête devant la porte de sa chambre.

Pourquoi faut-il que tu agisses ainsi ? Pourquoi ne pas lui avoir fait part de tes soupçons la nuit dernière ?

Elle chasse cette petite voix intérieure et pénètre dans la grande chambre sophistiquée que Jane partageait avec Owen. Une pièce qui, à l'instar du reste de la maison – et probablement aussi de sa propriétaire –, recèle sa part de mystère.

*
* *

Après avoir installé Taylor dans sa balancelle, Karen allume la télévision. Elle a mauvaise conscience car elle n'a pas encore débarrassé la table du petit déjeuner ni pris sa douche.

Mais elle ne peut détourner ses pensées de Rachel Leiberman. Elle a besoin de savoir s'il y a du nouveau depuis qu'elle s'est endormie devant le poste hier soir. C'est Tom qui a fini par la réveiller pour l'envoyer se coucher.

Elle met la chaîne d'infos locales et se perche au bord du canapé : le journal va bientôt commencer.

Karen a dormi par bribes, cette nuit, d'un sommeil entrecoupé de cauchemars où une créature sans nom et sans visage la pourchassait. Elle s'est réveillée plusieurs fois en sursaut avant de se blottir contre le corps chaud de Tom pour se rassurer et chasser ses frayeurs. Pour se persuader que celui qui a tué Rachel n'a pas l'intention de s'attaquer à une autre victime.

Si seulement Tom était là... Mais un client a exigé de le voir, et son mari l'a prévenue qu'il risquait de rentrer tard.

Un interlude musical lancinant l'avertit que les infos commencent. Elle monte le son.

— *Bonjour*, commence une jolie présentatrice, installée derrière son bureau. *Le gros titre de notre journal ce matin. Plus de vingt-quatre heures après le meurtre d'une habitante de Townsend Heights, l'assassin se promène toujours en liberté, et il semble que l'on ait peu d'informations sur le ou la coupable. La police n'a toujours pas désigné de suspect dans l'assassinat de Rachel Leiberman, dont le corps a été découvert cette nuit dans une paisible impasse de la ville. Nous retrouvons notre envoyé spécial Ted Jackson sur les lieux du drame.*

Karen constate que la maison des Leiberman est toujours encerclée par la presse. Il y a encore plus de monde que la veille. Personne n'a encore sonné chez elle, ce matin, mais elle doit se préparer à subir l'assaut des journalistes : Tom n'est pas là pour leur claquer la porte au nez.

Ted Jackson rappelle que la police n'a aucune piste concernant la disparition de Jane Kendall et que la famille de la victime n'a fait aucun commentaire permettant de relier les deux affaires.

— *Toutefois*, conclut l'envoyé spécial, *tout le monde a noté que Rachel Leiberman et Jane Kendall étaient l'une et l'autre de jeunes mères au foyer, cibles inhabituelles d'une telle violence, par ailleurs surprenante dans cette paisible ville située dans la banlieue de Westchester. Le mystère demeure entier tant que l'on n'aura pas retrouvé Jane Kendall. Sans doute les jeunes mamans de Townsend Heights vont-elles verrouiller leurs portes et redoubler de précautions d'ici là.*

Sur ce commentaire inquiétant, la caméra fait un zoom sur les plongeurs qui patrouillent l'Hudson sous la falaise où l'on a retrouvé la petite Kendall. L'eau est particulièrement profonde à cet endroit, et des rafales de vent soulèvent les vagues. Un orage s'annonce, ce qui ne facilite pas la tâche des plongeurs.

— *Mais*, poursuit le journaliste, *si le corps de Jane Kendall est resté prisonnier des flots, les plongeurs que vous avez sous les yeux sont bien décidés à le retrouver.*

Karen éteint la télévision en frissonnant. Elle ne veut pas en entendre davantage.

Affamé et transi de froid, Jeremiah se met en boule sur son matelas de feuilles mortes en pleine décomposition. Des lambeaux de brouillard flottent entre les arbres tels des fantômes.

Le soleil s'est levé. Il a vu le ciel virer du noir au gris et les bruits de la nuit ont laissé place au gazouillis des oiseaux. L'atmosphère commence à se réchauffer un peu.

Bénissant le Ciel d'avoir pensé à emporter sa parka doublée en laine polaire, il réfléchit à ce qu'il va faire. Quand il s'est enfui de la maison, il était tellement obsédé par la nécessité de faire disparaître les preuves qu'il est parti sans savoir où aller. S'il avait su qu'il passerait la nuit dans les bois, il aurait emporté de la nourriture, de l'eau et une couverture...

Bah ! De toute manière, il est trop tard, maintenant.

Regrettant soudain de ne pas avoir persévéré dans le scoutisme, comme le souhaitait son père, il regarde autour de lui : des bois, des ronces et des rochers... Le sol inégal est en pente, marécageux par endroits, rocheux ailleurs. Il a aperçu des serpents et de grosses araignées à pattes velues, rencontré une quantité innombrable de daims, des opossums, des ratons laveurs, des écureuils, et même une mouffette qui, Dieu merci, ne l'a pas arrosé. Toute la nuit, il a entendu des bruits, des feuilles qui frémissaient, des branches qui craquaient sous le poids d'animaux invisibles...

À l'école, il a entendu dire que Peter Frost s'était battu contre une bête féroce pour sauver la petite fille de Jane Kendall. Sur le coup, il n'y a pas cru, surtout parce qu'on lui avait rapporté deux versions différentes en moins d'un quart d'heure. Dans la première Peter repoussait un ours avec une branche d'arbre, dans la seconde un lynx l'attaquait et Peter trouvait refuge en grimpant avec le bébé dans un arbuste.

Y a-t-il vraiment des ours et des lynx, dans ces bois ?

Jeremiah n'en est pas tout à fait sûr.

Jusqu'où est-il allé, hier ? Il n'en a pas la moindre idée. Il n'avançait pas vite, s'arrêtant fréquemment pour se reposer avant de s'effondrer bien avant le crépuscule, son paquet sous le bras. Il tombait de sommeil mais, surtout, avait besoin de s'arrêter pour réfléchir. Pour mettre au point ce qu'il allait faire.

Il en a conclu qu'il devait rester caché dans les bois le plus longtemps possible. Peut-être pour toujours.

Il ne sait s'il se trouve dans le comté de West-chester ou s'il a atteint celui de Putnam. Tout dépend de la distance qu'il a parcourue hier. Il y a tellement de forêts, dans ce coin, qui longent des parcs, des propriétés et des lotissements. Ce n'est pas comme s'il pouvait directement rejoindre... la frontière canadienne, par exemple. Si seulement il avait une carte, ou une meilleure connaissance de la région, il pourrait se tracer une route, mais il est contraint d'avancer en aveugle, à tâtons.

Il a été scout assez longtemps pour savoir qu'il faut en priorité trouver un abri, de l'eau et de la nourriture. De l'eau, il n'en manque pas, même s'il a longtemps hésité avant de boire dans les ruisseaux. Maintenant, il ne fait plus le dégoûté.

Il lui faudrait tomber sur une grotte ou un abri quelconque. Quant à la nourriture, eh bien... Merde ! On est en octobre : on ne peut pas dire que les bois croulent sous les baies sauvages. La végétation épargnée par les daims est en train de se ratatiner. Que va-t-il bien pouvoir manger ? Des bestioles ? Des vers ? Son estomac se révulse à cette seule pensée. S'il pêchait ? Ou s'il attrapait un lapin ? Tout le monde mange du poisson ou des lapins.

Oui, mais cuits.

Jeremiah n'a pas d'allumettes et ne peut de toute façon pas se trahir en allumant un feu : ils doivent probablement être à sa recherche, à l'heure qu'il est, avec des chiens. Il pourrait se rendre… Il peut toujours enterrer les preuves ici, au fond des bois, et tout recouvrir de feuilles. Il y a peu de chance qu'on les retrouve.

Oui, mais s'il revient à la maison, ils croiront que c'est lui, le coupable, avec ou sans preuves. Un innocent ne serait jamais enfui comme il l'a fait.

Je dois continuer, se persuade Jeremiah. Quoi qu'il arrive, je ne me rendrai pas. Ils n'ont qu'à m'attraper.

Il se lève tout courbatu, chassant les feuilles mouillées et les escargots accrochés à son jean. Il essaie en frissonnant d'essuyer ses mains sales sur un vieux mouchoir froissé qu'il retrouve dans la poche de son anorak. Puis reprend misérablement son paquet pour poursuivre sa marche.

Devant la porte d'entrée des Leiberman, l'agent Mulvaney confirme à Tasha qu'il l'attendait. Ben les a prévenus qu'elle passerait. Il la laisse donc entrer sans lui poser de questions.

Franchissant la porte décorée d'une guirlande de fleurs récemment achetée par Rachel, elle pénètre dans ce hall d'entrée qu'elle connaît si bien. Un jeune agent l'escorte, qui a l'air d'un gamin avec ses oreilles décollées et ses cheveux blonds coupés en brosse.

Comme la porte se referme, elle se rend compte qu'elle aurait préféré qu'on lui interdise d'entrer.

Qu'on lui dise que personne n'était admis dans ce périmètre, quelles que soient les circonstances et en dépit de la requête de Ben Leiberman.

Mais elle est là, à l'intérieur.

Elle respire profondément.

Chaque maison a sa propre odeur. L'appartement de ses beaux-parents à New York sent le désinfectant, le produit antimites et les fruits trop mûrs. La maison de sa mère à Centerbook respire bon le pain frais, le bois et la cannelle. Celle des Leiberman sent l'encaustique au citron de Ramira, les fleurs coupées et le parfum de Rachel.

Elle hume cette odeur, réalisant qu'elle se mêle aujourd'hui à une autre odeur, inconnue celle-là. Soudain Tasha vacille, comme étourdie : c'est l'odeur de la mort.

— Ça ne va pas ? s'inquiète l'agent.

Elle hoche la tête sans rien dire, essayant de reprendre son sang-froid.

Rachel a été assassinée là-haut. Quelqu'un est entré et l'a tuée pendant que ses enfants dormaient à l'autre bout du couloir.

N'y va pas, Tasha.

Elle a envie de prendre ses jambes à son cou, s'apprête à faire demi-tour.

Arrête. Fais-le pour Ben.

Il faut qu'elle en finisse. Plus tôt ce sera fait, plus tôt elle pourra sortir d'ici.

Elle avance comme dans un rêve et pénètre dans la petite salle de jeux. Tout est encore impeccablement rangé. Les Duplo avec lesquels jouait Max sont bien à leur place, sur l'étagère, tout comme les poupées Barbie et leurs vêtements que Mara et Victoria avaient sortis.

— Madame, je dois vous rappeler que vous êtes sur les lieux d'un crime, prévient l'agent Mulvaney dans son dos. Tout est resté exactement comme on l'a trouvé jeudi soir. Ne touchez à rien, hormis les objets que vous a réclamés M. Leiberman, que je vous demanderai de me montrer avant de les emporter.

— Entendu.

Tasha aperçoit le camion jaune de Noah et l'ardoise magique de Mara, rangés à leur place sur l'étagère. Elle les montre à l'agent avant de battre précipitamment en retraite.

À présent, il faut récupérer la timbale de Noah, la bleue. Tasha croit entendre la voix de Rachel qui se lamente : *Il ne veut boire son lait que dans cette timbale.*

Tasha déglutit avec peine.

Oh ! Rach, jamais tu ne le verras sevré ! Tu ne l'accompagneras pas au jardin d'enfants, ni au football...

Elle tente de refouler la grosse boule qui obstrue sa gorge et se retourne brusquement vers l'agent de police.

— Je dois aller dans la cuisine.

Il acquiesce.

Comme toujours, elle est frappée par l'éclat des appareils ménagers en inox, par les plans de travail étincelants, le carrelage immaculé. Elle en oublie momentanément l'horreur qui l'a menée là pour songer au désordre qui règne dans sa propre cuisine, pleine de miettes et constellée de taches collantes.

Ses beaux-parents vont arriver dans moins d'une heure. Il faut absolument qu'elle nettoie...

Seigneur, qu'est-ce qui te prend ? se dit-elle en revenant à la réalité. Rachel est morte !

Ses yeux se remplissent de larmes. Pour ne pas

pleurer devant le jeune policier, elle s'efforce de ne pas cligner des yeux, sinon les larmes vont jaillir.

Elle contemple la table familière avec son bouquet de fleurs. Les lys, en boutons la dernière fois qu'elle est venue, sont désormais épanouis et emplissent la pièce de leur doux parfum.

Elle se souvient qu'il y avait aussi des lys, à l'enterrement de son père.

Papa.

Rachel.

Rachel adorait le parfum des fleurs…

Tasha se met en garde : *Arrête. Tu vas encore te mettre à pleurer.*

Elle se contraint à détourner le regard des fleurs tachetées de rose et tombe sur un morceau de puzzle en bois posé sur la table à côté du vase. Machinalement, elle remarque qu'il illustre une comptine connue et les mots imprimés sur la frise éveillent en elle un écho enfantin.

Il pleut, il mouille, le vieil homme ronfle…

Ça va.

Ça va aller, elle se débrouillera bien, elle ne va pas s'effondrer. Pas dans la cuisine de Rachel, pas devant ce jeune policier. Elle tiendra le coup jusqu'à ce qu'elle soit revenue chez elle. Mais ensuite, elle ira s'enfermer dans la salle de bains pour pleurer tout son saoul.

Margaret tâte le fond de la bibliothèque encastrée dans le mur à côté de la cheminée, repensant à cette journée où elle se trouvait dans cette même chambre, avec Jane.

— Il faut que tu voies ça, Margaret, lui avait dit sa sœur en se dressant sur la pointe des pieds pour atteindre l'étagère au-dessus de sa tête.

Jane était beaucoup plus petite que Margaret, qui n'a même pas à tendre le bras. Mais elle ne sait pas exactement ce qu'elle cherche. Jane avait allongé la main et, quelques minutes plus tard, elle avait entendu un petit déclic.

Après s'être bien assurée qu'elle est seule dans la pièce, Margaret se dépêche de débarrasser l'étagère des romans à l'eau de rose qui l'encombrent.

Si Owen arrive et qu'il la voit...

Mon Dieu, qu'est-ce que je ferai ?

Elle n'ose même pas y songer.

Vite, vite, vite...

Margaret sent une petite bosse sous ses doigts, comme un nœud fait par le bois.

Serait-ce cela ?

Elle presse la bosse jusqu'à ce qu'elle entende le petit déclic : la section du mur situé derrière l'étagère s'est ouverte comme une petite trappe. Derrière se trouve une petite niche.

— Henri DeGolier y cachait son tabac, lui avait confié Jane en riant.

— Qui était-ce ?

— Le millionnaire qui a fait construire cette maison au XIXᵉ siècle. Il avait imaginé toutes sortes d'excentricités de ce style.

— Qui t'a mise au courant ?

— L'agent immobilier m'a presque tout montré, la première fois que je suis venue visiter, sans Owen. Il se moque éperdument de ce genre de trucs. Tu ne trouves pas ça génial, toi ?

Margaret avait approuvé.

— Attends que je te montre le sous-sol ! avait renchéri Jane en refermant le panneau secret pour entraîner sa sœur à sa suite.

À présent, Margaret retient son souffle, la main au fond de la cachette. Pendant un moment, elle ne sent que les aspérités du bois et des toiles d'araignée. Puis ses doigts se referment sur quelque chose.

Ce n'est pas possible. C'était vraiment trop facile.

Avant même de voir ce qu'elle a trouvé, elle sait ce que c'est : le journal manquant de Jane.

11

Une fois son repas solitaire terminé, Karen compose le numéro de Tasha. Taylor dort toujours dans sa balancelle. En temps normal, Karen est ravie de pouvoir déjeuner sans être dérangée mais, aujourd'hui, elle regrette presque ce calme.

— Allô ?

— Tasha, c'est moi, dit-elle en posant son assiette dans l'évier.

— Oh, salut !

— Tu as l'air soulagée.

— Mes beaux-parents doivent arriver d'une minute à l'autre et ils appellent toujours juste avant. Je priais pour que ça ne soit pas eux. J'ai besoin d'une bonne demi-heure de répit : ma maison est un vrai chantier, et il faut que je commande des pizzas.

Karen compatit, ayant entendu pis que pendre sur les beaux-parents de Tasha.

— Comment t'en sors-tu ? demande-t-elle. Je parle de l'histoire de Rachel, pas de tes beaux-parents.

— Ça a été dur. Il a fallu que j'aille chez elle, tout à l'heure…

— Chez Rachel ? répète Karen en s'appuyant sur le plan de travail. Mais pour quoi faire ?

— Ben m'avait demandé de récupérer des affaires pour les enfants. Oh ! Karen, c'était affreux ! Je suis montée et… la porte de sa chambre était fermée. Mais je ne pouvais pas m'empêcher de penser à ce qui s'y était passé.

— Tu as vu Ben ?

— Je l'ai eu au téléphone. Joël vient de partir pour déposer les affaires chez sa sœur, je lui ai dit de proposer à Ben de nous laisser les enfants, si cela pouvait l'arranger. Je ne vois pas ce que nous pouvons faire d'autre pour l'aider.

— Je sais. C'est pareil pour moi.

Karen s'éclaircit la voix :

— Tasha…

— Oui ?

— Tu as peur ?

Silence à l'appareil.

— J'essaie de ne pas y penser, répond enfin Tasha. J'essaie de me convaincre que ce qui est arrivé à Rachel n'est pas fortuit.

— Mais qu'aurait-elle pu faire pour mériter pareil châtiment ? proteste Karen. Tu as écouté les informations ? On l'a assommée avec un objet contondant, probablement avec l'un de ses haltères, elle les gardait près de son lit. Celui qui a fait ça l'a frappée si fort à la tête et au visage qu'elle en était méconnaissable.

— Seigneur ! Bien sûr qu'elle ne le méritait pas, reprend Tasha, la gorge serrée. Ce que je veux dire, c'est que celui ou celle qui a fait ça ne l'a pas fait par hasard. Sinon ça voudrait dire…

— Je sais, conclut Karen sans laisser Tasha terminer sa phrase. Si ce n'est pas par hasard, alors ce sera peut-être bientôt ton tour, ou le mien.

Le téléphone sonne. Fletch sursaute et bondit du canapé pour aller répondre.

Silence au bout du fil, puis un déclic.

Il fronce les sourcils. C'est l'amant de Sharon, forcément. Fletch n'est pas dupe. Cela s'est déjà produit quand il a décroché à une heure où il n'est pas chez lui d'habitude.

Normalement, le samedi, il va jouer au golf, après quoi il va boire un verre au club house.

Aujourd'hui, il a passé sa journée à somnoler sur le sofa en attendant des nouvelles de son neveu ou de son frère. Et quand ce foutu téléphone sonne enfin, c'est pour qu'on lui raccroche au nez!

Bah! Ce n'est qu'un juste retour de bâton. Après tout, lui non plus ne s'est pas privé de raccrocher à la barbe des gens.

— Oncle Fletch?

Il lève les yeux et aperçoit ses nièces.

— Oui?

— C'était quelqu'un qui appelait pour Jeremiah? demande Daisy.

— Non, répond-il simplement.

Toute la journée, les jumelles ont tourné comme des âmes en peine en se chuchotant des confidences. Hier, Sharon les a fait asseoir pour leur expliquer que leur frère avait disparu. Les filles savent que l'on soupçonne leur frère d'être impliqué dans le meurtre Leiberman.

— On ne parle que de ça à l'école, avait dit Lily la veille à son oncle. Carrie Frost raconte que son frère Peter a vu Jeremiah dans les bois à côté de l'endroit où il a découvert le bébé de cette dame, l'autre jour.

— C'est ridicule! s'est exclamé Fletch, au grand soulagement des jumelles.

Ensuite, elles avaient voulu savoir si leur oncle pensait que Jeremiah avait un rapport avec ce qui était arrivé à la dame qui habitait dans leur rue.

— Bien sûr que non ! avait-il répondu avant de changer de sujet.

— Oncle Fletch, s'enquiert à nouveau Lily, quand est-ce que le papa de Jeremiah va revenir ?

— Je n'en sais rien. Je lui ai laissé un message en disant que c'était urgent. Dès qu'il l'aura, il nous rappellera et s'arrangera pour rentrer.

— Sûrement.

Daisy observe :

— Tu te souviens quand maman est morte ? Là non plus, on n'a pas réussi à le joindre tout de suite.

— Votre beau-père a un poste important, leur dit Fletch. Ça n'est pas toujours facile de le contacter.

— Je sais, commente Daisy d'un ton lugubre. Mais j'aimerais bien qu'il se dépêche de rentrer pour nous aider à retrouver Jeremiah.

— Ton frère va peut-être revenir de lui-même, suggère Fletch.

— Peut-être, fait Lily en pressant le bras de sa sœur. Allez, viens dehors, on va sauter à la corde.

Je devrais leur proposer de faire quelque chose, songe Fletch plein de remords en les voyant quitter la cuisine. Aller manger une glace avec elles ou les emmener à ce festival en ville.

Il sait qu'elles se réjouissaient à la perspective de présenter leur citrouille géante au concours annuel. Jeremiah devait les aider à la descendre en ville.

Fletch a proposé de le remplacer, mais les jumelles ont décliné son offre. Elles n'ont visiblement plus le cœur à y aller, maintenant que leur frère a disparu.

Fletch monte rejoindre Sharon au premier étage. Il n'en peut plus, il a besoin de prendre un peu l'air.

Dans leur chambre, Sharon se tient en culotte et soutien-gorge devant sa penderie ouverte. Elle pousse un cri de frayeur en entendant Fletch.

— Que se passe-t-il? s'étonne-t-il en la voyant faire volte-face, les yeux écarquillés d'effroi.

— Tu m'as fait peur. Mon Dieu, Fletch, cesse d'espionner tout le monde!

— Pourquoi es-tu si nerveuse?

— On le serait à moins! Une femme vient de se faire assassiner à quelques mètres de chez nous et le coupable court toujours, riposte-t-elle.

Elle attrape un pull dans son armoire et l'enfile.

— C'est peut-être aussi, ajoute-t-elle lentement en secouant la tête pour libérer ses cheveux, parce j'ai peur que l'assassin ne vive sous mon toit.

Jeremiah. Elle veut sûrement parler de Jeremiah, se persuade-t-il en gardant un visage impassible.

— Je sors, déclare-t-il. Je te laisse répondre au téléphone.

— Quand reviendras-tu?

— Je n'en sais rien. Dans un moment.

Il tourne les talons et s'en va, réalisant qu'elle ne lui a même pas demandé qui avait téléphoné. Elle le sait déjà. Il avait bel et bien raison, elle devait attendre un coup de fil de son amant.

C'est très bien comme ça, songe-t-il en enfilant sa veste en cuir. Il n'est pas jaloux. Quand tout cela sera terminé, Sharon et lui se sépareront enfin. Il est ridicule de poursuivre cette mascarade.

Il sait tout d'elle. Et il commence à se demander ce qu'elle sait exactement à son sujet.

Haven Meadows mérite bien son nom, pense Paula en franchissant les grilles. Le vieux bâtiment de ferme tout en bois ressemble en effet à un havre de paix niché au cœur de ces vieux arbres aux feuilles colorées qui semblent monter la garde. C'était une propriété privée jusque dans les années 1970, avant qu'on ne le transforme en hôpital.

Paula se gare dans le parking situé à gauche de la maison et coupe le contact. Aspirant une dernière bouffée de sa cigarette, elle débranche son téléphone qu'elle avait mis à charger sur l'allume-cigare. Mitch a fini par la rappeler, lui expliquant qu'il venait de se lever. Elle l'a cru, bien entendu : il fait toujours la grasse matinée, le samedi.

Leur conversation a été brève. Il lui a assuré que tout allait bien. Paula s'est retenue de lui poser des questions au sujet du passage de Frank à l'école. Inutile de mêler son fils à leurs histoires. Cela doit rester entre Frank et elle.

— Fais attention à toi, maman, a fait Mitch avant de raccrocher.

— Je suis toujours très prudente, Mitch.

— Au fait, ils ont attrapé le type qui a tué cctte dame ?

— Non, a-t-elle répondu, contrariée. Pas encore. Mais ne t'en fais pas pour moi, Mitch, d'accord ? Tout ira bien.

Elle fourre son téléphone dans sa poche et sort de sa voiture. Ses pas crissent sur les graviers de l'allée. Le silence qui règne est seulement troublé par le gazouillis des oiseaux. Comme c'est paisible, ici…

Quand elle était plus jeune et que son père travaillait encore, il lui disait toujours qu'il ne désirait qu'un peu de calme et de paix.

À présent, tes désirs sont réalisés, papa, songe-t-elle en gravissant les marches qui mènent à la porte d'entrée. Sauf que ça n'est pas vraiment ce à quoi tu pensais.

Si l'endroit ressemble à une maison ordinaire de l'extérieur, le visiteur comprend quand il y rentre qu'il se trouve dans un lieu médicalisé. Le hall d'entrée dont le plancher devait jadis être recouvert de tapis est désormais habillé de linoléum blanc, sur lequel un éclairage au néon projette une lumière crue. Des chaises en plastique et une table basse couverte de vieux journaux constituent une petite salle d'attente à droite de la porte. Droit devant, une jeune femme en uniforme blanc trône derrière un comptoir, des rangées de classeurs dans le dos. Une odeur de renfermé et de médicaments plane.

Paula adresse un bref sourire à l'infirmière qui la dévisage d'un air interrogateur. Elle doit être nouvelle, Paula ne la reconnaît pas.

— Je m'appelle Paula Bailey, dit-elle. Je viens voir mon père, Joe Bailey.

— Ah! bonjour, madame Bailey! Votre père va être ravi d'avoir encore une visite.

Se moque-t-elle? Si c'est le cas, rien dans son attitude ne le montre. Cette jeune infirmière si détendue ne doit pas avoir plus de vingt-deux ans. Elle ne porte pas d'alliance et, vu sa silhouette parfaite, elle n'a jamais eu d'enfant. Que sait-elle de la vie d'une mère célibataire?

— Je viens quand je peux, répond-elle à l'infirmière, qui acquiesce d'un air entendu.

— Si vous voulez bien signer là, madame Bailey.

— Mademoiselle, rectifie Paula en prenant le registre sur le comptoir.

Elle y jette un coup d'œil. On a tiré un trait à l'encre au milieu de la page, sous la signature du dernier visiteur. Elle a au moins la satisfaction de constater qu'elle est la première visiteuse de la journée. Paula griffonne son nom, son adresse et son numéro de téléphone ainsi que l'heure de son arrivée.

Au moment où elle s'apprête à rendre le livre à l'infirmière, un détail attire son attention. Stupéfaite,

296

elle regarde brièvement le nom familier qu'elle voit inscrit en haut de la page, sous la date d'hier.

Nom d'un petit bonhomme, qu'est-ce que... ?

— On va remporter le concours avec notre citrouille, pas vrai, maman ? se réjouit Hunter en tapotant de la main l'énorme cucurbitacée orange.

Joël vient de la décharger avec l'aide de plusieurs messieurs. Elle repose à présent au milieu des autres candidates au concours de citrouilles, à l'abri dans un coin de la grande prairie qui va jusqu'au centre-ville.

Tasha n'a pas le cœur de dire à Hunter qu'elle a déjà vu une demi-douzaine de citrouilles plus grosses que la sienne.

— Je n'en sais rien, mon chéri, fait-elle en commençant à avancer en direction des stands. Tu as de bonnes chances de gagner le prix. Même si ce n'est pas le cas, tu peux être fier : ta citrouille est énorme. On verra bien.

— D'ailleurs, si tu ne gagnes pas c'est que le jury n'y connaît rien, renchérit Ruth, la mère de Joël.

Elle marche entre Hunter et sa sœur en leur tenant la main.

— Et si on disait tout simplement au jury de choisir la nôtre, suggère Victoria.

— C'est une idée. Tu connais les juges ?

Ivr, le père de Joël, se tourne vers Tasha qui pousse Max dans sa poussette.

— Si nous allions leur dire un petit bonjour ? Ça fait toujours bonne impression.

— Hum, je ne sais pas qui fait partie du jury.

Tasha essaie de croiser le regard de Joël, mais il semble distrait. Probablement n'a-t-il même pas écouté la conversation : il est visiblement à mille lieues d'ici. Il est comme ça depuis qu'il est revenu à la maison, après avoir déposé les affaires des enfants de Ben chez Carol.

Quand Tasha lui a demandé comment allaient les enfants, il lui a répondu qu'il n'était pas rentré, qu'il s'était contenté de remettre le sac entre les mains du beau-frère de Ben.

— Tu n'as même pas cherché à voir Ben ?

Il a secoué la tête, disant qu'il n'avait pas voulu s'imposer.

Est-ce à cela qu'il pense maintenant ? Ou est-ce encore son travail qui le préoccupe ? Ou autre chose... une chose à laquelle Tasha se refuse à penser.

Il a été si calme tout l'après-midi. Sa mère elle-même lui en a fait la remarque quand ils s'étaient tous réunis dans la cuisine pour manger les pizzas qu'avait commandées Tasha.

— Je ne te reconnais pas, Joël. Quelque chose ne va pas ? s'était inquiétée Ruth.

C'est toujours comme ça : elle s'imagine continuellement que les gens couvent quelque chose, spécialement les enfants. Elle passe son temps à leur passer la main sur le front et à faire des remarques à Tasha du genre « Elle a de la fièvre » ou « Je trouve que ce petit est bien rouge ! ».

De fait, juste avant de quitter la maison, Ruth a annoncé :

— Max a de la fièvre !

Elle tenait le bébé pendant que Tasha fourrait une couche dans le sac de Max et que Joël emmenait les grands mettre leurs manteaux.

— Mais non, avait décrété Tasha après avoir effleuré la tête du bébé.

Il était un peu chaud, d'accord, mais pas de quoi en faire un fromage.

Sans l'écouter, Ruth avait invité Ivr, puis Joël à toucher le front de Max. Elle insistait pour qu'on lui prenne sa température quand la sonnette avait retenti. Naturellement, c'était un journaliste qui voulait interroger les Banks au sujet du meurtre.

Cela avait pris Ruth au dépourvu et, Dieu merci, elle avait cessé de parler de la fièvre du bébé. Elle s'était lancée à la place dans un grand laïus, expliquant que Joël ferait mieux de déménager parce que le quartier n'était pas sûr.

— Pendant toutes ces années passées à Brooklyn, nous n'avons jamais entendu parler de meurtre, n'est-ce pas, Irv ? ne cessait-elle de répéter.

Son mari l'approuvait.

Chaque fois que sa belle-mère faisait allusion au meurtre, Tasha lui faisait signe de se taire.

— Les enfants ne sont pas au courant, lui avait-elle chuchoté à plusieurs reprises, la priant de ne pas les effrayer.

— Tu ne pourras pas éternellement le leur cacher, avait objecté sa belle-mère avec désapprobation. Ils finiront bien par l'apprendre d'une manière ou d'une autre.

Hélas ! Tasha sait bien qu'elle a raison. Lundi, quand Hunter retournera à l'école, il va forcément le découvrir. Mais elle ne se sent pas prête à le lui annoncer toute seule. Peut-être qu'avec Joël... avant qu'il ne s'envole pour Chicago.

Elle ne veut pas songer à ce voyage non plus. Jamais elle ne s'est habituée à l'idée de dormir seule dans cette maison. Comment va-t-elle faire pendant ces deux nuits où elle sera seule ? Surtout après ce qui s'est passé ?

N'y pense pas. Profite de l'instant présent.

Tasha soupire, traînant les pieds dans l'épais tapis de feuilles mortes. Elle qui se faisait une joie d'aller à ce festival d'automne… Voilà qu'elle n'a plus qu'une hâte : en finir au plus vite pour pouvoir rentrer se barricader dans sa maison.

La peur qui a commencé à germer en elle dès l'annonce de la disparition de Jane Kendall a grandi, insistante, dans son esprit. À présent, elle menace de se muer en une véritable panique si elle ne la contrôle pas.

Ne te laisse pas aller, Tasha. Ne te laisse pas déborder.

Elle jette un coup d'œil à sa belle-mère. Ruth, avec ses cheveux courts et bruns, à la mise en pli impeccable, bavarde avec les enfants et les fait sautiller en marchant.

Irv a dissimulé ses cheveux argentés sous le chapeau qu'il porte toujours quand il va «à la campagne» et marche deux pas derrière sa femme. Son visage n'exprime rien et il avance d'un pas décontracté, les mains dans les poches de son pantalon bien découpé.

Joël a perdu son air distrait et discute avec animation avec son père, d'un sujet certainement ennuyeux comme les actions en Bourse ou la politique.

Personne ne pense donc plus à ce meurtre ? Serait-elle la seule à se demander qui a tué Rachel, et pourquoi ? À s'étonner qu'une chose aussi horrible ait pu se produire dans un endroit comme celui-ci ?

Tasha regarde autour d'elle, au-delà de cette horripilante insouciance dont font preuve les membres de sa famille. La foule réunie sur la pelouse pour le festival lui semble plus éparse que celle de l'an dernier. Est-ce dû au meurtre et à la disparition ?

C'est peut-être à cause du temps, se dit Tasha en regardant le ciel chargé. La météo a prévu un coup de vent en provenance des côtes pour ce soir ou demain – sa belle-mère n'a pas cessé de le lui ressasser. Ruth, inquiète à l'idée de rentrer à Brooklyn par mauvais temps, a déjà prévenu Tasha et Joël qu'ils repartiraient avant la tombée de la nuit.

Ce qui convient parfaitement à Tasha.

Mais il ne pleut pas encore et ils ont encore du temps devant eux. L'an dernier, il avait bruiné pendant tout le festival, mais cela n'avait pas découragé la foule. Tasha s'en souvient très bien. Elle avait un ventre énorme et avait été prise d'une envie terrible de manger des beignets à la confiture de cerise. Elle avait dû faire la queue à un stand pendant des heures et, quand elle avait enfin obtenu la friandise tant convoitée, quelqu'un l'avait bousculée et elle l'avait laissée tomber par terre.

Aujourd'hui, il n'y a ni file d'attente ni foule pour la bousculer.

Les quelques groupes qui tournent en rond sur la pelouse sont étrangement calmes : des adolescents, surtout, ou des bénévoles venus aider l'association qui s'occupe du festival. Peu de familles, cette année. Elle aperçoit deux journalistes avec leur cameraman qui arrêtent les badauds pour les interviewer.

En dépassant une jeune maman qui promène deux petits enfants dans une poussette double, Tasha remarque qu'elle serre de toutes ses forces la main de son mari.

Une autre femme est assise sur un banc sous un érable au feuillage éblouissant, donnant le biberon à son bébé. Elle lève les yeux et croise le regard de Tasha, qui y lit de la défiance : la femme semble prête à prendre ses jambes à son cou.

Mais l'assassin ne frappe pas en plein jour, devant la foule, il attend que sa victime soit seule...

Et s'il frappe à nouveau...

Tasha jette un coup d'œil à la jeune mère qui nourrit son bébé. À la jeune femme qui serre la main de son mari. À son reflet dans une flaque qu'elle évite sur le trottoir.

Et s'il frappe à nouveau...
À qui le tour ?

C'est impossible.

Dissimulé dans les arbres à l'orée de la forêt, Jeremiah contemple d'un air incrédule le poteau qui se trouve dans la clairière devant lui : HIGH RIDGE PARK.

Dire qu'il n'a fait que tourner en rond...

Il est de retour à Townsend Heights.

Que faire maintenant ? Où va-t-il aller ?

Une chose est sûre. Pour rien au monde il ne passera une autre nuit seul dans la forêt. Mieux vaut encore la prison.

Il veut rentrer chez lui. Retrouver son lit. Son père... Mais après tout ce qui s'est passé, c'est impossible. Papa ne comprendra jamais.

Déchiré, Jeremiah fixe la pancarte.

Soudain une idée germe dans son esprit. Une idée géniale. Il n'est peut-être pas obligé de rentrer tout de suite chez lui. Du moins, pas chez oncle Fletch. Il n'aura pas à affronter tout de suite ceux qui l'attendent, il aura le temps de se préparer.

Il y a bien un autre endroit, un lieu où il sera en sécurité, où personne n'aura l'idée d'aller le chercher.

Personne ? C'est un risque à prendre. Mais ils y sont peut-être déjà allés et sont repartis bredouilles. De toute façon, la seule autre option qui s'offre à lui, ce sont les bois. Et la nuit va bientôt tomber...

Maintenant qu'il a pris sa décision, Jeremiah s'enfonce à nouveau dans la forêt. Il n'ose pas traverser le parc ni emprunter les rues de Townsend Heights. Il sait désormais comment rejoindre la destination qu'il s'est fixée : c'est un chemin long et détourné, mais qui lui permettra d'éviter le parc, les rues et les quartiers avoisinants. Peut-être même y parviendra-t-il avant la tombée du jour.

Mais avant d'y aller, il doit faire quelque chose. Baissant les yeux sur le paquet qu'il transporte, il regrette de ne pas avoir pris de pelle. Bah ! Il saura bien se débrouiller.

Le plus important, c'est de l'enterrer à un endroit où personne ne pourra jamais le trouver.

Paula arrive devant la chambre de son père juste au moment où une infirmière vêtue de blanc franchit la porte qui mène au couloir du deuxième étage.

Elle se précipite à sa rencontre. La plupart des portes des chambres sont ouvertes, et leurs occupants la hèlent au passage. Les gémissements pathétiques des compagnons d'infortune de son père lui donnent toujours la chair de poule. Elle se dit parfois qu'elle préfère encore le mutisme de celui-ci.

— Excusez-moi… (Paula s'arrête près de l'infirmière, qu'elle n'a jamais vue auparavant.) C'est vous qui étiez de garde à cet étage, hier ?

La femme la regarde, étonnée, avant de secouer la tête.

— Non, je ne travaille ici que le week-end.

Paula fronce les sourcils. L'infirmière à la réception lui a fait la même réponse.

— Y a-t-il quelqu'un ici qui travaillait hier ? demande-t-elle à l'infirmière, qui est repartie écrire quelque chose sur son tableau.

— Non, sauf si un des membres du personnel de semaine a été malade et que l'une d'entre nous a été appelée pour le remplacer.

— Il y a donc un personnel pour la semaine et un pour le week-end?

— Oui. Nous travaillons à mi-temps et eux à plein temps. (Elle dévisage Paula.) Vous êtes venue pour une visite ou vous désirez parler à un membre du personnel?

— Les deux, rétorque Paula. (Elle désigne de la main la chambre dont l'infirmière vient de sortir.) Mon père est ici.

— M. Bailey? (L'infirmière hoche la tête.) Pauvre homme, il a passé une nuit épouvantable.

— Je sais. Il n'a pas du tout dormi?

— C'est ce qu'il fait en ce moment. Il était si agité que le docteur est passé tout à l'heure pour lui prescrire un calmant.

— Combien de temps fera-t-il effet? interroge Paula, atterrée.

— Il risque de ne pas être très vif pendant votre visite, s'excuse l'infirmière. Mais M. Bailey n'est jamais très communicatif, de toute façon…

Elle hausse les épaules, l'air de dire: *Qu'il dorme ou non, ça ne changera pas grand-chose…*

Paula la suit dans la chambre. Celle-ci est minuscule, dotée d'une unique fenêtre. Paula, qui connaît bien les lieux, sait qu'elle donne sur les bois.

Tout est blanc ici. Les murs sont blancs. Seuls les dessins de Mitch apportent quelques taches de couleur, çà et là. Le sol est recouvert de linoléum blanc. Un gobelet blanc est posé sur la table de chevet, et Paula découvre sans surprise que deux cachets également blancs sont posés à côté du verre. D'autres somnifères, certainement.

Les draps et les couvertures du lit sont blancs, eux aussi.

Son père y est allongé. Il a le teint pâle et ses traits sont amaigris et tirés. Du blanc, encore : une masse de cheveux neigeux épars sur l'oreiller. Il a la tête renversée en arrière et ronfle doucement, la bouche ouverte.

Paula se penche au-dessus de lui, le dévisageant longuement.

— Papa ? murmure-t-elle enfin.

Pas de réponse.

À quoi s'attendait-elle ? L'infirmière l'a prévenue qu'on lui avait donné un calmant. Mais au fond d'elle-même, elle avait espéré que le son de sa voix l'aurait tiré de sa léthargie.

— Je suis là, poursuit-elle. On m'a dit que tu m'avais réclamée, je suis venue le plus vite possible.

Seuls lui répondent les ronflements réguliers de son père.

— Papa, réveille-toi, reprend-elle en lui effleurant la main. C'est moi, Paula. Allez, papa, s'il te plaît, réveille-toi.

Toujours rien.

— Papa, je t'en prie, j'ai besoin de savoir. Si seulement tu pouvais me dire...

Elle soupire en constatant l'inanité de ses efforts, mais insiste dans l'espoir insensé d'obtenir une réponse.

— Après tout ce temps, qu'est-ce que Frank est venu faire ici, hier ? Qu'est-ce qu'il t'a dit, papa ? Qu'est-ce qu'il t'a fait ?

Lassé de son jeu électronique, Mitch éteint la play-station et jette la manette par terre à côté de la télévision.

Que faire ?

Il inspecte sa chambre, passant en revue la play-station, la télévision, le lecteur de DVD et la chaîne stéréo, le lit à baldaquin recouvert d'une couette bleu et rouge, la grande armoire assortie au bureau et à la commode, le gros fauteuil bien rembourré. Une porte à double battant ouvre sur un petit dressing et une autre sur sa salle de bains personnelle. Les stores bleu marine sont à moitié tirés sur les grandes baies vitrées qui donnent sur la piscine, à l'arrière de la maison. Les étagères encastrées dans le mur sont remplies de livres achetés par sa belle-mère, soucieuse de lui faire plaisir : la série des Harry Potter, les Animorphs, Goose Bumps... Elle n'arrête pas de lui en acheter – comme si elle n'avait pas remarqué qu'il n'a pas une grande passion pour la lecture !

Il ne peut s'empêcher de comparer Shawna à sa mère : elle en fait trop et ne connaît rien aux enfants. Il la trouve envahissante, avec sa manie de passer constamment la tête par la porte de sa chambre pour vérifier que tout va bien. Il essaie d'être juste : ça part d'un bon sentiment... Mais comment lui faire comprendre qu'on ne couve pas les gens comme ça ? Sa mère ne fait jamais ça, ni son père, d'ailleurs.

Papa n'est même pas là : il est parti pour la journée. Quand Mitch s'est réveillé et qu'il est descendu, il est tombé sur Shawna, essayant de faire du pain perdu dans la cuisine enfumée. Après avoir séché ses larmes à cause du petit déjeuner raté, elle lui a expliqué que son père ne reviendrait que le soir. Contrarié, Mitch est remonté s'enfermer dans sa chambre et n'en est pas ressorti.

Il a mangé le sandwich que Shawna lui a apporté pour le déjeuner, mais s'aperçoit qu'il a encore faim – il faut dire que, à part la salade, il n'y avait pas grand-chose entre les deux tranches de pain complet, sinon une lichette de fromage et de la mayonnaise à zéro pour cent.

Shawna est une obsédée d'hygiène alimentaire, contrairement à sa mère. Mitch a passé suffisamment de temps avec sa belle-mère pour savoir qu'elle est persuadée que les gens ne devraient pas manger de viande et qu'il faut faire de l'exercice tous les jours. Et, bien sûr, que fumer est une habitude détestable. Sur ce dernier point, il partage son avis : il essaie de pousser sa mère à arrêter de fumer depuis que l'infirmière de l'école leur a distribué un petit fascicule sur les dangers du tabac – il ne veut pas que sa mère meure d'un cancer du poumon. C'est bien le seul domaine où il est d'accord avec Shawna... Mitch n'aime pas faire de l'exercice et il adore la viande.

D'ailleurs, il est maintenant tellement affamé qu'il ne peut plus rester terré dans sa chambre. Il se lève à contrecœur et sort dans le couloir en tendant l'oreille, espérant que sa belle-mère fait la sieste ou est sortie faire une course. Mais c'est malheureusement peu probable : jamais elle ne le laisserait seul dans la maison.

Il entend le timbre grave d'une voix masculine, à l'étage du dessous. Son cœur bondit dans sa poitrine : son père est de retour !

Il est déjà au bas de l'escalier lorsqu'il réalise que la voix provient de la télévision.

— C'est toi, Mitch ? s'écrie Shawna en se précipitant à sa rencontre.

Non mais... elle se prend pour mon garde du corps, ou quoi ?

À voix haute, il demande :

— Tu sais quand papa doit revenir ?

— Non. Tard, sans doute. Il ne m'a rien dit.

— Mais où est-il allé ?

— Je ne sais pas, répond-elle évasivement.

Il y a quelque chose qui cloche. Pourquoi son père ne lui a-t-il pas dit où il se rendait ? Il y a peut-être de l'eau dans le gaz... songe Mitch, plein d'espoir.

Ce serait super si papa se séparait de Shawna. Comme ça, il l'aurait pour lui tout seul quand il viendrait. Comme maman à la maison – quand elle ne travaille pas.

Mais peut-être Shawna ne veut-elle simplement pas lui dire où il est...

Il plonge son regard dans les yeux verts de sa belle-mère. Elle les a tartinés d'ombre à paupière marron en les soulignant de crayon noir, et a rajouté un truc noir sur ses cils. Elle a également mis un machin rose et brillant sur ses lèvres, et une autre couche de rose plus sombre sur ses joues.

Maman, elle, ne se maquille pas autant. Pourtant, elle est aussi jolie que Shawna, se défend-il. Mais pas de la même manière.

Shawna ressemble à une actrice de cinéma, avec ses longs cheveux blonds et lisses et son corps supermince. Elle s'habille comme une adolescente, toujours à la dernière mode, avec des jupes très courtes et des hauts qui dévoilent son ventre plat, le genre de fringues que portent les mannequins. Ses ongles sont vernis, ceux des mains comme ses orteils, et elle est toujours couverte de bijoux.

Maman, elle, s'habille normalement... enfin, comme une maman.

— Tu veux manger quelque chose ? demande Shawna.

Comment a-t-elle deviné ? En le voyant hocher la tête, son visage s'illumine.

— Je vais te préparer quelque chose.

— Je peux me débrouiller tout seul, fait-il en se dirigeant vers la cuisine.

— Non, je vais t'aider, insiste-t-elle en lui emboîtant le pas.

Mitch grince des dents en priant pour que son père se dépêche de rentrer.

Assise très droite sur le rebord du lit dans sa petite chambre du dernier étage, Margaret referme le journal posé sur ses genoux.

C'était donc cela...

À présent, clle sait. Sa sœur aussi a un secret.

Au fil des pages couvertes de l'écriture soignée de Jane, Margaret a découvert quelque chose qu'elle n'aurait jamais soupçonné, ni même osé espérer pendant toutes ces années solitaires où elle avait tant jalousé le bonheur de sa sœur... le mari de sa sœur.

Rien d'étonnant à ce que Jane ait caché ce journal dans un compartiment secret, là où Owen n'aurait jamais pu découvrir la vérité sur sa femme prétendument parfaite.

Cela change tout.

Tout.

Le cœur de Margaret bat plus vite à la perspective de ce qui s'offre à elle. Elle presse ses doigts sur ses lèvres tremblantes, des lèvres qui attendent depuis des années d'effleurer celles d'Owen. Elle pensait devoir attendre plus longtemps encore... beaucoup plus longtemps. Jusqu'à ce que la blessure se referme, jusqu'à ce qu'Owen soit à nouveau en mesure d'aimer. Impossible de savoir combien de temps cela aurait duré.

Mais désormais...

Désormais elle détient la clé qui lui ouvrira la porte qu'Owen lui a claquée au nez le jour où il a baissé les yeux du plongeoir sans même la voir, captivé par Jane.

L'heure est venue pour elle de goûter enfin à la belle vie... celle que menaient sa sœur et tant d'autres femmes sans se rendre compte de la chance qu'elles avaient.

Elle se lève et va se poster devant la glace pour examiner son reflet.

Elle décide soudain de se changer en voyant son pantalon en laine et son chemisier de soie : elle veut mettre quelque chose de plus féminin. De plus romantique.

Le problème, c'est qu'elle ne possède rien de tel dans la garde-robe sévère qu'elle a apportée dans sa valise – ni même chez elle, d'ailleurs.

Elle pourrait se faufiler dehors pour aller acheter quelque chose, mais cela retarderait le dénouement. Après toute une vie passée à se languir, Margaret ne peut plus attendre.

Il lui faut des vêtements sexy et seyants, et il les lui faut tout de suite...

Elle sait parfaitement où les trouver.

Sa décision est prise. Elle se glisse hors de sa chambre pour descendre à l'étage. Owen doit être dans son bureau. Sa mère a couché le bébé voilà plus d'une heure en annonçant qu'elle allait prendre un cachet pour dormir.

Margaret reste longtemps aux aguets dans le couloir pour s'assurer que rien ne bouge.

Puis, pour la seconde fois de la journée, elle tourne doucement la poignée de la porte et pénètre dans la chambre de sa sœur.

Tôt ou tard, ils le sauront.

Ce n'est pas la première fois que cette pensée traverse l'esprit de Fletch Gallagher. Installé devant le bar, il sirote, maussade, le whisky que Jimmy lui verse d'une main généreuse.

Ils. Il ne sait pas trop si ce pronom désigne la police de Townsend Heights, la presse bourdonnante ou Sharon. Il fixe son reflet dans la glace accrochée au-dessus du bar.

Tout ça pour en arriver là ?

Seul, ivre, assis au comptoir... essayant désespérément d'échapper à un sort inéluctable ?

Fuyant son propre regard dans le miroir, il se détourne pour tomber sur les yeux aguicheurs d'une femme assise non loin de lui.

Elle est jolie, apparemment intéressée et, surtout, remarque-t-il en voyant l'alliance en diamant qui enserre l'annulaire de sa main gauche, *elle est mariée*.

Elle correspond à tous ses critères.

Pas ce soir, décrète-t-il avec regret en brisant le charme de leur échange de regards. Repoussant son verre vide, il sort son portefeuille de sa poche.

Seule dans son salon, Karen essaie de se concentrer sur le best-seller qu'elle a acheté voilà plusieurs mois. Naïvement, elle l'avait emporté à la maternité en pensant que... Que quoi ? Qu'elle allait le lire pendant qu'elle accouchait ? Ou, plus ridicule encore... après son accouchement ?

Elle a réussi à l'ouvrir une fois ou deux après la naissance de Taylor, alors qu'elle se battait pour allaiter son bébé, croyant que cela la détendrait. Ou bien quand elle pouvait enfin aller se coucher. Mais, dès la deuxième page, soit Taylor se mettait à pleurer, soit Karen s'endormait.

En revanche, ce soir, elle doute que le sommeil vienne.

Pas avant que Tom ne rentre, en tout cas.

Il a appelé tout à l'heure pour la prévenir qu'il était toujours chez son client et en avait encore pour un moment.

Karen relit le même paragraphe pour la cinquième ou la sixième fois, tandis que dehors le vent souffle en rafales sur les arbres, cassant les branches et soulevant des tourbillons de feuilles mortes : une tempête se prépare. Un méchant coup de vent de nord-est.

Elle a vu la météo à plusieurs reprises avant d'éteindre la chaîne d'informations qu'elle a regardée toute la journée. Elle n'en peut plus d'entendre parler de Rachel et de Jane Kendall. Tout ce qu'elle désire, c'est s'échapper dans un roman.

Comme elle s'apprête à relire pour la septième fois le même paragraphe, elle entend claquer une portière de voiture. Tom ?

Le bruit vient de devant, pas de l'allée, mais cela lui arrive de se garer le long du trottoir.

Elle se lève pour jeter un coup d'œil, écartant les rideaux. Ses espoirs s'évanouissent instantanément : ce n'est pas Tom.

Une petite Honda cabossée vient de se garer devant sa maison.

À la lueur des réverbères, elle observe la femme qui en sort et se dirige vers la maison voisine. Karen la connaît vaguement : Paula Machin Chose, elle écrit dans le journal local. Elle l'a déjà croisée en ville, son carnet et son appareil photo à la main.

Contrairement à l'essaim des journalistes qui bourdonne dans la rue depuis bientôt vingt-quatre heures en sonnant à toutes les portes pour glaner des renseignements, cette femme a l'air de vouloir rendre visite aux Gallagher.

Pourquoi ?

Karen est soudain prise d'une envie irrésistible de l'arrêter pour lui raconter ce qu'elle a vu la veille, et il lui faut faire un effort pour se dominer.

Quoi qu'il arrive, évite de t'en mêler, lui a conseillé Tom en la quittant ce matin alors qu'elle lui répétait combien elle brûlait de faire part de ses soupçons à quelqu'un. Mais elle pensait à la police, alors, surtout pas à la presse.

Sa résistance commençant à faiblir, elle laisse retomber le rideau pour revenir s'asseoir sur le sofa et reprendre son livre.

Ses beaux-parents sont partis depuis longtemps et les enfants dorment déjà quand Tasha entre dans le salon, vêtue d'un pyjama en pilou tout propre. Une odeur de lessive et d'assouplissant traîne dans son sillage tandis qu'elle se laisse enfin tomber sur les coussins du canapé.

Joël s'est assoupi dans un fauteuil, la télécommande à la main, devant une partie de base-ball.

Tasha regarde distraitement le match pendant quelques secondes, mais son esprit est ailleurs.

Peu à peu, elle évacue la tension accumulée au cours de la journée. Il faut qu'elle arrête de penser à l'horrible meurtre de Rachel, qu'elle cesse de craindre que l'insaisissable assassin qui a frappé si près de chez elle ne recommence.

Cette angoisse la tourmente depuis des heures. Depuis des jours. À présent, elle souhaite seulement se détendre et, ne serait-ce que pour un moment, s'abstraire de la réalité.

Il y a peut-être quelque chose d'autre à la télévision. Cette partie de base-ball l'assomme.

Elle ne veut pas non plus écouter les informations. Un peu plus tôt, elle a pu constater que la disparition et le meurtre de Townsend Heights faisaient non seulement la une à Westchester, mais aussi à New York et sur le réseau national.

Peut-être va-t-elle trouver quelque chose de distrayant sur le câble. Il n'y a pas d'infos sur HBO ou sur Cinemax.

Alors qu'elle s'apprête à retirer la télécommande des mains de Joël, son mari remue et resserre les doigts.

— Qu'est-ce que tu fais ? marmonne-t-il, réveillé en sursaut.

— Je change de chaîne. Tu peux me passer la télécommande ?

— Mais je regarde le match.

— Non, tu dors.

Se ressaisissant, il se compose un visage attentif :

— J'étais en train de regarder cette partie de base-ball, répète-t-il.

Tasha soupire et retourne s'asseoir sur le canapé, sachant pertinemment qu'il va s'assoupir à nouveau dans quelques secondes.

Combien de fois ce rituel s'est-il répété au cours de leur mariage ?

L'époque à laquelle ça l'amusait a-t-elle vraiment existé ?

Oui.

Mais ce soir, cela l'horripile.

Pourquoi ?

Parce qu'elle a désespérément besoin de diversion pour oublier ce qui se passe autour d'elle... Et... parce qu'elle est fâchée contre Joël, fâchée de le sentir si distant... Fâchée parce qu'il s'en va demain alors qu'un assassin se balade en liberté dans Townsend Heights...

Elle regarde sans la voir la télévision où la partie de base-ball est soudain remplacée par le logo de la chaîne accompagné d'une musique qui annonce la diffusion d'un communiqué spécial.

Bien entendu, Joël ne se rend compte de rien : il s'est déjà rendormi.

Tasha se tient bien droite sur le canapé, le regard rivé sur le présentateur qui apparaît à l'écran.

— *Bonsoir. Voilà plusieurs jours que la nation tout entière a le regard fixé sur le charmant petit village de Townsend Heights, dans la banlieue chic de l'État de New York, où une femme a disparu sans explication tandis qu'une autre a été sauvagement assassinée...*

— Joël ! s'exclame Tasha en secouant son mari. Joël, réveille-toi !

— Que... ? Mais je ne dors pas, je regarde le match, répond-il machinalement avant de cligner des yeux, ébloui par la télévision.

— *Les événements connaissent une évolution tragique. Nous rejoignons sur place notre correspondant, Mike Matthews. À vous, Townsend Heights...*

Le cœur de Tasha bat douloureusement dans sa poitrine tandis qu'elle scrute le reporter avec angoisse.

Margaret descend lentement les marches qui mènent au rez-de-chaussée, s'accrochant à la rampe pour ne pas se tordre les pieds, qu'elle a serrés dans de ravissantes chaussures qui lui font un mal de chien.

Owen doit être quelque part dans le coin. Elle a entendu le téléphone sonner, tout à l'heure, juste une fois. Quelqu'un avait immédiatement décroché. Mère et Schuyler dorment encore : Margaret s'est risquée à jeter un coup d'œil dans leurs chambres pour s'assurer que personne ne viendrait la déranger.

Elle va enfin pouvoir se retrouver seule avec Owen.

Ses cheveux noirs bien brossés lui tombent jusqu'à la taille, dansant sur ses épaules tandis qu'elle descend l'escalier.

Sous le déshabillé ample de Jane, elle a revêtu la chemise de nuit de sa sœur. Un peu juste, celle-ci fait ressortir des formes que Margaret n'imaginait même pas posséder. Elle a également découvert avec audace ses jambes nues et se sent auréolée d'une puissance de séduction provocante.

Margaret a choisi un déshabillé en soie blanche, qu'elle a préféré au rouge, jugé trop agressif, et au noir, un peu vulgaire.

Le blanc est virginal.

Les mariées sont toujours vêtues de blanc.

Tandis qu'elle descend lentement l'escalier à la rencontre d'Owen, son peignoir blanc flottant derrière elle comme une traîne, Margaret se sent l'âme d'une jeune épousée.

Elle a enfilé des mules trois fois trop petites pour elle, les mules de Jane...

Un nuage de parfum flotte dans son sillage, un parfum fleuri, coûteux. Le parfum de Jane.

Elle serre dans ses mains le journal de Jane comme un bouquet.

Il n'y a que le collier de perles à son cou qui soit à elle.

Comme tu es belle, ma Margaret !

Tu le penses vraiment, papa ?

Si seulement son père était encore en vie... Il la mènerait jusqu'à l'autel.

Arrivée au rez-de-chaussée, elle se dirige vers le bureau d'Owen en voyant un rai de lumière sous la porte.

Pendant un instant, elle reste immobile dans le hall, savourant cette délicieuse attente.

Doit-elle frapper ?

Non, pas cette fois-ci. Plus jamais.

Margaret retient sa respiration en poussant fermement les deux battants de la porte : elle veut qu'il la voie se détacher dans l'embrasure comme une mariée à l'entrée d'une église.

Assis à son bureau, Owen relève la tête.

Ses joues ruissellent de larmes.

Son visage est ravagé de douleur.

Interloquée, Margaret voit sur sa figure la douleur laisser place à l'étonnement, puis à l'incrédulité.

Ouvrant des yeux ronds, il finit par balbutier, stupéfait :

— Margaret ! Qu'est-ce que...

— Owen...

Elle s'avance en lui tendant le journal, brûlant de lui révéler la vérité sur sa sœur. Sur elle, aussi.

— Ils l'ont retrouvée, déclare-t-il d'une voix étranglée en la regardant avec des yeux rougis qu'écarquille la stupeur.

Elle est tellement déconcertée de le trouver dans cet état qu'il lui faut un certain temps pour digérer ses paroles.

Puis son visage se décompose quand elle en comprend enfin le sens.

Jane.

Ils ont retrouvé Jane.

12

Une cigarette dans une main et le volant dans l'autre, Paula conduit sa Honda avec dextérité sur Townsend Avenue en direction de l'hôtel de ville, dépassant de beaucoup la vitesse autorisée.

Le quartier des affaires est toujours très calme, le samedi soir. Les rares établissements où l'on trouve à manger sont des cafés ouverts seulement le matin et à midi. Il y a bien le buffet de la gare, mais il n'attire pas les foules, même les week-ends. En réalité, ne sont ouverts les soirs de week-end que le traiteur et le kiosque à journaux, en face de la gare de Metro North.

Pourtant, ce soir, en traversant la ville pour se rendre chez Fletch Gallagher, elle a remarqué que la plupart des vitrines étaient restées allumées, des voitures étant garées un peu partout – essentiellement des camionnettes de presse et des voitures portant le sigle d'une chaîne de télévision, d'une radio ou d'un journal. Les cafés sont restés ouverts, ainsi que les petits traiteurs. Même les boutiques de luxe n'ont pas fermé leurs portes, leurs propriétaires étant visiblement désireux de profiter de la manne inespérée que représentent les journalistes qui ont envahi la ville.

Mais, pour l'heure, tout est désert. Les portes ont été provisoirement fermées, tout le monde ayant rejoint la grande salle de conférences située au sous-sol de l'hôtel de ville : une conférence de presse doit commencer, d'ici peu de temps.

Paula était assise sur le canapé à côté de l'épouse éplorée de Fletch Gallagher quand on l'a prévenue sur son portable. Elle s'est étonnée en apprenant la nouvelle : *Ils viennent seulement de la retrouver ?*

En raccrochant, elle a expliqué à Sharon qu'elle devait partir et s'est excusée pour la minibombe qu'elle avait lâchée, mais il s'était avéré qu'elle n'était pas la seule à garder un atout dans sa manche. La conversation lui avait révélé une information qu'elle ignorait totalement. Paula ne sait pas encore comment exploiter la nouvelle, elle a besoin de réfléchir avant de s'en servir.

De toute façon, ça n'est pas pour tout de suite : la police de Townsend Heights s'apprête à lâcher sa propre bombe.

Elle cherche désespérément un endroit où se garer avant de faire demi-tour vers la mairie, le pied sur la pédale de frein, regardant autour d'elle en sachant pertinemment qu'une place libre ne va pas apparaître comme par magie : personne ne partira plus avant la fin de la conférence. Même les emplacements réservés aux handicapés ont été pris d'assaut par des conducteurs audacieux, qui préfèrent être verbalisés plutôt que de manquer cet événement historique.

Paula n'a pas les moyens de s'offrir ce luxe.

Mais elle est du coin, et les flics de Townsend Heights l'ont à la bonne. Ils lui donnent un coup de main dès qu'ils le peuvent, sachant qu'elle leur renverra l'ascenseur. Après avoir réfléchi quelques secondes, elle appuie sur le champignon et vient garer sa voiture devant la bande zébrée réservée aux pompiers, juste devant la mairie, sous un panneau d'interdiction.

Fais ce que tu as à faire, se dit-elle avec humeur en regardant autour d'elle. Parfait : personne en vue. Aucun témoin.

Le cœur battant, elle s'éloigne de sa voiture. Le claquement de ses talons résonne sur le trottoir de la ville silencieuse.

— Joël, je n'arrive pas à y croire, renifle Tasha en s'essuyant les yeux avec un Kleenex tiré de la boîte qu'il est allé lui chercher après avoir répondu au téléphone dans la pièce d'à côté.

— Moi non plus, souffle-t-il en se laissant tomber lourdement sur le sofa tout près d'elle.

— Qui c'était ?

— Un journaliste qui voulait joindre Ben au sujet de l'affaire Kendall.

— Pourquoi téléphonait-il ici ? s'exclame Tasha.

— Parce qu'ils ignorent où il se trouve et qu'ils s'imaginent que nous le savons. Nous aurions dû nous mettre sur liste rouge. Quoi qu'il en soit, j'ai décroché l'appareil pour éviter qu'il ne sonne toute la nuit.

Tasha hoche la tête d'un air absent, les yeux rivés sur l'écran de télévision. Le communiqué spécial a laissé place à une conférence de presse qui vient de démarrer à l'hôtel de ville pour annoncer officiellement la nouvelle : le corps de Jane Kendall vient d'être repêché au fond de l'Hudson.

— Je savais qu'ils plongeaient et qu'ils draguaient le fleuve, confie-t-elle à son mari. Et après ce qui est arrivé à Rachel, je me doutais qu'ils... mais c'est un tel choc !

— Je m'en doute, la console Joël en lui tapotant le bras. Allez, Tasha, ça va aller.

— Pense au bébé de Jane ! À son mari ! À Ben et à ses enfants !

— Je sais, soupire-t-il d'un ton las. Mais je parle pour nous.

— Comment peux-tu être si sûr de toi ? Et si mon tour venait ?

— Voyons, Tasha !

Elle se détourne de la télévision et le dévisage. Comme il a l'air vieux ! réalise-t-elle soudain avec effroi. Ses yeux noirs sont creusés de cernes et elle voit apparaître des fils argentés sur ses tempes. Il a maigri, aussi, observe-t-elle, pleine de remords. Il faut reconnaître qu'elle lui fait moins de petits plats qu'aux premiers temps de leur mariage...

Mais ce n'est pas entièrement ma faute, se défend-elle. Il rentre rarement pour le dîner. D'ailleurs, il n'est jamais là. Qu'est-ce que j'y peux, moi, s'il ne mange rien quand il est au bureau ?

Mais c'est son mari, et elle l'aime. Elle refuse de le voir se tuer au travail.

Et si ce n'est pas son travail qui le préoccupe tant... alors c'est qu'il y a autre chose.

— Tu as faim ? demande-t-elle brusquement.

Il cligne des yeux, pris au dépourvu :

— Tu me demandes si j'ai faim ?

Elle acquiesce.

— Et toi ?

Moi, oui, répond-elle machinalement.

Avant de s'apercevoir qu'elle a bel et bien faim.

Quand a-t-elle mangé pour la dernière fois ? Elle n'a pas touché à la pizza qu'elle avait commandée pour les parents de Joël. Pas plus qu'elle n'a goûté aux beignets et aux pommes d'amour qu'ils ont achetés aux enfants aux stands du festival, pour les consoler de ne pas avoir gagné le concours de citrouilles.

De retour à la maison, elle a ouvert une boîte de macaroni pour le dîner des enfants, sans même terminer leurs assiettes en débarrassant comme elle le fait d'habitude.

Oh, oui, elle a faim ! Malgré Jane Kendall. Malgré Rachel. Malgré la peur qui se tapit et grandit en elle.

— Nous avons oublié de dîner, remarque Joël comme s'il venait de s'en apercevoir.

— Je reviens tout de suite, fait-elle en se levant.

Tout à coup, elle n'a plus envie de regarder la conférence de presse. À vrai dire, elle ne veut pas en apprendre davantage.

— Où vas-tu, Tash ?

— Je vais voir s'il y a quelque chose à manger dans la cuisine.

— Il y a de quoi faire des sandwichs ?

— Non. Ça fait un moment que je ne suis pas allée faire les courses. Je trouverai bien des hamburgers au congélateur, ou quelque chose d'autre.

— Non, Tash, s'interpose-t-il en se levant à son tour. Ne t'embête pas à faire la cuisine.

— Pourquoi ?

— Parce que... tu es au bout du rouleau.

Le timbre de sa voix la prend totalement au dépourvu.

Faisant volte-face, elle lit une sollicitude inquiète dans son regard. Et aussi autre chose.

— On va commander des plats chez le Chinois, j'irai les chercher.

— Mais tu n'aimes pas la cuisine chinoise, objecte-t-elle.

En réalité, il adorait ça, à l'époque où il vivait à New York. Pourtant, ici, à Westchester, il fait la fine bouche, prétextant qu'en banlieue ces petits traiteurs ne sont pas bons. Ça avait le don d'exaspérer

Tasha, qui chaque fois avait l'impression d'entendre sa belle-mère. Pour Ruth, rien ne vaut New York, ses Chinois, ses pizzas, ses traiteurs. Tout ce qui se situe en deçà de la frontière nord du Bronx ne vaut pas tripette.

— Toi, tu l'aimes, rétorque Joël. Tu dis toujours que tu as envie de manger chinois.

C'est exact. Mais elle n'en commande jamais quand elle est toute seule. Elle lui fait remarquer qu'elle n'a pas même le menu à la maison.

— Bah ! Ils ont tous la même carte, ici, fait-il sans aucune trace de dédain. Tu n'as pas besoin d'avoir un menu pour commander.

Il fait preuve de telles prévenances, il essaie tellement d'éviter le clash qu'elle n'en revient pas.

— Dans ce cas, tu n'as qu'à chercher le numéro du Panda Palace dans l'annuaire, lui conseille Tasha. On n'a qu'à se faire livrer, ça t'évitera de sortir avec la tempête qui se prépare.

— Non, je vais y aller pour voir la carte et commander.

Il va prendre sa veste en cuir dans le placard de l'entrée.

— Mais tu viens de dire qu'on n'avait pas besoin de carte, objecte Tasha en le suivant.

— J'ai dit que toi, tu n'en avais pas besoin. Mais moi je trouverais peut-être quelque chose qui me convient si j'en ai une sous les yeux. En plus, ça ira plus vite. Ils mettent toujours un temps fou... Même à New York, précise-t-il.

Il se sent coupable, réalise-t-elle soudain en croisant son regard. Voilà ce qu'elle lit dans ses yeux : une culpabilité mêlée d'inquiétude. il s'efforce d'être gentil avec elle. Il se rend peut-être enfin compte qu'il n'a pas été très disponible, ces derniers temps.

— Pendant ce temps, Tash, si tu montais prendre un bain ? suggère-t-il.

Comme il la voit ouvrir des yeux ronds, il précise :

— Tu as l'air tellement fatiguée. Tu as besoin de te détendre et d'oublier un peu tout ce qui s'est passé. J'ai une idée : je ferai un détour par Blockbuster et je ramènerai une cassette.

— Laquelle ?

— Une comédie, quelque chose de gai pour te changer les idées.

— Nous sommes samedi soir, lui rappelle-t-elle.

Soudain, elle s'en veut de chercher la petite bête alors qu'il manifeste une telle gentillesse à son égard. Il est si attentionné...

Mais c'est plus fort qu'elle, elle insiste :

— Il n'y a jamais rien d'intéressant à Blockbuster les samedis soir. Toutes les nouveautés sont sorties.

— De toute façon, nous n'avons rien vu depuis des mois...

— Des années, l'interrompt-elle avec une ironie désabusée.

— Oui, ça fait des années. Donc ce n'est pas très grave si ça n'est pas un film récent ?

Un repas chinois et une cassette vidéo le samedi soir. Comme au bon vieux temps. Avant la naissance des enfants et la promotion. Avant les assassinats.

— Récapitulons, reprend Joël, les clés à la main. Soupe aigre-douce, poulet aux brocolis et rouleau impérial.

— Rouleau de printemps, rectifie Tasha, surprise de constater qu'il a si bonne mémoire. À part ça, je dois admettre que tu connais mes plats préférés sur le bout du doigt !

Il lui sourit avant de disparaître dans la nuit.

Il a peut-être compris le message, se dit-elle en montant lentement l'escalier pour aller se faire couler un bain. Les choses vont peut-être enfin changer à partir de maintenant…

— C'était ton père au téléphone, déclare Shawna en rejoignant Mitch dans la cuisine.

Mitch lit une bande dessinée, attablé devant une glace gigantesque qu'elle lui a confectionnée avant que le téléphone ne sonne. Elle a décroché avant de partir dans la pièce d'à côté – sans doute pour que Mitch n'entende pas la conversation.

— Quand est-ce qu'il rentre ?

— Il n'a pas encore terminé, lui dit Shawna en rebouchant le pot de chocolat pour le ranger dans le réfrigérateur.

— Terminé quoi ?

— Je n'en sais rien, Mitch. Tu veux encore un peu de glace avant que je ne la range ? propose-t-elle en lui tendant la boîte.

Il secoue la tête.

Elle en mange une cuillerée avant de lancer la cuillère dans l'évier et de refermer la boîte de glace.

— Miam. C'est bon, fait-elle en se léchant les lèvres.

— Alors pourquoi tu n'en prends pas ?

— Ça fait grossir.

Mitch lève les yeux au ciel, écœuré. Elle prend toujours une lichette de tout ce qui est bon, se nourrissant exclusivement de salades.

— Tu veux jouer à quelque chose ? s'enquiert Shawna.

— À quoi ?

Il s'ennuie tellement qu'il est prêt à jouer à n'importe quel jeu de société idiot, même avec elle.

— Aux cartes, propose-t-elle. (Comme elle voit qu'il semble intéressé, elle ajoute :) Pour de l'argent. Allez viens, je vais t'apprendre à parier.

— Ah ! fait-il en haussant un sourcil.

Elle n'est peut-être pas si nulle que ça après tout.

Si, se persuade-t-il en sentant monter en lui une bouffée de loyauté à l'égard de sa mère. Mais ce relent de culpabilité ne l'empêchera pas de jouer aux cartes avec Shawna : tout est bon à prendre pour tuer le temps en attendant le retour de son père.

Karen repose le téléphone sans fil en grinçant de frustration. La ligne de Tasha est occupée depuis plus d'une heure. Sait-elle seulement qu'ils ont retrouvé le corps de Jane Kendall ?

Karen n'en aurait rien su si elle n'avait pas abandonné son roman pour allumer la télévision juste au moment où l'on diffusait le communiqué spécial.

La nouvelle n'aurait pas dû la surprendre. Ne pressentait-elle pas depuis le début que Jane était morte ?

La police n'a établi aucun lien avec le meurtre Leiberman.

Mais n'a pas conclu au suicide.

Jamais tu n'as cru que Jane s'était donné la mort, se rappelle Karen. C'était absurde, en dépit de ses antécédents familiaux.

Karen avait vu Jane avec sa fille semaine après semaine, au *Gymboree* et chez *Starbucks*. Une mère aussi folle de son bébé ne l'aurait jamais abandonné de son plein gré...

Il a bien fallu que quelqu'un pousse Jane de cette falaise.

Tout comme quelqu'un a assassiné Rachel dans son lit.

À nouveau, elle compose le numéro de Tasha.

Toujours occupé.

Merde !

Il faut qu'elle lui raconte ce qu'elle a vu Jeremiah faire. Tasha saura lui dire si oui ou non elle doit rapporter les faits à la police. Instinctivement, elle sent qu'elle doit le faire, surtout maintenant.

La seule chose qui la retient, c'est la répugnance de Tom à la voir se mêler de cette affaire.

Mais Tom n'est pas là…

Tasha sera de bon conseil, songe Karen en composant une fois de plus le numéro de son amie.

Fletch Gallagher rentre chez lui pour trouver une maison vide. La petite Lexus de Sharon n'est pas là. Les lumières extérieures sont allumées, comme beaucoup d'autres à l'intérieur de la maison, plus que de coutume. Pourquoi le salon est-il illuminé alors qu'on n'y va jamais ?

Il va éteindre avant de revenir dans le hall, où il s'arrête pour remonter le thermostat. Cette demeure est glacée et, dehors, il gèle.

Une musique bruyante vient d'en haut. Une musique d'ados, avec des basses qui résonnent. Une des filles a dû oublier d'éteindre la chaîne. Ou alors…

— Jeremiah ? appelle Fletch en grimpant les marches quatre à quatre.

La musique vient bel et bien de la chambre de son neveu.

Fletch traverse le couloir à grandes enjambées et frappe à la porte.

La musique s'arrête net.

— Qui est là ? demande une voix.

Une voix féminine.

Fletch ouvre la porte pour découvrir Lily et Daisy vautrées sur le lit de leur frère. Lily a la télécommande dans la main et Daisy tient une pile de CD.

— Coucou, oncle Fletch, fait Lily avec un petit geste amical.

— On voulait voir ce que rendaient nos CD sur la chaîne de Jeremiah, explique Daisy.

— Il ne nous en reste plus qu'un à écouter, reprend Lily. Ça ne te dérange pas ?

— Où est votre tante ?

— Elle est sortie.

— Et elle vous a laissées toutes seules ? (Fletch fonce les sourcils : ce n'est pas le genre de Sharon.) Où est-elle allée ?

— Je n'en sais rien, répond Lily. Elle a juste passé la tête par la porte pour nous dire qu'elle reviendrait plus tard.

Elle est sortie !

La colère gagne Fletch. Il a appelé Sharon voilà moins d'une heure pour savoir s'il y avait du nouveau – personne n'avait téléphoné. Elle lui avait promis de rester près du téléphone comme elle l'avait fait toute la journée avant de lui demander, soudain irritée, où il était.

— Au gymnase.

— Quand comptes-tu rentrer ?

— Bientôt, avait-il répondu avant de raccrocher.

Mais elle ne l'a pas attendu. Sa femme a visiblement trouvé quelque chose de plus intéressant à faire... Quelque chose de plus important à ses yeux que d'attendre des nouvelles d'un neveu porté disparu ou d'un beau-frère en poste à l'autre bout du monde.

Fletch a sa petite idée sur le sujet.

— Personne n'a appelé ? demande-t-il à ses nièces. Elles secouent la tête.

— Depuis combien de temps écoutez-vous cette musique à pleins tubes ?

Elles se dévisagent mutuellement.

— Depuis un moment, fait Lily en désignant la pile de CD dans les mains de sa sœur. On les a tous écoutés.

Elles n'ont pas pu entendre la sonnerie du téléphone. Ni Sharon appeler son amant avant de partir.

Bah, ça n'a aucune importance ! Fletch n'a pas besoin de preuves pour confirmer ses soupçons.

— Moi aussi, je m'absente un moment, déclare-t-il brusquement à ses nièces. Je vous demanderai juste un petit service, les filles. Baissez le volume, ne serait-ce que pour entendre la sonnerie du téléphone...

— Au cas où ce serait Jeremiah ? interroge Daisy.

Il hoche la tête.

— Ou ton beau-père. Aidan a forcément eu mon message et il va rappeler d'un moment à l'autre. Si vous tombez sur lui, ne lui racontez pas que Jeremiah a disparu, je le lui dirai moi-même. Dites-lui seulement de ne pas bouger et que je le rappelle dès mon retour.

— Où vas-tu, oncle Fletch ?

— Chercher votre tante.

De retour dans sa chambre, hors d'haleine, Margaret arrache les vêtements de Jane et, comme une folle, entasse pêle-mêle le peignoir, la chemise de nuit et les chaussures par terre, à côté du lit.

Elle aperçoit sa propre chemise de nuit en pilou avec son col montant accrochée derrière la porte. Toute sa vie elle a porté des chemises de nuit comme ça. On dirait qu'elle y est condamnée.

Nue à l'exception des perles qui brillent autour de son cou, elle ferme les yeux pour chasser la vision de cette chemise de nuit, pour tenter d'effacer la scène qui vient de se dérouler dans le bureau d'Owen.

Mais c'est impossible.

L'affreux scénario se déroule à nouveau sur l'écran de ses paupières.

Owen la dévisage dans un silence horrifié tandis qu'elle lui assène la vérité, toute la vérité. Sur Jane. Sur elle-même. Sur les sentiments qu'elle éprouve pour lui.

Fermant les yeux si fort qu'ils lui font mal, elle opère un quart de tour pour se rattraper au montant du lit, afin de supporter le terrible coup de bélier que lui inflige cette vie cruelle.

Malgré la mort de Jane et, ce qui est plus douloureux encore, malgré la trahison de Jane, Margaret n'aura jamais l'homme qu'elle aime.

Il lui a bien fait comprendre que, même morte, Jane conserverait à jamais ce que Margaret n'a jamais réussi à obtenir.

Quand Owen s'est-il mis à sangloter ? À quel moment, pris de nausée, s'est-il penché au-dessus de sa corbeille à papier ? Quand son chagrin et son incrédulité se sont-ils transformés en colère ? Quand lui a-t-il ordonné de quitter la pièce ?

Dieu merci, la vision se brouille à présent !

Hébétée, Margaret ouvre à nouveau les yeux.

Elle se retrouve à l'autre bout du lit, devant la fenêtre qui donne sur le devant de la maison, et aperçoit Harding Place, un peu plus loin, où campent encore la presse et les badauds. Leur nombre avait diminué ces derniers jours car le meurtre Leiberman occupait le devant de la scène mais, avec la révélation de ce soir, ils sont revenus en force. Les caméras braquées sur la maison, les projecteurs, les policiers, les gardes du corps engagés par Owen pour barrer la route aux indiscrets, tous, ils attendent derrière les barricades...

Margaret observe un moment ce chahut indescriptible, se sentant l'âme d'un prisonnier enfermé dans son donjon.

Mais, comme quelques jours auparavant, elle a une illumination : non, elle n'est pas prisonnière de cette maison. Il lui reste une issue.

Elle se rhabille prestement, remet son jean trop neuf, de grosses chaussettes et un col roulé sombre par-dessus son collier de perles. Elle a besoin de ses perles. Des perles de son père. Cela lui donnera le courage de faire ce qui l'attend.

Habillée de pied en cap, enveloppée d'un manteau bien chaud, elle s'agenouille pour sortir la valise qu'elle a glissée sous son lit. Elle a tout rangé dans la commode et dans le placard en arrivant, au début de la semaine. Tout, à l'exception de deux choses.

Ouvrant sa valise, elle en retire les deux objets, qu'elle fourre dans les grandes poches de sa parka à capuche. Elle prend ensuite une lampe torche dans le tiroir de sa table de nuit.

Elle est parée.

Jetant un dernier regard autour d'elle, elle se convainc qu'il n'y a pas d'autre solution. C'est ainsi, elle a échoué lamentablement dans ses derniers efforts pour repousser l'inéluctable, scellant à jamais son destin dans le bureau d'Owen.

Tandis qu'elle descend l'escalier de la maison silencieuse, ses sens aux aguets perçoivent des bruits inhabituels. Le tic-tac de la grosse horloge de Grand-Mère dans le hall d'entrée. Le ronronnement de l'énorme réfrigérateur dans la cuisine. Le bourdonnement qui monte de la foule, de l'autre côté des grilles. Et sa propre respiration saccadée, qui lui semble de plus en plus bruyante.

Elle referme la porte du sous-sol derrière elle et balaie l'escalier très raide avec le faisceau lumineux de sa lampe, avant de s'enfoncer dans les entrailles de la vieille demeure.

Il fait froid, en bas. Froid et humide. Des toiles d'araignée effleurent son visage tandis qu'elle passe d'une cave voûtée à une autre. Le cellier. Le germoir. La cave à charbon.

Elle arrive enfin au dernier mur, de pierre celui-là, qui reste des fondations creusées il y a plus d'un siècle. Margaret ouvre la porte mal équarrie d'une petite resserre à outils. Le faisceau de sa lampe éclaire quelques outils rouillés accrochés aux murs. Il n'y a rien d'autre dans la petite pièce.

Ce n'est pas tout à fait exact. Margaret frissonne en sentant quelque chose se faufiler près de ses pieds alors qu'elle y pénètre.

Tenant fermement sa lampe torche d'une main pour éclairer le mur du fond, elle tâtonne à la recherche du verrou secret que Jane lui a montré.

Après une secousse, le mur du fond dévoile une porte.

Une porte qui conduit à un tunnel souterrain qui la mènera hors de la maison, dans les bois, loin des caméras et des projecteurs.

Margaret franchit le palier et referme la porte derrière elle, serrant sa lampe dans une main, vérifiant de l'autre qu'elle a tout ce qu'il faut dans sa poche.

La photo.

Et le couteau de boucher.

Enveloppée dans sa robe de chambre en pilou, Tasha descend l'escalier en traînant les pieds dans ses gros chaussons fourrés, se demandant ce que peut bien trafiquer Joël.

Cela fait bientôt une heure qu'il est parti chercher le dîner et une cassette...

Dans le hall d'entrée, elle va coller son nez à la fenêtre. Le vent souffle fort et il commence à pleuvoir : une petite pluie fine qui vient cogner sur les carreaux, mais Tasha sait qu'une tempête est prévue pour le week-end.

Avec un peu de chance, Joël devra annuler son voyage pour Chicago, songe-t-elle, pleine d'espoir.

Et si elle lui demandait tout simplement de ne pas y aller ?

Avant son subit changement d'humeur, elle n'aurait jamais osé. Mais il a été si gentil avant de sortir... il se rend peut-être enfin compte qu'elle a vraiment besoin de lui. Il acceptera peut-être de dire à son patron qu'il ne peut faire le voyage.

Tasha se promet de le lui demander dès qu'il rentrera.

Où peut-il bien être ?

Combien de temps faut-il pour commander un repas chinois et louer une cassette vidéo ? Bien sûr, il a fallu qu'il attende qu'on lui prépare sa commande, chez le traiteur. Et il a sûrement dû perdre du temps au vidéoclub. Sans compter que le Panda Palace et le vidéoclub sont tous les deux situés en dehors de la ville.

Mais même en tenant compte de tous ces paramètres, il devrait être revenu depuis longtemps.

Et s'il lui était arrivé quelque chose ? Un accrochage ? Un tête-à-queue ?

Mais il l'aurait forcément appelée...

Inquiète, Tasha fait les cent pas dans la cuisine.

Alors que son regard se pose sur le combiné du téléphone, elle sent déferler en elle comme une vague de soulagement.

Bien sûr ! Joël avait décroché à cause des journalistes. Il a sûrement essayé de la prévenir qu'il était retardé, mais sans succès.

Tasha raccroche le combiné, espérant qu'il va se mettre à sonner ou, mieux encore, que Joël va bientôt franchir le pas de la porte.

Tu aurais mieux fait de ne pas venir ici, Sharon. Tu aurais dû te fier à ton instinct, mais la curiosité l'a emporté, pas vrai ?

Regardez-moi cette écervelée qui patauge dans le sol marécageux envahi d'herbes folles... Toutes les cinq minutes, elle lance un coup d'œil apeuré par-dessus son épaule, comme si elle avait peur d'être espionnée. Mais elle n'a pas l'idée de regarder devant elle, au-delà de la resserre. D'ailleurs, elle ne verrait rien. C'est vraiment la cachette idéale, dissimulée par l'obscurité et par les lilas touffus qui bordent la cabane.

Ah! Sharon!

Même de loin, dans la nuit sombre et à travers ce rideau de pluie, elle est ravissante... Quel corps sublime! Et ses longs cheveux blonds...

Devine-t-elle qu'elle n'en a plus que pour quelques instants ? Qu'elle est sur le point de rendre son dernier soupir ? Comprend-elle qu'elle ne vaut pas mieux que les autres, qu'elle n'est pas différente d'elles ?

Encore quelques pas et elle sera dans la position idéale.

Un...

Deux...

Trois...

Elle lève les yeux et reste bouche bée :

— Ô mon Dieu! s'exclame-t-elle. J'ai eu une de ces frousses! Qu'est-ce que...

Elle comprend alors, et sa surprise se transforme en terreur, puis le masque de la souffrance se peint sur son visage horrifié tandis qu'on lui tire brutalement les cheveux en arrière et que la lame vient lui trancher la gorge.

Enfin arrivé à destination, Jeremiah frissonne, trempé jusqu'aux os. Dieu merci, il ne pleut pas depuis très longtemps. Il parcourt les derniers mètres qui le séparent de son but dans les bois envahis par la brume, sur un terrain désormais familier. La clairière n'est plus qu'à quelques pas de là. Il meurt de faim. Et de sommeil.

Il n'a rien mangé de la journée : il n'a pu se résoudre à avaler quoi que ce soit dans la forêt. Il a bu dans un ruisseau glacé une eau qui avait un petit goût de métal, mais il avait le gosier tellement sec que ça lui était égal.

Il trouvera peut-être quelque chose à manger dans le potager qu'il a planté au printemps avec les jumelles. Les daims ont probablement dévoré les tomates et les haricots qui ont survécu aux gelées, mais on ne sait jamais... Il reste aussi les citrouilles, qui n'ont pas toutes la taille de celle qu'il était censé présenter au concours avec ses sœurs. Il se dit qu'il pourra peut-être couper un morceau d'une petite citrouille en utilisant la hache de son père, à supposer qu'elle soit encore dans la resserre.

Jeremiah, qui tremble de tous ses membres, se souvient qu'on gardait aussi deux vieilles couvertures dans l'abri. Ils s'en étaient servis au cours d'une expédition sur la côte du Jersey et Melissa n'avait pas voulu les laver pour ne pas abîmer sa machine avec le sable. Du coup, Jeremiah les avait rangées sur une étagère à côté des bougies parfumées à la citronnelle, des sacs de terreau et des produits pour traiter les rosiers. Elles y étaient encore, la dernière fois qu'il était venu.

Si la maison n'est plus qu'une ruine calcinée, la resserre, le jardin et la balançoire des filles n'ont pas changé d'un pouce. Jeremiah sait que son père a l'intention de mettre la propriété en vente dès son retour du Moyen-Orient.

Et ensuite? Aidan n'a quand même pas l'intention de les laisser vivre *ad vitam aeternam* chez oncle Fletch et tante Sharon...

Après tout ce qui s'est passé, Jeremiah a du mal à envisager l'avenir. Tout ce qu'il sait à l'heure qu'il est, c'est qu'il risque d'être accusé de meurtre et de passer le restant de sa vie en prison.

Il avale sa salive. Sa gorge lui fait mal, après deux jours passés dans cet air froid et humide. Tandis qu'il franchit la limite du jardin, gagné par les mauvaises herbes, il pleut de plus en plus fort et le sol devient boueux.

Le potager d'abord, la resserre ensuite.

C'est alors qu'en apercevant le jardin, il se fige.

Non...

C'est impossible.

Il essaie de se persuader qu'il s'agit d'une vision provoquée par la pluie et le brouillard. Il avance d'un pas.

Un hurlement s'échappe de sa gorge lorsqu'il comprend enfin que le spectacle abominable qui s'étale devant ses yeux n'est pas un mirage.

Paula se précipite vers l'agent Mulvaney, qui se tient devant sa voiture garée sur l'accès réservé aux pompiers. Le carnet de contravention à la main, il hoche la tête.

— Oh! Brian, désolée! s'exclame-t-elle en le hélant.

Il se retourne, étonné, et l'aperçoit au milieu de la foule qui sort de la conférence de presse.

— Salut, Paula!

— C'est ma voiture, s'excuse-t-elle en agitant ses clés. Impossible de me garer, tout à l'heure, pas la moindre place devant chez moi ni dans tout le quartier, même le parking de la gare était plein.

— Je sais. C'est d'ailleurs là que je dois me rendre tout à l'heure, fait-il en lui désignant d'un geste la masse bruyante des journalistes. Je n'arrive pas à croire que ces imbéciles n'aient pas vu le panneau de la fourrière... Il faut une autorisation spéciale pour se garer là-bas.

— Ils s'en moquent éperdument. Tout ce qui les intéresse, c'est le papier qu'ils doivent rendre. Moi aussi, d'ailleurs, reconnaît-elle.

C'est délicat de lui demander carrément de ne pas la verbaliser mais, avec un peu de chance...

Il esquisse un large sourire et déchire la contravention qu'il rédigeait.

— Mouais, mais toi tu es du coin, Paula. C'est la moindre des choses. J'allais faire venir la fourrière. Je commence à en avoir plein les bottes de voir cette ville envahie par des inconnus. Et on dirait que ça n'est pas près de se calmer.

— Merci, Brian. Tu ne peux pas savoir comme je te suis reconnaissante. C'est le deuxième service que tu me rends, aujourd'hui.

Son sourire s'efface et il la prévient à voix basse :

— Ouais, mais ne souffle mot à personne du premier. Je veux dire... ne parle pas de celui-ci non plus... mais une amende déchirée, c'est fréquent. Alors que laisser pénétrer un journaliste sur les lieux du crime... ça ne passerait pas !

— Ne t'inquiète pas, Brian. J'ai juré de me taire. Ça m'a bien aidé pour mon article, tu sais, pour trouver le ton juste... ment-elle.

Bientôt, ce sera elle, et non la police municipale, les détectives chevronnés ou les célèbres reporters de New York, qui fera rebondir les affaires Kendall et Leiberman en révélant des indices que personne n'avait décelés. Alors Brian Mulvaney se rendra compte, comme tout le monde ici, qu'il sous-estimait les talents de Paula...

— Vraiment, je te remercie, Brian, reprend-elle. Je sais tout le travail que tu as en ce moment, avec toutes ces histoires...

— Eh bien si le bureau du coroner écarte l'hypothèse du suicide en ce qui concerne Jane Kendall, tu auras matière à travailler, crois-moi ! (Il secoue la tête.) Non mais, tu te rends compte... Deux femmes assassinées à Townsend Heights.

Trois, rectifie mentalement Paula. *Tu as oublié Melissa Gallagher. Pas moi...*

*
* *

Tasha, qui s'était assoupie sur le canapé, se réveille en sursaut en entendant des pas dans la cuisine. Le cœur battant, elle appelle :

— Joël, c'est toi ?

Et si c'était quelqu'un d'autre ? songe-t-elle, affolée. Son regard se pose sur les ustensiles posés contre la cheminée, de l'autre côté de la pièce. Peut-elle atteindre le tisonnier et s'en servir comme d'une arme avant qu'on ne l'attaque ?

— C'est moi.

— Dieu soit loué !

Soulagée, elle se lève en se frottant les yeux et regarde l'horloge. Elle s'est assise voilà cinq minutes pour l'attendre et le sommeil l'a terrassée. Elle est si fatiguée qu'elle n'a qu'une envie : monter se coucher, mais elle sent le fumet appétissant du repas chinois. Il faut qu'elle mange, d'abord.

Joël est allé le chercher spécialement pour elle.

Elle se rend dans la cuisine et voit son mari en train d'accrocher son imperméable dégoulinant d'eau sur une patère.

— Que t'est-il arrivé ? demande-t-elle.

— C'est un vrai déluge, dehors. Voilà tout.

Il retire ses chaussures trempées et va les poser sur le paillasson, puis enlève ses chaussettes.

— Ça n'est pas ce que je voulais dire : pourquoi as-tu mis tant de temps ? (Elle jette un coup d'œil au sac rempli de boîtes blanches.) Je me suis inquiétée.

— J'ai essayé de t'appeler mais j'avais décroché le téléphone, tu te souviens ?

— Je sais, je viens de m'en rendre compte. Que s'est-il passé ?

— Le Panda Palace était plein à craquer. Il y avait des gens venus dîner là, et d'autres, comme moi, qui passaient chercher des plats à emporter, mais en plus le téléphone n'arrêtait pas de sonner. Alors le temps de passer ma commande et de me faire servir… et puis ensuite le vidéoclub…

— C'est vraiment gentil de ta part, le remercie-t-elle en prenant des serviettes dans un tiroir et en emportant le dîner dans le salon. Quel film as-tu loué ?

— Le Steve Martin qui est sorti l'an dernier.

Elle sait de quel film il s'agit : elle l'a déjà vu sur le câble, un soir où elle l'attendait. Mais elle ne se sent pas le courage de le lui dire, après tout ce qu'il a fait pour elle ce soir, alors elle se contente de répliquer :

— Bonne idée !

— Je monte me changer et je reviens dans cinq minutes.

À peine a-t-elle déposé les plats dans le salon que le téléphone sonne. Tasha soupire. Encore un journaliste... Tout en allant répondre, elle décide de brancher le répondeur, la prochaine fois, ou alors de décrocher à nouveau maintenant que Joël est rentré.

— Tasha ? C'est moi.

— Oh ! salut, Karen ! Je croyais que c'était encore un de ces fichus journalistes.

— Ils continuent à t'appeler ?

— Il y a eu une accalmie et puis ils ont recommencé. Tu as de la chance d'être sur liste rouge.

— Tu connais Tom : M. Chacun-chez-soi. (Karen reprend d'une voix sourde :) Tu as appris la nouvelle, pour Jane ?

— Oui, c'est affreux.

— Épouvantable, je ne peux pas m'empêcher de penser à cette petite fille si mignonne qui n'a plus de maman.

— Moi aussi. Je crois que je me doutais que ça finirait comme ça, mais ça fait tout de même un choc.

— Oui. Tasha, il faut que je te raconte quelque chose qui me tracasse. Tu connais le neveu de Fletch Gallagher ?

Fletch Gallagher. Comme toujours, la seule mention de ce nom la met mal à l'aise.

— Oui, je vois qui c'est. C'est lui qui est venu garder les enfants de Rachel la nuit où...

— Exactement.

Karen raconte à Tasha qu'elle a vu Jeremiah Gallagher fouiller dans l'abri de jardin de son oncle et disparaître dans les bois avec un paquet. Depuis, elle ne l'a pas revu.

— Tom prétend que je suis complètement paranoïaque et que je me mêle de ce qui ne me regarde pas, mais quelque chose me dit que cela a peut-être un rapport avec la mort de Rachel.

340

Tasha réfléchit. Elle connaît à peine Jeremiah mais, à première vue, c'est un gamin plutôt solitaire. Ce qui ne veut pas dire pour autant qu'il soit capable de commettre un meurtre, mais on ne sait jamais. En plus...

— Et Jane, alors ? Si elle a été assassinée, elle aussi, tu crois qu'il y est mêlé ? Je ne vois aucun lien entre eux.

— Je ne sais plus quoi penser, avoue Karen. Tout ce que je sais, c'est que son comportement m'a paru suspect et que deux femmes sont mortes. Tom me conseille de rester à l'écart. Qu'en penses-tu ?

— Honnêtement, je ne sais pas, lui répond Tasha au moment où Joël revient dans le salon en pantalon de survêtement. (Il lui lance un regard interrogateur.) Attends, je vais demander son avis à Joël.

— À quel sujet ? demande ce dernier. Avec qui parles-tu ?

— C'est Karen.

Elle lui explique rapidement de quoi il retourne.

— Crois-tu qu'elle devrait aller le dire à la police ?

— Absolument, répond Joël sans la moindre hésitation. Ils ont déjà des doutes au sujet de ce gosse. C'est probablement un renseignement important.

— Joël te conseille d'appeler la police.

— J'ai entendu, soupire Karen.

— Tu vas le faire ?

— Je verrai après une nuit de sommeil. Si j'arrive à dormir. Tom doit rentrer tard ce soir, et j'ai la trouille.

— À qui le dis-tu ! Si tu as besoin de quoi que ce soit, Joël et moi, nous sommes là, d'accord ?

Tasha raccroche. Son mari lui tend une paire de baguettes et une boîte.

— Tu en as pris un quart entier ? s'étonne-t-elle en voyant la taille du carton.

— Je me suis dit que tu pourrais le terminer demain soir, quand je serai parti, fait-il en soulevant le couvercle d'une autre boîte.

Tasha fait glisser les baguettes hors de leur emballage en papier, réfléchissant à ses derniers mots. Puis elle pèse soigneusement les siens :

— Alors, tu es toujours décidé à partir, demain soir ?

— Pourquoi pas ? demande-t-il, surpris.

— À cause de tout ce qui se passe en ce moment, Joël.

Elle s'oblige à rester calme, presque détachée. Elle ne se sent pas de force à affronter une dispute. En outre, elle ne veut pas que Joël soit sur la défensive, cela ne ferait que renforcer sa détermination. Mais, à en juger par son expression, il y a peu de chance qu'il annule son voyage.

— Écoute, Tasha, finit par déclarer Joël. Si c'était en mon pouvoir, je resterai ici. Mais mon travail en dépend...

— Joël, *nos vies* en dépendent peut-être ! La mienne et celle des enfants.

C'est réussi : elle qui voulait rester calme !

— Si tu as peur...

— J'ai quand même de bonnes raisons d'avoir peur, non ? Deux de mes amies viennent d'être assassinées...

— Va t'installer chez mes parents.

— Non, déclare-t-elle tout net. C'est impossible. Hunter doit aller à l'école...

— Il a manqué vendredi, il peut manquer un autre jour. Il n'est qu'en maternelle, Tash, il s'en remettra.

— De toute façon, je ne supporte pas d'entendre ta mère répéter que nous sommes des imbéciles d'avoir déménagé ici, dans cet endroit si mal famé et...

— Elle ne le dira pas, Tasha.

— Enfin, Joël, redescends sur terre ! s'écrie-t-elle dans un accès de frustration. Elle a passé sa journée à nous le répéter.

Comme à son habitude, Joël planait à mille lieues de là, plongé dans des pensées dont elle ignore tout mais qui occupent tout son temps.

— Eh bien fais comme moi et ignore-la, lui conseille Joël d'une voix douce qui la fait bouillir.

Tout paraît toujours si simple avec lui…

Il a peut-être raison, souffle une petite voix raisonnable dans la tête de Tasha. Mais elle est étouffée par son exaspération, sa peur et son chagrin. Elle veut que Joël lui dise : Au diable mon travail, je vais rester pour vous protéger.

Mais il ne le fera pas.

Elle jette les baguettes sur la table et se lève.

— Où vas-tu ?

— Me coucher, lance-t-elle par-dessus son épaule tandis qu'elle se dirige vers l'escalier.

— Et ton dîner ?

— Je n'ai pas faim. Ça me fera des restes pour demain. Quand tu seras parti !

C'est seulement lorsqu'elle est couchée, seule dans son grand lit, que les larmes jaillissent. Dehors, le vent et la pluie se déchaînent. Elle espère que Joël va monter pour lui demander pardon.

Mais juste avant de basculer dans le sommeil, elle réalise qu'il ne viendra pas.

*
* *

Le téléphone se met à sonner au moment où Fletch entre dans la maison. Il se rue dans la cuisine pour décrocher, sans se soucier des traces de boue qu'il laisse sur le sol.

— Allô ?

— Fletch ?

La voix de son frère le prend au dépourvu : il s'attendait à tomber sur David ou sur l'un des détectives qui cherchent Jeremiah, ou encore sur le gosse lui-même.

— Qu'est-ce qui se passe, sacré bon sang ? (La voix d'Aidan grésille sur les ondes. Fletch ignore si c'est dû à l'éloignement ou à la tempête.) On m'a dit de te rappeler en urgence.

— Pourquoi as-tu mis si longtemps ?

— Je n'ai pas le droit de te le dire, répond son frère. J'ai été injoignable pendant plusieurs jours.

Fletch comprend que son frère doit participer à une opération militaire ultrasecrète. Ce n'est pas la première fois. Il lui a fallu également plusieurs jours pour le joindre, après la mort de Melissa. Il ne peut s'empêcher de trouver que son frère n'agit pas de façon responsable, maintenant qu'il est veuf, en partant si loin et en étant si difficile à contacter.

Mais ce n'est pas à lui de juger. Quoique... Après tout, c'est lui qui a la charge des enfants d'Aidan quand son frère est absent.

En quelques mots, Fletch lui dépeint la situation. Son frère reste longtemps silencieux.

Puis il demande :

— Est-ce que la police est revenue voir Jeremiah ?

— Mon avocat pense que ce n'est qu'une question de temps. Ils ignorent qu'il a disparu. Mais quand ils l'apprendront, cela ne jouera pas en sa faveur.

— Certainement pas, approuve Aidan. Écoute, Fletch. Je vais me débrouiller pour rentrer le plus vite possible.

— Combien de temps cela prendra-t-il ?

— Aucune idée. Si Jeremiah réapparaît, dis-lui de ne pas bouger. J'arrive.

— Mouais, grommelle Fletch en raccrochant.

Tu vas revenir. Mais combien de temps resteras-tu ? Le temps qu'il faudra pour résoudre les problèmes. Et puis tu repartiras jouer au petit soldat à des kilomètres alors que tes gosses ont besoin d'un héros ici, à la maison.

Mais qui est-il pour juger son frère ? Il n'est pas un héros, lui non plus.

Qui faut-il blâmer, alors ? Pas lui. Ni Aidan.

Une seule personne est responsable de ce que sont devenus Fletch et Aidan, et cette personne est leur père. Sans lui, ils auraient vécu normalement. Mariés, heureux avec leurs enfants.

Alors qu'aujourd'hui...

Avec un gros soupir, Fletch monte l'escalier. Il est sûr que ses nièces dorment profondément dans leur chambre et qu'il aura son lit pour lui tout seul.

Par des nuits comme celle-ci, Eric Stamitos a envie de changer de job. Tout sauf ça. Il préférerait encore travailler sur l'équipe de nuit du *Queens*, le petit restaurant de son père. Il l'a fait pendant des années, après l'école. Et puis il a rencontré Elena, s'est marié, a quitté New York, et il a fallu qu'il trouve des petits boulots pour les faire vivre. Sa mère à lui n'a jamais travaillé, pas même au restaurant, son père s'en vantait. Eric ne veut pas qu'Elena travaille, elle non plus.

Voilà pourquoi il a accepté de conduire la dépanneuse les week-ends, quand on le lui a proposé à la station-service où il est mécano pendant la semaine. C'est un bon boulot, la plupart du temps. Sauf en hiver, quand on l'appelle pour remorquer les belles voitures tombées dans le fossé parce que leurs frimeurs de propriétaires conduisent trop vite sur le verglas. Ou par des nuits comme celle-ci, où il tombe des cordes et où les rues sont remplies de contrevenants qui ne respectent pas la signalisation et se fichent d'aller rechercher leur voiture à la fourrière.

Eric laisse tomber en soupirant sa cigarette allumée dans le cendrier et s'arrête devant la dernière voiture qu'il doit enlever du parking de la gare. Contrairement aux autres, celle-ci est de la région. C'est un bijou, la dernière Lexus SUV. Non seulement elle n'a pas de badge, mais en plus son conducteur a pris une place réservée aux handicapés. C'est du joli !

Eric met la dépanneuse en position de remorquage avant de sortir pour arrimer les chaînes sur la Lexus. C'est alors qu'il se rend compte que la portière avant gauche est ouverte.

C'est rare de voir ça, même par ici.

Bah ! Ça va lui faciliter la tâche. Il ouvre la porte pour s'asseoir et mettre le levier de vitesse au point mort. Un parfum léger flotte dans l'habitacle. Cette voiture est d'une propreté ! Pas une trace de boue sur les tapis ni sur les housses, et rien ne traîne sur le tableau de bord.

Mais il sent quelque chose sous ses fesses.

Il s'empare du rectangle de bois qui se trouve sous son derrière et l'examine.

Bizarre…

Cette voiture est tellement nickel qu'il aurait juré que ses propriétaires n'avaient pas d'enfants. C'est pourtant bien un puzzle qu'il tient entre ses mains.

Il représente une comptine que lui chantait sa mère lorsqu'il était enfant :

Pierre la fripouille, aime les citrouilles…

Eric fourre le puzzle sous le siège et met la SUV au point mort, puis remonte dans son camion pour achever son travail.

*
* *

Ce devait être la dernière.

Sharon.

Mais ça, c'était avant, quand tout n'était qu'un plan – chacun sait que les plans sont soumis à des modifications. Il y a parfois des complications inattendues.

Mais ça n'a aucune importance, ce sera mieux ainsi. Avec cette dernière touche, toutes les pièces du puzzle vont s'emboîter parfaitement.

Tasha.

Est-ce qu'elle se doute de quelque chose?

Sent-elle que le piège va se refermer sur elle alors qu'elle est couchée dans son lit dans l'aube pluvieuse de ce dimanche de tempête?

Peut-être dort-elle paisiblement sans se douter qu'avant la tombée de la nuit son petit univers tranquille va voler en éclats?

Dors bien, Tasha. C'est peut-être la dernière fois...

Dimanche 14 octobre

13

Tasha se réveille en entendant la pluie tambouriner sur le toit.

Bercée par ce bruit, elle roule paresseusement sur le flanc en se pelotonnant sous la couette quand son regard tombe sur le réveil. Il est midi passé !

Midi...

Midi ?

Comment a-t-elle fait pour dormir si longtemps ?

Elle bondit hors de son lit, remarquant au passage que seul son côté du lit est froissé. Les souvenirs de la soirée de la veille reviennent. Joël a dû dormir sur le canapé du salon.

Mais... Et les enfants ? Ils sont forcément debout, à cette heure-ci. Pourquoi ne sont-ils pas venus la réveiller ? Pourquoi ne les entend-elle pas ?

Elle se précipite dans le couloir. Les portes des chambres sont ouvertes, les stores relevés pour laisser entrer la lumière trop rare.

— Hunter ? Victoria ? Max ?

Elle passe d'une chambre à l'autre et sa voix résonne bizarrement à ses propres oreilles. L'étage est désert.

Tout comme le reste de la maison. Elle le devine, elle l'entend, elle le sent. Sans même avoir besoin de descendre. Ce silence est anormal, tout comme cette maison bien rangée.

Dans la cuisine, elle voit que les manteaux ne sont plus accrochés près de la porte.

Où sont-ils partis ? Les enfants… et Joël ?

Le cœur battant, elle se force à ne pas paniquer. Bien sûr que les enfants vont bien. Ils sont forcément avec leur père.

Mais cela n'arrive jamais.

Jamais elle ne se réveille si tard.

Et jamais Joël ne sort avec tous les enfants. Il rechigne déjà pour en emmener un lorsqu'il va faire une course, alors les trois…

Mais alors…

Où sont-ils passés ?

Pourquoi cet affreux pressentiment ?

Jamais Joël ne laisserait quelqu'un leur faire du mal, se dit-elle. C'est leur père. Son devoir est de les protéger, tous les trois. Tous les quatre.

À nouveau, la petite question insidieuse vient la tracasser : s'il est là pour les protéger, pourquoi les abandonne-t-il dans cette ville où un tueur s'acharne sur de jeunes mères au foyer ?

*
* *

Fletch raccroche avec des gestes lents. On vient de le prévenir que la Lexus de sa femme a été retrouvée en stationnement illégal devant la gare et qu'elle est à la fourrière.

— C'était Aidan, oncle Fletch ? demande Lily.

Il lève les yeux et aperçoit sa nièce à la porte de sa chambre. Daisy se tient derrière elle. Elles sont encore en pyjama, les cheveux ébouriffés. Si Sharon était là, elles seraient déjà lavées, habillées, et leurs lits seraient faits.

— Non, ce n'était pas lui, répond-il distraitement. Mais il a appelé hier soir.

— On a bien essayé d'entendre le téléphone, s'excuse Daisy. Mais on était trop fatiguées.

— On pensait qu'on l'entendrait de notre lit, mais on a dû s'endormir, renchérit Lily.

— C'est pas grave : je l'ai entendu, moi.

— Alors, qu'est-ce qu'il a dit en apprenant la fugue de Jeremiah ? demande Daisy.

— Il va rentrer.

— Quand ?

Fletch hausse les épaules et son regard passe d'une jumelle à l'autre.

— Dès que possible. Je suis sûre qu'il ne va pas tarder.

Les deux sœurs se regardent.

Daisy reprend :

— Où cst tante Sharon ?

— Je n'en sais rien, répond Fletch en dissimulant son embarras.

— Elle n'est pas rentrée de la nuit ?

— Je ne crois pas.

— Tu crois qu'elle aussi s'est sauvée ?

— Ça m'étonnerait, lui répond Fletch. Bon, et si vous alliez vous habiller, toutes les deux ? Je vais aller prendre une douche.

Elles s'en vont.

Il referme la porte derrière elles. Au bout d'un moment, il la ferme à clé.

Puis reprend le téléphone.

La salle d'attente des visiteurs est toujours pleine, le dimanche après-midi à Haven Meadows.

À son arrivée, Paula a trouvé la rangée de chaises en vinyle occupée par toutes sortes de visiteurs : de silencieuses épouses aux cheveux gris, des enfants avec des bouquets de fleurs ou des boîtes de chocolats enrubannées, des tout-petits se poursuivant entre les rangées de chaises que leurs parents essaient de faire taire...

Avec un peu de chance, Paula n'en aura pas pour très longtemps. Elle s'attarde certains jours, mais parfois, comme hier, par exemple, elle ne fait que passer.

L'infirmière à l'accueil la reconnaît et lui sourit.

— Vous êtes la fille de M. Bailey, n'est-ce pas ?

— C'est exact.

La femme lui tend le registre des visiteurs.

— Si vous voulez bien signer ici, je vais appeler là-haut pour savoir si vous pouvez monter. Signez en bas de la page, précise l'infirmière.

— Merci, marmonne Paula en prenant son temps.

Cette fois, pas de trace de Frank. Mais les visites d'aujourd'hui commencent sur la page précédente. Il est peut-être revenu hier après son passage. Va-t-elle se risquer à tourner la page pour vérifier ?

L'infirmière est occupée au téléphone.

Paula jette un coup d'œil furtif à la rangée des noms de la veille : elle aperçoit le sien. Pas celui de Frank.

— C'est bon, vous pouvez monter, lui dit l'infirmière. Votre père dort, mais il devrait bientôt se réveiller.

— On lui a encore donné des calmants ? demande Paula alors qu'entre un groupe de femmes âgées qui semblent sortir tout droit d'une église.

— Vous n'aurez qu'à demander à l'infirmière de service, répond la femme en se tournant pour accueillir les dernières venues.

Paula grimpe au deuxième et fronce le nez. Ça sent le chou bouilli, le désinfectant et le vieux.

Elle ne va pas s'attarder.

Son père n'a pas changé de position, depuis la veille. Sa respiration est calme et régulière. Pour une fois, le couloir est désert. Elle referme néanmoins la porte – c'est autorisé, pendant les visites.

— Salut, papa, fait-elle en s'asseyant précautionneusement au bord du lit. C'est moi, Paula. Me revoilà. Je voulais savoir comment tu allais.

Pas de réponse.

Elle scrute son visage, sa peau qui ressemble à un vieux parchemin : sillonnée de rides et de plis. Il paraît si vieux, si vulnérable.

— Papa, je sais que Frank est venu te voir, reprend Paula d'une voix douce. Pourquoi ? Papa, si tu m'entends, ouvre les yeux. Réponds-moi.

Silence.

Elle le dévisage et les souvenirs remontent à la surfacc.

Pas seulement le passé récent, quand il vivait avec elle et Mitch dans son minuscule appartement de Townsend Heights… Mais aussi le bon vieux temps, quand elle était petite fille et ne rêvait que d'une chose : être avec lui. Rien qu'eux deux. Il la prenait sur ses épaules et lui faisait faire le tour de leur petit appartement du Bronx, il la faisait sauter en l'air en faisant semblant de la lâcher. Sa mère coupait court à ce jeu qu'elle jugeait dangereux. Paula lui en voulait terriblement. Elle lui en voulait pour un tas de choses…

Mais cela remonte à si longtemps…

Ça n'a plus d'importance aujourd'hui.

Elle a d'autres soucis, d'autres problèmes.

Elle se mord les lèvres et s'empare de la main de son père.

— Papa ? répète-t-elle. Papa, tu m'entends ?

Accrochée à son parapluie pour empêcher que le vent ne le lui arrache des mains, Karen se hâte de gravir les marches du commissariat de Townsend Heights. C'est étrange de constater qu'on peut vivre dans une ville depuis plusieurs années et passer tous les jours devant un bâtiment sans même savoir à quoi il ressemble, vu de l'intérieur.

Elle referme son parapluie ruisselant et essuie ses pieds sur le paillasson avant de pénétrer dans une pièce de taille moyenne sur laquelle donnent plusieurs portes et des fenêtres intérieures qui mènent à des bureaux individuels.

Elle relève la présence d'une fontaine, du drapeau américain et d'une plante verte placée trop loin de l'unique fenêtre pour pouvoir bénéficier de la lumière. Quelques chaises en plastique sont disposées près de la porte. En face d'elle se trouve un bureau derrière lequel est assis un agent en uniforme.

— Puis-je vous aider ? demande-t-il en la voyant hésiter.

J'y suis, songe-t-elle en s'avançant, se demandant encore si elle ne va pas regretter sa décision. Tom n'a pas été très enthousiaste, ce matin, lorsqu'elle lui en a fait part. Mais il a accepté de garder Taylor pendant qu'elle se rendait au commissariat. Il valait mieux y aller plutôt que de téléphoner : ainsi, ils pourront se rendre compte qu'elle n'est pas du genre sournois ni concierge.

C'est du moins ce qu'elle espère.

Elle toussote et s'adresse au sergent dont le visage poupin est rasé de frais. Il n'a pas plus de vingt-cinq ans. Elle ne va tout de même pas se laisser intimider par quelqu'un de son âge, même si c'est un policier.

— Je voudrais vous faire part d'une information au sujet de l'affaire Leiberman, lâche-t-elle enfin.

Il hausse les sourcils. Il ne s'attendait visiblement pas à ça. Il devait croire qu'elle venait se plaindre pour un P-V ou à cause du chien du voisin.

— De quoi s'agit-il ?

— J'habite à Orchard Lane. Je sais quelque chose qui pourrait vous être utile dans votre enquête.

— Une seconde ! fait le sergent.

Il attrape le téléphone et aboie dans le combiné :

— Où est Summers ?

Il attend une minute avant de déclarer :

— Dans ce cas, dites à Ed de me rejoindre. J'ai ici quelqu'un qui sait quelque chose sur l'affaire Leiberman.

— *Peut-être*, corrige Karen.

Sans relever, il raccroche.

— Asseyez-vous, dit-il. Quelqu'un va venir.

Elle n'a pas fait deux pas qu'une porte s'ouvre et qu'un petit homme chauve et costaud se précipite sur elle. Il porte un polo qui le serre et un pantalon qui aurait besoin d'être repassé.

— Je suis le détective Matteo, se présente-t-il. Suivez-moi.

Il escorte Karen jusqu'à un petit bureau sans fenêtre et referme la porte derrière eux. Puis il lui offre l'unique chaise de la pièce et s'assied sur le bureau couvert de paperasses. Il respire bruyamment, sans doute gêné par sa corpulence.

Il commence par prendre ses coordonnées, rien que de très normal mais elle se sent mal à l'aise. Tom serait furieux s'il voyait ça. Mais il est trop tard pour reculer.

— Alors, mademoiselle Wu, vous prétendez savoir quelque chose sur le meurtre Leiberman ?

— Je n'en suis pas sûre... (elle s'interrompt)... mais j'ai assisté à une scène qui m'a paru étrange.

— Si vous me la décriviez ?

Elle s'exécute. À son grand soulagement, il ne se moque pas d'elle, ne lui reproche pas de lui faire perdre son temps. Il écoute attentivement et prend des notes.

C'est alors qu'il lui dit quelque chose qui la prend complètement au dépourvu.

Il y a une heure environ, Fletch Gallagher a signalé deux disparitions : celle de sa femme et celle de son neveu.

La Ford Expédition verte vient se garer dans l'allée peu après 13 heures. Joël et les enfants sont à l'intérieur. Tasha fait les cent pas dans le salon, un œil sur la télévision et l'autre sur la fenêtre.

Elle a mis la chaîne météorologique, d'abord parce qu'elle se fait du souci à cause du mauvais temps, mais aussi parce que les autres chaînes ne diffusent que du football ou alors les événements relatifs aux meurtres de Townsend Heights.

Tasha sort à leur rencontre.

— Maman, on a eu des Happy Meals ! s'égosille Victoria en faisant irruption dans la maison avec ses frères. (Elle agite un petit jouet en plastique.) Tu as vu mon cadeau ?

— Regarde le mien, fait Hunter en lui montrant presque la même chose. Tu sais, maman, Victoria n'a pas fini ses Chicken McNuggets et papa lui a quand même donné son cadeau. Moi je lui ai dit que tu le lui donnais seulement si elle mangeait tout !

— Ça n'a pas d'importance, lui dit Tasha en déposant un baiser sur son front et sur celui de Victoria.

Puis elle tend les bras à un Max enthousiaste que Joël lui tend sans la regarder.

— Maman, pourquoi tu as dormi si tard ? demande Victoria.

— Papa te l'a déjà dit, intervient Hunter, excédé. Elle n'arrête pas de poser la même question, maman.

— Et qu'est-ce que papa a répondu ? demande Tasha en ôtant à Max sa veste polaire toute mouillée.

— Que tu étais très fatiguée et que tu avais besoin de récupérer du sommeil en retard.

Tout en accrochant son manteau au mur, Joël appelle Hunter :

— Viens ici, mon coco.

Aidant son fils à se débarrasser de son manteau, il lui conseille :

— Enlève tes chaussures, le sol est tout propre.

Tasha baisse les yeux en s'apprêtant à protester mais il a raison : le sol est immaculé. Est-ce lui qui a nettoyé ? Elle avait bien vu qu'il avait rangé la maison, mais n'avait pas remarqué que le lino n'était plus constellé de miettes et de taches poisscuses.

— Je me demandais où vous étiez passés…

Elle parle à la cantonade mais, en réalité, c'est à Joël qu'elle s'adresse.

— Nous sommes allés nous promener et après nous avons déjeuné. Pas vrai, les enfants ?

— C'était super-rigolo, maman, explique Victoria. Même si Max a pleuré tout le temps parce qu'il voulait te voir.

— Ah bon ?

Tasha embrasse le petit crâne de son bébé.

— Il a été très sage, n'est-ce pas, les grands ? Il a même mangé des frites.

— Des frites ?

Tasha ne lui en a encore jamais donné. Mais elle retient à temps la remarque qu'elle s'apprêtait à faire à cause des enfants.

— Il faut que j'aille préparer mes affaires, déclare Joël en se retournant vers Tasha. Je dois partir pour l'aéroport dans une heure.

— Entendu.

Elle hausse les épaules. Certaines choses ont changé, d'autres non.

— Et le mauvais temps? lance-t-elle alors qu'il monte l'escalier. D'après la météo, la tempête devrait culminer ce soir et demain.

— J'ai appelé l'aéroport. Il y a des retards, mais la plupart des vols sont maintenus. Il faut que j'y aille, Tasha.

— Je sais.

— Papa m'a dit qu'il me rapporterait un très gros cadeau de Chicago, annonce Victoria.

— Il n'a pas dit « très gros », la reprend Hunter. Et il rapportera des cadeaux à tout le monde.

— Même à maman, hein, papa?

Tasha voit le regard de Joël se poser sur Victoria puis revenir sur elle.

— Même à maman, acquiesce-t-il avant de monter l'escalier.

Mitch regarde son père piquer sa fourchette dans son assiette de raviolis tandis que Shawna, assise entre eux, picore une salade verte sans assaisonnement.

— Peux-tu me passer le fromage, Mitch? demande son père.

Mitch attrape le bocal de parmesan, se sert au passage et le lui tend. Il enroule les spaghettis autour de sa fourchette en se servant de sa cuillère, comme son père le lui a enseigné.

— Non, comme ça! intervient ce dernier en avançant sa fourchette pour lui faire une démonstration. Allez, essaie maintenant.

Mitch s'exécute maladroitement. Il réussit à en avaler une bouchée mais aspire les pâtes de telle façon qu'il se retrouve tout barbouillé de sauce.

Shawna éclate de rire et lui tend une serviette.

— Tu aimes ce restaurant, Mitch ? demande son père.

— Je le trouve super.

Papa adore aller dans les restaurants italiens, c'est lui qui a proposé de venir déjeuner ici.

Mitch pensait qu'avec ce temps affreux, ils seraient restés à la maison.

D'ailleurs, il y a peu de monde, dans ce petit restaurant situé près de la bretelle de sortie de la voie express qui mène à Long Island. On entend des bruits de vaisselle et de casseroles à chaque fois que la serveuse entre et sort de la cuisine.

La voilà qui revient pour s'assurer qu'ils n'ont besoin de rien.

Le père de Mitch commande un deuxième Coca et, sans lui demander son avis, en demande un pour Mitch. Shawna refuse de reprendre un autre verre de vin blanc, elle a à peine touché au premier.

Aujourd'hui, elle l'agace moins que d'habitude, sans doute parce qu'ils se sont bien amusés, hier soir, en jouant aux cartes : Mitch a gagné plus de dix dollars.

— Mitch, fait son père quand son assiette est presque vide. J'ai quelque chose à te dire.

— À quel sujet ?

Le regard de Mitch passe de son père à Shawna, qui plonge du nez dans son verre.

— Je voudrais te proposer de venir vivre avec nous pour de bon.

Mitch le regarde, pétrifié.

— Est-ce que ça te plairait ?

— Tu veux dire... Que je vienne habiter avec Shawna et toi au lieu de vivre chez maman ?

— Exactement.

Il repose ses couverts et, soudain, il a très mal au ventre.

— Il est arrivé malheur à maman ?

— Non, s'empresse de répondre son père. Elle va bien, Mitch. Mais nous avons réfléchi : la meilleure solution serait que tu viennes vivre ici, ce serait mieux pour tout le monde.

— Jamais maman ne sera d'accord, déclare Mitch.

Son père jette un coup d'œil à Shawna.

À quoi pensent-ils, tous les deux ?

— Hier, j'ai passé l'après-midi chez mon avocat pour que tu puisses venir vivre chez moi puisque ta mère ne peut pas...

Shawna l'interrompt, lui lançant un regard dont Mitch ne saisit pas le sens.

— Tu aimes bien venir nous voir ici, pas vrai, Mitch ?

Elle tend la main vers lui, mais il la repousse et se lève brusquement :

— Ne me touche pas ! s'écrie-t-il, au bord des larmes. Tu n'es pas ma maman. Jamais tu ne seras ma maman !

Quand la sonnette de la porte retentit, Fletch interroge du regard le détective Summers, assis en face de lui devant la table de la salle à manger.

— Ils vont le retrouver, déclare-t-il à Fletch qui sait que ce « ils » se réfère aux deux agents en uniforme qui l'accompagnent.

Fletch s'appuie sur le dossier de sa chaise, les bras croisés, et regarde son avocat assis à ses côtés, qui hausse les épaules et se frotte la barbe.

Un moment plus tard, il entend une voix masculine dans le hall d'entrée. À sa grande stupéfaction, son frère entre dans la pièce.

— Aidan, je ne m'attendais pas à te voir arriver si vite ! s'exclame-t-il en se précipitant vers la silhouette familière encore en uniforme.

— Je me suis dépêché.

Terrifié, il sent qu'il va s'effondrer dans les bras de son frère. Mais il reprend vite son sang-froid, espérant que ni le détective ni l'homme de loi n'ont remarqué ce moment de faiblesse. Il refuse de leur laisser voir ou imaginer plus qu'ils n'en savent déjà.

Il présente son frère aux deux hommes et le prévient que les jumelles sont en sécurité à l'école. Elles ignorent que Sharon a disparu.

— Toujours pas de nouvelles de Jeremiah ? interroge Aidan en se laissant tomber sur une chaise et en frottant ses yeux cernés. Il n'a pas dû beaucoup dormir.

— Pas encore, répond Fletch. Mais il y a autre chose...

Aidan se tourne vers le détective

— Ouoi donc ? Oue se passe-t-il encore ?

— Votre belle-sœur a disparu, elle aussi, déclare le détective Summers d'un ton lugubre.

— Sharon a disparu ? (Aidan en reste bouche bée.) Depuis quand ?

— Elle n'est pas rentrée la nuit dernière et on a retrouvé sa voiture abandonnée sur le parking de la gare. On est en train de l'examiner pour trouver des empreintes.

Aidan effleure le bras de son frère.

— Je suis navré.

Fletch hausse les épaules.

— Je sais que c'est improbable, à cause de sa voiture qu'on a retrouvée... et aussi à cause de tout ce qui s'est passé. Mais je me dis qu'elle est peut-être partie de son plein gré. J'expliquais justement au détective Summers que Sharon voyait... disons... des amis... que je ne connaissais pas. Des messieurs.

— En d'autres termes, elle avait un amant, résume brutalement le détective.

— Un ou plusieurs amants, acquiesce Fletch.

Aidan accuse le coup. À moins qu'il ne fasse semblant à cause de la présence du détective.

— Sharon ?

— Vous avez l'air surpris, monsieur Gallagher, remarque Summers.

Aidan bredouille quelque chose avant de s'effondrer sur sa chaise à côté de Fletch. Il se tourne vers son frère :

— Ça va, Fletch ?

Que répondre à ce genre de question ? Fletch choisit de se taire et reporte son attention sur le détective.

Summers avale une gorgée du café qu'il avait apporté avec lui. Il doit être tiède ou froid, maintenant. Fletch se demande machinalement s'il doit leur proposer un café chaud.

Mais il ne sait même pas se servir de la cafetière de la cuisine. C'est toujours Sharon qui prépare le café quand ils reçoivent du monde. Elle s'occupe toujours de tout.

Fletch attend qu'en lui se manifeste physiquement l'absence de sa femme : par une souffrance ou par le sentiment d'avoir perdu quelque chose.

Mais non, il ne sent rien, il est comme anesthésié.

Il croise soudain le regard du détective fixé sur lui et se détourne, gêné, en espérant que l'homme ne lit pas dans ses pensées.

— Joël ! Tasha le hèle sur le pas de la porte alors qu'il s'apprête à monter dans sa voiture pour se rendre à l'aéroport. Tu as oublié de me laisser ton itinéraire !

Il relève la tête, pressé :

— Je n'en ai pas, cette fois-ci.

Comment ? Sa réponse prend Tasha au dépourvu. Quand il part en voyage, son agence lui donne toujours un papier avec tous les renseignements concernant les vols et les diverses réservations, ainsi que les numéros de téléphone des hôtels où il descend. Le rituel veut qu'il le colle sur le frigo pour que Tasha puisse le joindre en cas d'urgence. Quelque part, ça la rassure de connaître son numéro de vol : ainsi, elle peut appeler l'aéroport ou vérifier sur Internet que son avion est bien arrivé. Joël est censé l'appeler dès son arrivée, mais il oublie parfois. Et elle se fait toujours un sang d'encre quand il prend l'avion.

Mais aujourd'hui, tandis qu'il se préparait à partir, ses angoisses n'avaient rien à voir avec la sécurité aérienne.

Après avoir fait ses bagages, il les avait hâtivement embrassés avant de filer dehors avec sa valise et son attaché-case.

Impuissante, Tasha le voit monter dans sa voiture.

— Je t'appellerai dès que je serai arrivé et je te donnerai le numéro de téléphone de mon hôtel, lance-t-il. C'est le Park Hyatt.

— Et ton vol ?

Elle doit hausser la voix pour couvrir le bruit de la pluie.

— Je ne le connais pas par cœur, Tasha.

Il a l'air un peu contrarié.

— Quelle compagnie ?

— United. Je pars de La Guardia.

— Vers O'Hare ? Et l'heure de décollage et d'atterrissage ?

— Il décolle dans une heure et demie et je dois enregistrer mes bagages, Tash ! (Il regarde sa montre.) Il faut absolument que j'y aille ! Au revoir !

Sur ces mots, il claque la portière de la voiture.

Elle le regarde faire marche arrière dans l'allée. Il a allumé les phares et mis les essuie-glaces.

— Maman ?

Elle baisse les yeux : Hunter se tient à ses côtés.

— Tu es toute mouillée, observe-t-il.

Il a raison. La pluie a trempé son jean et son sweat-shirt.

— Viens, mon chéri, rentrons nous mettre au sec.

— J'aurais bien aimé que papa reste avec nous au lieu de prendre l'avion.

Moi aussi, songe-t-elle en refermant la porte avant de s'assurer que le verrou et la sécurité sont bien mis.

À voix haute, elle reprend :

— Ne t'inquiète pas, Hunter, il sera vite de retour.

— Quand ?

— Demain soir.

— Quand je serais couché ?

— Je n'en sais rien.

Pourquoi ne lui a-t-il pas laissé son itinéraire, cette fois-ci ? Il n'en avait vraiment pas ?

Mais non, pourquoi mentirait-il ?

Tu ne lui fais plus confiance, constate-t-elle avec tristesse.

— Qu'est-ce qu'on va faire, maintenant que papa est parti ?

— Et si on jouait à ton jeu de pêche à la ligne ?

— C'est un jeu de bébé, se plaint Hunter.

— Oui, mais comme ça Victoria pourra jouer avec nous, fait remarquer sa mère, bien que l'argument n'ait aucune influence sur Hunter.

Elle réussit néanmoins à le convaincre en lui promettant de les emmener dîner dehors.

N'importe quoi pour oublier que Joël est parti et qu'ils sont tout seuls.

L'annonce de la disparition de Sharon arrive aux oreilles de Paula *via* son portable alors qu'elle rentre de la maison de retraite. Elle s'empresse de rejoindre la foule des journalistes qui a migré de l'autre côté d'Orchard Lane, telles des fourmis attirées par du miel.

En attendant la conférence de presse, il n'y a rien d'autre à faire que de regarder la pluie tomber devant la maison en assistant aux chassés-croisés des détectives et des policiers. Un des derniers venus, un petit nouveau que Paula a déjà vu, arrive avec des cafés sur un plateau. Des quolibets fusent dans les rangs des journalistes, et les oreilles du pauvre gosse virent à l'écarlate, sous sa casquette. Paula essaie de croiser son regard pour lui montrer qu'elle n'est pas comme eux, mais il fixe obstinément la pointe de ses souliers jusqu'à ce qu'il disparaisse dans la maison.

Georges DeFand est là. Paula réussit à l'éviter mais, après avoir passé une heure à faire le pied de grue, elle sent une petite tape sur son épaule.

— Il te faudrait un parapluie plus grand, plaisante-t-il en l'accostant.

Évidemment, le sien est immense, superbe, une vraie tente avec un beau manche en bois sculpté. Elle grince des dents, accrochée à son vieux parapluie auquel il manque une baleine, et demande d'un air détaché :

— Pourquoi ? Je ne suis pas mouillée.

Il hausse les épaules :

— Comment ça va ? Tu as des pistes ? Après tout, tu es du coin, tu travailles en terrain connu, toi.

— Tu ne t'imagines tout de même pas que je vais te donner mes infos, Georges ? rétorque-t-elle d'un ton léger, que dément son regard assassin.

— On dirait bien que nous avons affaire à un tueur en série, commente DeFand. Déjà trois victimes !

Quatre, rectifie mentalement Paula en se demandant si les autres vont faire le rapprochement avec le meurtre de Melissa Gallagher. Hélas ! Avec ces vautours, ça ne devrait pas tarder. Elle va devoir faire vite, sinon elle perdra son avance.

— Si tu veux bien m'excuser, Georges, je dois passer un coup de fil.

— Tu n'as pas de portable ?

— Si, mais ma batterie est à plat.

— Prends le mien, offre-t-il en lui tendant son téléphone sophistiqué.

— Non, merci, je préfère appeler en privé.

Elle se rend dans une cabine téléphonique voisine. Au départ, elle pensait remettre cet appel à plus tard, mais tout prétexte est bon pour fausser compagnie à ce salaud de Georges DeFand.

La ligne des Banks est occupée.

Elle attend un peu sous son parapluie dégoulinant avant de refaire une tentative.

Pas de chance.

Elle décide qu'il ne lui reste qu'une seule solution : aller chez Tasha et sonner en espérant qu'elle voudra bien lui ouvrir.

Eloise Danforth Knowles va se recueillir tous les jours sur la tombe de son défunt mari, qu'il pleuve ou qu'il vente. Norbett est mort il y a six mois, emporté par un cancer du côlon.

Par un jour comme celui-ci, où tombe une pluie glaciale de plus en plus drue, Eloise regrette de ne pas avoir choisi un mausolée plutôt qu'une tombe : elle pourrait ainsi passer plus de temps à raconter à feu son époux la vie des siens.

Elle gare avec précaution sa grande Lincoln noire sur l'allée de gravier déserte et se promet de rester seulement quelques minutes. Les routes sont glissantes et le soir tombe de plus en plus tôt. Elle préfère ne pas se laisser surprendre par la tempête.

Nouant soigneusement son capuchon imperméable sous son menton, elle attrape la rose rouge posée sur le siège avant. Elle amène tous les jours une rose à son mari, qu'elle coupe, avant de venir, dans le jardin de leur maison de Bedford.

Elle traverse la pelouse détrempée, accrochée à son parapluie noir, se félicitant d'avoir pensé à changer de chaussures. Elle a eu la bonne idée d'enfiler des bottines fourrées.

En dépassant la rangée de monuments aux patronymes familiers, elle se rappelle qu'elle doit téléphoner avant la fin de la semaine au marbrier à qui elle a commandé la pierre tombale de Norbett. Elle veut qu'elle soit aussi belle que celle du caveau des Bancroft ou, mieux encore, que celle des Armstrong...

Eloise s'arrête net.

Elle reste figée devant le caveau des Armstrong avant de pousser un cri strident, perçant, qui ne s'arrête plus...

Terrorisée, Eloise Knowles fait demi-tour. Elle court comme elle ne l'a jamais fait en quatre-vingt-cinq ans, pour fuir la vision grotesque et insoutenable qui s'est imposée à elle.

— Fletch, « toyfactory.com », ça vous dit quelque chose ? interroge le détective Summers en revenant dans la salle de séjour après s'être absenté pour appeler sur son portable.

— Jamais entendu parler, rétorque Fletch en se redressant sur le canapé avant de jeter un coup d'œil à Aidan, qui lui aussi hausse les épaules.

— C'est un catalogue de vente par correspondance, leur explique le détective. Ils prennent aussi les commandes par téléphone. Ils proposent des jouets, voyez-vous : des poupées, des jeux, des puzzles.

— Mes enfants sont trop grands, objecte Fletch.

— C'est ce que nous nous sommes dit, remarque Summers. C'est pourquoi il nous a paru étrange que vous leur ayez passé une commande par téléphone, il y a quelques semaines.

— Hein ? Moi ?

Fletch s'éclaircit la voix, regarde son frère et se retourne vers Summers :

— Ça m'étonnerait, monsieur le détective.

— Vous avez commandé plusieurs puzzles en bois pour enfants. Niveau… jardin d'enfants. Vous voyez ce que je veux dire ?

— Je vois très bien de quelle sorte de puzzle il s'agit, mais je n'en ai jamais commandé ! Qu'est-ce que…

— Trois puzzles ont été débités sur votre carte de crédit. Ils ont été livrés par UPS dans votre cabane située à côté de Liberty.

— Mais cela fait un temps fou que je n'y suis pas allé ! proteste Fletch. Comment peuvent-ils prétendre que j'ai signé des reçus à la cabane…

— Je n'ai pas dit que vous avez signé un reçu. UPS ne se soucie visiblement pas de réclamer des signatures, là-bas : leur livreur se contente de déposer les paquets sous l'auvent.

— Peut-être bien, mais je n'ai jamais commandé de puzzle et je ne comprends pas pourquoi...

— Pourquoi cette question ? coupe Aidan. Qu'est-ce que ces puzzles viennent faire là ?

— On en a découvert un dans la voiture de votre belle-sœur, monsieur Gallagher, explique le policier. Je n'entrerai pas dans les détails, mais un puzzle similaire a été retrouvé sur la table de la cuisine de Rachel Leiberman. Disons que, rétrospectivement, cela jette un nouvel éclairage sur le meurtre. Cela n'avait pas attiré notre attention jusqu'à ce que l'un des policiers chargés d'examiner la Lexus ne tombe sur ce puzzle, dont la présence lui a paru étrange. Surtout quand l'un de ses collègues s'est souvenu d'avoir aperçu le même chez les Leiberman...

Fletch déglutit avec peine.

— Vous êtes en train d'essayer de me dire que Jeremiah...

— Jeremiah... ou vous-même, monsieur Gallagher, rétorque sans ambages le détective Summers.

14

Mitch est en train de boucler son sac quand son père frappe à la porte de sa chambre.

— Ah! je vois que tu es prêt à partir!

Mitch acquiesce, mal à l'aise. Il ne l'a pas revu depuis leur retour du restaurant : il est monté s'enfermer dans sa chambre. Il s'attendait presque que son père ou Shawna vienne le voir, mais on ne l'a pas dérangé.

Tant mieux! s'était-il dit au début mais, en réalité, il aurait bien aimé que son père monte, ne serait-ce que pour lui donner une chance de s'excuser pour sa conduite. Maintenant qu'il a réfléchi, il se dit qu'ils ne veulent que son bonheur. Ils croyaient peut-être sincèrement qu'il serait content de venir vivre chez eux.

Bien sûr qu'il y a déjà songé.

Mais il ne peut pas abandonner sa mère… Ils ne peuvent pas comprendre ça?

— Écoute, Mitch, il fait un temps affreux. J'ai écouté la météo et le pire est à prévoir dans les heures à venir, peut-être la tempête va-t-elle durer toute la nuit.

Mitch hausse les épaules. Il sait bien que le temps est dégueulasse. Cela fait plusieurs heures qu'il regarde les arbres plier sous le vent et qu'il entend la pluie tambouriner à sa fenêtre.

— Je ne vais pas pouvoir te ramener à Townsend Heights ce soir comme prévu.

Devant son air interloqué, son père lui explique :

— Je suis désolé, Mitch, mais c'est trop dangereux, il y a des risques d'inondations. Cela arrive de temps en temps, dans la région.

— Alors il faut que je reste une nuit de plus ?

Son père hoche la tête. Il a l'air embarrassé, comme s'il craignait que Mitch ne se mette en colère.

Bien décidé à lui montrer qu'il n'est pas un enfant capricieux, Mitch se contente de dire :

— Tu as prévenu maman ?

— J'ai essayé, je lui ai laissé un message. Elle n'était pas chez elle.

— Et sur le portable ?

— Il n'est pas branché.

— Elle le branche toujours.

— Alors la batterie est peut-être à plat, suggère son père. Ne t'en fais pas, Mitch, ta mère comprendra. Crois-moi, elle n'aurait aucune envie de me voir prendre la route avec toi au milieu de cette tempête. Elle préférerait te savoir ici ce soir, en sécurité.

Mitch approuve avec résignation tout en songeant : *Et maman ? Qui va s'occuper d'elle ? Qui va veiller à sa sécurité ?*

Assis dans leur salon, les stores baissés pour ne pas subir l'effervescence qui règne autour de la maison voisine, Karen et Tom ont les yeux rivés sur l'écran de télévision. Taylor, blottie sur les genoux de son père, tète comme une bienheureuse sans se douter du drame qui se déroule devant elle.

Ils regardaient un match de football pour se changer les idées quand un communiqué spécial a été diffusé.

À présent, le cœur battant, Karen écoute avec incrédulité le présentateur annoncer que l'on vient de découvrir le corps sans vie de Margaret Armstrong, la sœur de Jane Kendall, dans un cimetière situé à la périphérie de Townsend Heights.

— La victime est décédée d'un coup de couteau dans le cœur et se serait visiblement donné la mort, déclare le journaliste trempé jusqu'aux os. *Outre le grand couteau à l'origine de la blessure mortelle, Margaret Armstrong tenait entre ses mains la photographie de son beau-frère, Owen Kendall, le mari de Jane Kendall, dont on a repêché le corps hier dans l'Hudson. M. Kendall a déclaré à la police que la sœur de sa femme lui avait fait la veille une véritable déclaration et qu'elle avait manifesté peu d'émotion en apprenant la mort de sa propre sœur. On ignore encore comment elle a pu quitter la maison sans être vue par les journalistes qui l'assiègent depuis plusieurs jours. À vous, Peter.*

Karen se tourne vers son mari :
— Elle aurait tué sa sœur parce qu'elle aimait son mari ? C'est ça ?
— Apparemment, répond calmement Tom en faisant sauter Taylor sur ses genoux.

Son regard est grave derrière ses lunettes.

Le présentateur fait écho à la question de Karen et précise que Margaret Armstrong est fortement soupçonnée d'être responsable de la mort de sa sœur, même si la police n'a rien confirmé.

— Jusqu'alors, la mort de Jane Kendall avait été officieusement rattachée à un meurtre qui a bouleversé la paisible bourgade de Townsend Heights il y a quelques jours, ainsi qu'à la disparition d'une troisième personne. La police n'a toujours pas désigné

de suspect dans le meurtre de Rachel Leiberman,
épouse d'un pédiatre très estimé en ville et mère de
deux enfants en bas âge.

Karen regarde son mari.

— Ça va sortir tôt ou tard, lui dit-elle. Quand ils
diront qu'il s'agit de Jeremiah, préciseront-ils aussi
que c'est moi qui l'ai vu dans le jardin ?

— Je n'en sais rien, répond Tom, mécontent. J'espère bien que non.

— Je suis désolée, Tom. J'aurais dû t'écouter. Je
n'aurais jamais dû y aller.

— Non, tu as bien fait, déclare-t-il à sa grande
surprise. Écoute, Karen, si le gosse est coupable, il
ira en prison. C'est tout ce qu'il mérite.

Elle acquiesce. Et si ce n'est pas lui, le coupable ?
Elle ne cesse de se poser cette question depuis
qu'elle s'est rendue au commissariat, cet après-
midi, pour faire sa déposition.

S'il était innocent ?

Alors cette innocence sera révélée par l'interrogatoire, se justifie-t-elle. Elle parvient presque à se
convaincre et reporte son attention sur l'écran.

— *Pendant ce temps, la police est toujours à la*
recherche de la voisine des Leiberman, Sharon Gal-
lagher, mère au foyer elle aussi, et épouse du célèbre
Fletch Gallagher, ex-lanceur des Indians de Cleveland
et chroniqueur sportif des Mets de New York. Aujour-
d'hui, les habitants de Townsend Heights en viennent
à se demander si les destins de ces trois femmes – qui
avaient tout pour elles – ne sont pas liés. C'était notre
bulletin spécial. Nous développerons ultérieurement
les événements de Townsend Heights dans notre jour-
nal télévisé.

Tasha ouvre la porte et tombe nez à nez avec
Paula Bailey, qui serre contre elle un carton blanc

et plat. Elle s'abrite sous un imperméable jaune vif et tient un parapluie qui ne la protège guère.

— Vous ouvrez toujours la porte aux journalistes qui vous apportent des pizzas ? plaisante-t-elle en souriant.

— Je vous ai vue arriver dans l'allée, avoue Tasha.

Ce qu'elle n'avoue pas, c'est que ça fait une demi-heure qu'elle scrute la rue par la fenêtre. Après trois parties de pêche à la ligne, elle a installé les enfants devant une cassette pour pouvoir réfléchir tranquillement. À propos de Joël. Et pour regarder par la fenêtre. Pour chasser les journalistes qui sonnent à sa porte. Elle ignore pourquoi, mais une douzaine d'entre eux se sont succédé tout l'après-midi. Sans doute parce que l'on a repêché le corps de Jane Kendall. Elle aurait pourtant cru qu'ils auraient pris pour cibles les voisins des Kendall, mais Orchard Lane n'a pas désempli depuis le matin qui a suivi la mort de Rachel. Ils sont presque plus nombreux qu'alors.

— J'ai essayé de vous appeler, mais c'était occupé, lui dit Paula. Alors je me suis risquée à venir.

— Entrez, fait Tasha en ouvrant la porte.

C'est vrai qu'elle a du culot de se pointer avec une pizza, et Tasha n'est pas forcément d'humeur à bavarder avec une journaliste. Mais elle avait accepté qu'elles se revoient dimanche ou lundi.

En outre, elle se sent terriblement seule. Et elle a peur. Il faut qu'elle arrête de se poser toutes ces questions au sujet de Joël. Pour l'instant, elle est prête à tout plutôt que de se retrouver seule avec les enfants.

Elle prend le manteau de Paula et l'accroche à la porte du placard en s'excusant :

— Je n'ai jamais assez de place.

— Je sais ce que c'est, déclare Paula en riant. De toute façon, mon imper est trempé, j'ai passé ma journée sous la pluie.

— Je vous plains !

— Mouais. Pauvre de moi ! Votre mari est parti, alors ?

Tasha acquiesce, impressionnée de voir que Paula s'en souvient. Mais, après tout, ça fait partie de son boulot, de se rappeler les détails.

— Voyons… J'ai apporté une pizza. Fromage et pepperoni. Je ne savais pas trop ce qu'aimaient vos enfants.

— Oh ! ils aiment la pizza au fromage !

Dire qu'elle leur avait promis de les emmener dîner dehors… Et qu'hier, ils ont déjà mangé de la pizza, avec les parents de Joël… Bah ! Les enfants aiment tellement la pizza qu'ils se moquent d'en manger à chaque repas. Et puis avec ce temps épouvantable, mieux vaut ne pas sortir.

— Et moi j'aime le pepperoni, déclare Paula.

— Moi aussi, ajoute Tasha. Et je vous préviens, je n'ai rien mangé de la journée, alors je risque de me goinfrer.

Elle fait signe à Paula de la suivre dans la salle de séjour, où les enfants sont tellement passionnés par *Mulan* qu'ils jettent à peine un regard à la journaliste. Seul Max se retourne, qui tend instantanément les bras en voyant sa mère.

Elle l'emmène dans la cuisine, où Paula dépose le carton de pizza.

— Ça vous ennuie d'attendre la fin de leur cassette pour manger la pizza ? demande Tasha. Je ne vais pas réussir à les en décrocher.

— C'est parfait comme ça. De toute façon, je voulais vous parler.

Tiens donc! Tasha se doute bien qu'elle n'est pas venue seulement pour ses beaux yeux. Elle lui a déjà avoué qu'elle enquêtait sur le meurtre de Rachel.

— Vous voulez du thé?

— Volontiers.

— Une tisane ou du vrai thé?

Max coincé contre sa hanche, Tasha allume la plaque et cherche sa bouilloire rouge.

— Du vrai. J'en ai besoin : la nuit risque d'être longue, avec la disparition de Sharon Gallagher…

Saisie, Tasha lâche la bouilloire, qui tombe bruyamment sur le fourneau.

Max se met à pleurer.

— Chut! Maxie, tout va bien. Il n'aime pas le bruit, explique-t-elle à Paula en tâchant de le consoler.

Son cœur bat la chamade. Sharon Gallagher a disparu? La femme de Fletch?

Elle a peur. Affreusement peur. Soudain, elle désire de toutes ses forces que Joël soit là et se retient d'éclater en sanglots.

Dès que Paula sera partie, elle l'appellera à son hôtel et le suppliera de rentrer à la maison.

Le moment est venu.

Jeremiah ne peut plus attendre davantage : voilà des heures qu'il est tapi dans la resserre, où il a passé toute une nuit et toute une journée. Au début, sous le choc, pelotonné sur lui-même dans un coin, il se balançait d'avant en arrière. Et puis son hébétude s'est dissipée et il a cherché une alternative. Que faire?

Maintenant, la nuit tombe à nouveau, et le vent souffle avec une violence accrue, rugissant autour de l'abri en bois tandis que la pluie tambourine sur le toit qui fuit.

Jeremiah sait ce qu'il doit faire.

S'il ne bouge pas, ils finiront bien par le trouver. Tôt ou tard. Et alors ce sera la fin de tout.

Surtout quand ils verront la citrouille...

La citrouille géante de ses sœurs, celle qu'elles devaient présenter pour le concours.

Celle qui a été ouverte et creusée comme une lanterne de Halloween et dans laquelle on a caché le cadavre de tante Sharon.

Paula regarde attentivement Tasha et s'apprête à lui révéler des informations qui vont l'effrayer ou alors lui rappeler des souvenirs. Anxieuse de voir sa réaction, elle s'oblige d'abord à boire son thé.

Puis elle s'éclaircit la gorge et se penche vers Tasha. Il y a peu de chance que les enfants entendent : ils sont comme Mitch, scotchés à leur vidéo. Pas étonnants qu'on appelle ça la nounou électronique, songe-t-elle avec une ironie désabusée.

— Juste entre nous, Tasha, déclare-t-elle. Je crois que j'ai trouvé le nom de la personne qui était avec Rachel le soir où elle a été assassinée.

— Qui était-ce ?

— Vous ne le savez vraiment pas ?

Tasha secoue la tête.

— Son amant.

Paula hésite un instant, tâchant de déchiffrer l'expression de Tasha. Impossible. Celle-ci, les yeux baissés, fait fondre un morceau de sucre dans sa tasse tout en écartant les mains de Max du liquide brûlant.

— Saviez-vous qu'elle avait une liaison, Tasha ?

— On me l'a dit, mais c'était après... après sa mort. Et j'ai eu du mal à m'en convaincre. Qui était-ce ?

Paula prend sa respiration.

— Cela ne signifie pas nécessairement que cette personne est celle qui l'a tuée, Tasha, vous m'avez bien comprise ?

— Mais cela se pourrait.

Paula hoche la tête.

— Oui. Et si vous savez quoi que ce soit au sujet des relations de Rachel avec cet homme...

— Je vous ai déjà dit que je ne savais même pas qu'elle avait un amant.

— Mais quand vous saurez son nom, un détail vous reviendra peut-être à l'esprit. Un détail qui pourrait être utile pour les enquêteurs.

— Mais de qui s'agit-il donc ? s'impatiente Tasha en relevant enfin les yeux.

Paula lit dans son regard une angoisse mêlée de curiosité. Non, elle ne sait rien.

Mais elle a des soupçons.

*
* *

Deux pâtés de maisons séparent la resserre dissimulée derrière les ruines de la maison de North Street du commissariat de Townsend Heights, situé à côté de la mairie.

Dissimulé sous sa capuche et la tête baissée, Jeremiah ne se fait pas repérer. Il n'en a que pour quelques minutes mais, à chaque instant, il s'attend qu'on lui saute dessus pour l'arrêter.

Mais rien ne se passe.

Si quelqu'un l'a aperçu, on ne l'a pas reconnu.

Il arrive enfin, presque trop vite, au pied du grand escalier qui mène au commissariat.

Il se force à pousser les portes en verre et se rend directement devant le policier sidéré qui est assis derrière un bureau.

— Je m'appelle Jeremiah Gallagher, déclare-t-il en bégayant plus que jamais. Je sais que vous me recherchez. Je suis venu me livrer.

Dès que la pizza est terminée, Paula s'esquive en voyant que Tasha a besoin d'être seule. Elle n'a quasiment pas ouvert la bouche pendant le dîner, et elle n'a mangé que la moitié de sa part en dépit de son prétendu appétit d'ogre. Les enfants ont nettoyé leurs assiettes, même le petit Max a grignoté un peu de fromage et sucé la croûte.

— J'ai peur qu'il ne s'étouffe, s'est inquiété Tasha.

— Mais non ! l'a rassurée Paula, forte de son expérience de mère..

C'est l'un des rares échanges qu'elles avaient eus depuis leur conversation sur Rachel. Depuis que Paula a révélé à Tasha que Fletch Gallagher était le mystérieux amant de son amie, cette dernière est devenue muette. Alors Paula a bavardé avec les enfants, tâchant de les distraire.

À présent, elle s'éloigne de la maison des Banks, remontant dans sa Honda l'allée sinueuse encombrée de véhicules de presse. Elle décide de s'arrêter devant chez les Gallagher pour voir s'il y a du nouveau.

Elle se gare en double file, rejoint vite la foule et repère Brian Mulvaney dans son uniforme bleu.

— Comment ça va, Brian ? Il y a du nouveau sur Sharon Gallagher… ou sur autre chose ?

— Tu n'es donc pas au courant ?

— Au courant de quoi ?

— Un scoop, Paula. Le gosse vient de se livrer… le neveu de Gallagher.

Elle le regarde avec des yeux ronds et son pouls s'accélère :

— Jeremiah ? Il a avoué ?

— Pas encore, mais c'est sûrement lui le coupable, dans l'affaire Leiberman. Tu ne sais pas non plus ce qui est arrivé à la sœur de Jane Kendall ?

La sœur de Jane Kendall.

Une vision surgit devant les yeux de Paula. Elle revoit la femme gauche et solitaire qu'elle a vu se hâter en direction de la demeure des Kendall, le jour de la disparition de Jane.

— Non, que s'est-il passé ?

— Elle était amoureuse du mari.

— Du mari de Jane ?

Paula essaie de trier ce flot d'informations qui lui tombe dessus.

— Oui, Owen Kendall. Hier soir, juste après la découverte du corps de Jane, elle est allée lui déclarer sa flamme. Et comme il l'a repoussée, elle est allée se tuer sur la tombe de son père. Il semblerait qu'elle ait assassiné sa sœur pour avoir le champ libre. Finalement, l'affaire Kendall n'aurait rien à voir avec le meurtre de Rachel Leiberman.

— C'est bien ce qui semblerait, approuve Paula.

Elle pense tout bas : *N'en sois pas trop convaincu, mon coco. Il ne faut pas se fier pas aux apparences.*

Fletch, accablé, est en train de contempler son reflet dans la vitre sur laquelle la pluie ruisselle quand la sonnerie du téléphone retentit.

Il ne fait pas un mouvement.

Le téléphone a sonné tout l'après-midi. Chaque fois, c'est l'un des policiers qui décroche.

À présent qu'un crépuscule blafard descend sur les arbres, il remarque que les lumières se sont allumées autour de lui. Voilà pourquoi il peut voir son reflet.

Il ressemble à son père.

La vérité est là, devant ses yeux, et il ne peut plus se dérober. Il ressemble trait pour trait au salaud qui a détruit la vie de sa mère et la sienne. Celle d'Aidan, aussi, même si son frère refuse de l'admettre. Aidan fait toujours comme si tout allait bien. Même après la mort de sa première femme, même après celle de Melissa. Et maintenant encore, alors que son fils a disparu et qu'il est soupçonné de meurtre.

Qu'est-ce qu'il peut faire, lui, Fletch, dans ce merdier ? Absolument rien. Cette fois-ci, il n'y a pas d'issue. Quand ils vont commencer à fouiller dans son passé, ils découvriront que…

— Fletch ?

À côté de son reflet, il voit s'approcher une silhouette et reconnaît la voix : c'est Summers.

Fletch ne répond pas.

— J'ai une mauvaise nouvelle pour vous, Fletch.

Ça y est.

Ils savent tout.

Fletch prend son courage à deux mains et s'agrippe aux accoudoirs de son fauteuil.

— On a retrouvé Sharon, Fletch. Elle est morte. Je suis désolé.

Après avoir bordé les enfants dans leur lit, Tasha décroche le téléphone dans la cuisine et compose une fois de plus le numéro de portable de Joël. Cela fait plusieurs fois qu'elle essaie de le joindre, sans succès. Sa nouvelle tentative se solde par un échec, ce qui ne l'étonne pas : il s'en sert surtout pour appeler et l'éteint le reste du temps. Du coup, elle ne laisse même pas de message.

À la place, elle demande les renseignements.

— L'hôtel Hyatt à Chicago, demande-t-elle à l'opératrice.

Un instant après, une voix féminine s'enquiert :

— Lequel, madame ? Il y en a plusieurs sur la liste.

Évidemment ! Tasha réfléchit. Que lui a donc dit Joël ? Elle revoit la scène du départ et Joël lançant le nom de l'hôtel. Il y avait quelque chose d'autre avec Hyatt, mais quoi… elle a oublié.

Elle note rageusement tous les numéros des hôtels Hyatt de Chicago. La liste est longue.

Faudra-t-il vraiment tous les appeler pour retrouver Joël ?

Non. Elle réalise soudain qu'il lui suffit de contacter sa secrétaire, c'est un coup à tenter. Elle doit bien savoir où il est descendu, Joël passe son temps à vanter sa mémoire visuelle.

Comme chaque fois, la jalousie transperce Tasha à l'idée que Stacey McCall est au courant des moindres détails de la vie professionnelle de son mari alors qu'elle-même est dans le flou total. Mais, pour une fois, elle s'en réjouit.

Elle rappelle les renseignements et, par bonheur, se retrouve munie d'une petite liste de S. McCall. Entre la liste des hôtels Hyatt et celle des McCall, elle choisira la moins longue.

À sa grande surprise, il n'y a qu'un seul McCalls, à Sutton Place et, mieux encore, elle reconnaît sa voix lorsqu'elle décroche.

— Bonsoir, Stacey. C'est la femme de Joël à l'appareil.

Il y a un blanc, puis une voix incrédule s'enquiert :

— Tasha ? C'est vous ?

— Excusez-moi de vous appeler chez vous un dimanche soir, dit-elle en arpentant nerveusement la cuisine. Joël est parti pour son voyage d'affaires cet après-midi et je n'arrive pas à retrouver le numéro de son hôtel. Savez-vous à quel hôtel Hyatt il est descendu ?

— Quel voyage ?

Tasha fronce les sourcils. Mlle Mémoire visuelle n'est pas si géniale que le prétend Joël…

— Tasha, ce n'est pas un voyage d'affaires.

— Mais si, il a pris l'avion cet après-midi !

Au moment où elle prononce ces paroles sur un ton légèrement condescendant, Tasha, prise de nausée, devine ce qui va suivre.

— Tout ce que je sais, c'est qu'il ne sera pas là demain, lui explique Stacey. Il a pris un jour de congé. Cela fait quinze jours qu'il l'a noté dans son agenda.

— Vous… vous en êtes certaine ? bafouille Tasha d'une voix mourante.

— Sûre et certaine.

— Alors j'ai dû… j'ai dû me tromper, reprend-elle pour ne pas perdre la face.

Pour ne pas passer pour ce qu'elle est : une femme à qui son mari a menti.

Cela ne la console pas de savoir qu'il n'est pas avec Stacey… d'ailleurs… Peut-être qu'elle le couvre ? Et s'il était avec elle ? Sont-ils en train de se moquer de son aveuglement maintenant qu'elle a raccroché ?

Non, ce n'est pas possible ! se dit-elle en croisant les bras, s'efforçant de se ressaisir. Crois-tu vraiment que Joël est capable de te mentir ? Même si Stacey dit que…

Il y a bien une raison.

Il le faut.

Il lui a dit qu'il descendait à l'hôtel Hyatt à Chicago, et elle va le prouver.

Elle s'assied à la table de la cuisine et compose le premier numéro de la liste.

Au troisième, elle se lève.

Au cinquième, elle arpente la cuisine.

Après le dernier appel, elle jette le combiné sur la table.

Dehors, la tempête se déchaîne.

À l'intérieur de la maison, le silence règne, seulement troublé par sa respiration oppressée.

Elle entend un déclic. Une voix enregistrée déclare très distinctement : « Veuillez raccrocher et recommencer. Sinon, appelez l'opératrice. » Puis on entend un bip rapide et sonore.

Tasha l'ignore. Il va bientôt s'arrêter.

Le téléphone peut bien rester décroché toute la nuit, elle s'en moque.

La seule personne qui compte pour elle n'appellera plus.

Aucune trace de Joël Banks à Chicago.

Le père de Jeremiah se rue dans la pièce où son fils répète pour la énième fois aux détectives qu'il n'a pas tué sa tante, qu'il n'a tué personne.

— Papa ! s'exclame-t-il en tendant les bras.

Son père le rejoint en deux enjambées et le serre contre lui de toutes ses forces.

— Je suis là, Jeremiah, tout va s'arranger, lui promet-il de la même voix sourde qu'il avait le jour de l'enterrement de Melissa.

— Papa, je n'ai pas tué Rachel. Et je n'ai pas tué non plus tante Sharon ! Je te le jure !

Son père lui caresse les cheveux et s'assied à côté de lui. Jeremiah aperçoit une grosse tache de boue sur sa veste d'uniforme et réalise que c'est sa faute : il est sale à faire peur.

— J'ai téléphoné à mon avocat, déclare Aidan aux trois détectives aux visages sévères. Tant qu'il ne sera pas là, Jeremiah ne répondra plus à une seule de vos questions.

— Mais je veux leur parler, papa, proteste Jeremiah. Je veux tout leur dire, parce que je suis innocent, je le jure !

— Alors si c'est le cas, Jeremiah, reprend l'un des détectives en se penchant vers lui, que faisais-tu dans l'abri de jardin derrière la maison de ton oncle ? Tu en as sorti un paquet : que contenait-il, Jeremiah ? Et pourquoi l'as-tu emporté dans la forêt lorsque tu t'es enfui ?

Un coup léger frappé à sa porte réveille Mitch. Hébété, il regarde autour de lui dans la pièce obscure et voit que le réveil digital affiche 22 heures. Ça fait plus d'une heure qu'il s'est endormi. Pourquoi le réveille-t-on ?

— Entrez ! coasse t-il en se frottant les yeux.

Il se redresse sur ses coudes au moment où la porte s'ouvre, laissant un raï lumineux se répandre dans sa chambre.

Shawna se tient dans l'embrasure de la porte.

— Mitch, il faut que je te parle, déclare-t-elle en s'approchant du lit.

— Qu'est-ce qu'il y a ? demande-t-il, très angoissé.

— Ça n'est pas facile à dire, Mitch. J'aurais préféré ne pas te l'annoncer moi-même.

Mitch s'apprête à entendre la terrible nouvelle et ses mains tremblantes agrippent le dessus-de-lit.

Mon Dieu, faites que ce ne soit pas maman, je vous en supplie, pas maman !

— C'est bon, lâche enfin Jeremiah d'une voix brisée. (Il regarde les policiers, l'avocat, puis son père.) Je vais tout vous dire. Mais seulement pour vous prouver que je n'ai pas tué ces femmes. Je vous jure que ce n'est pas moi.

— Vous nous cachez quelque chose, reprend l'un des détectives, vous l'avez vous-même reconnu. Dites-nous ce que c'est. Qu'y avait-il dans ce paquet ? Où l'avez-vous caché ?

Jeremiah regarde ses mains nouées sur la table. Ses doigts sont sales, couverts de boue, d'égratignures et de sang séché. Il a les ongles noirs de crasse.

— Jeremiah ? le presse un détective.

Il prend sa respiration.

Puis il commence à parler d'une voix hachée. Il fixe ses mains tandis que les mots se déversent et qu'il dévoile son affreux secret, n'osant regarder son père de peur de lire dans ses yeux la déception et la honte.

— Je me fais du souci pour Tasha, déclare Karen à son mari, qui vient d'éteindre la télévision au pied de leur lit.

— Pourquoi ?

— Son téléphone a sonné occupé toute la journée. J'ai encore essayé en allant chercher le biberon de Taylor, et c'est toujours occupé.

— Tu as dit toi-même qu'elle avait dû décrocher à cause des journalistes.

Il a raison. Ils ont beau être sur liste rouge, cela n'a pas empêché ces charognards de sonner à leur porte toute la journée jusque tard dans la soirée.

Maintenant, le bébé est couché dans son berceau à côté. Mais ce soir, pour la première fois, Karen a laissé les portes des chambres grandes ouvertes. De cette façon, elle peut entendre tous les bruits insolites.

— Je suis sûr que Tasha va bien, lui dit son mari.

— Joël n'est pas là. Elle est seule avec les enfants. L'un d'entre nous devrait peut-être aller voir.

Tom reste silencieux une minute.

— Je ne veux pas que tu sortes seule par un temps pareil, Karen.

Elle écoute la pluie qui tombe à verse et le vent qui fait craquer les branches au-dessus de leur maison.

— Tu veux que j'y aille ? demande-t-il sans conviction.

Elle réfléchit. Du coup, c'est elle qui va se retrouver seule avec son bébé.

— Non, pas maintenant, décide-t-elle. Demain, à la première heure, l'un de nous deux ira là-bas.

— Entendu. Bonne nuit.

Il roule sur le flanc.

Elle murmure une réponse.

Longtemps après que Tom s'est endormi, Karen est toujours éveillée, taraudée par un pressentiment qui ne fait que croître tandis que l'orage se déchaîne.

Fletch est seul dans la maison. Le dernier détective est parti. Il se rend dans son bureau, tire le fauteuil en cuir et s'y laisse tomber.

Le plus difficile a été de téléphoner à Randi et à Derek. Il a promis à Randi de prendre l'avion demain et d'aller la chercher à son collège pour la ramener à la maison. En attendant, ses amies ne la quitteront pas de la nuit. Elle a fait une véritable crise d'hystérie.

À son grand étonnement, Derek a plutôt bien réagi, ou alors il était shooté quand Fletch a enfin réussi à le joindre chez l'un de ses copains – ça doit sûrement être ça. Il a dit qu'il serait là demain. Il n'a même pas demandé à son père comment il allait.

Aucun de ses enfants n'a paru surpris quand il leur a annoncé que Jeremiah avait été accusé du meurtre de leur mère.

Le gosse n'a toujours rien avoué. Il nie le meurtre et nie aussi avoir subtilisé la carte de crédit de Fletch pour commander ces puzzles.

En revanche, il a reconnu ses instincts pervers. Ça n'a rien de surprenant.

Il tient de son grand-père !

Fletch n'a pas revu son frère depuis qu'Aidan s'est rendu au commissariat. Il ne lui en veut pas. Dans ces cas-là, on a plutôt envie d'être seul. C'est le détective Summers qui lui a tout raconté.

Fletch se demande si Sharon se doutait que ce gamin allait fouiller dans sa lingerie, qu'il lui chapardait ses soutiens-gorge et ses culottes pour les essayer.

Il a dû faire la même chose chez Rachel, la nuit où il gardait ses enfants : on a retrouvé des empreintes de Jeremiah partout dans sa chambre.

À force de le harceler, ils ont fini par obtenir que le gosse les emmène là où il avait caché le paquet contenant non seulement les sous-vêtements de Sharon et de Rachel, mais aussi ceux de Melissa.

Jeremiah a craqué et reconnu qu'il les cachait dans l'abri de jardin, derrière la maison, où il pensait que personne n'irait les chercher. Pour que personne ne le voie se pavaner dans ces tenues.

Sale petite tante !

Fletch, écœuré, tape du poing sur le bureau.

Pourtant, il devrait se réjouir de cette nouvelle.

Il n'y a pas suffisamment de preuves pour accuser Jeremiah de meurtre, mais cela suffit pour que la police le retienne.

Et il y a surtout, Dieu merci, assez de preuves pour les détourner de Fletch. Ils ont fini par le laisser tranquille pour le laisser pleurer en paix, lui le veuf.

Ils ont commencé à vérifier ses alibis. À s'assurer qu'hier soir il était bien à l'auberge de la gare, version confirmée par Jimmy, puis au club de gymnastique. Apparemment, il a bien caché son ébriété car Michael, son entraîneur, n'a rien dit aux policiers. Sinon, ce salaud de Summers se serait fait un plaisir de le lui rapporter.

Animé par l'alcool et remâchant sa colère, Fletch avait pris une bonne cuite.

L'alcool.

Un alcool bien tassé ne lui ferait pas de mal. Pas une cuite, juste un verre ou deux, avant de monter se coucher.

Il pivote sur son fauteuil et ouvre le placard situé derrière son bureau pour en sortir une bouteille de whisky. Au même moment, un bruit inattendu déchire le silence.

C'est la sonnerie du téléphone.

Tasha se réveille en entendant de grands coups martelés quelque part.

Effrayée, elle se dresse dans son lit en essayant de reprendre ses esprits.

A-t-elle repris un Tylénol avant d'aller se coucher ? Sans doute. La dernière chose dont elle se souvient, c'est d'avoir regardé la télévision – qu'elle a oublié d'éteindre, d'ailleurs, remarque-t-elle en voyant la lueur bleuâtre qu'elle diffuse dans la chambre.

Sa tête est lourde et elle a du mal à se réveiller…

Elle entend à nouveau ce bruit sourd.

Qu'est-ce donc ?

Les faits reviennent en vrac.

Joël est parti…

Elle est seule dans la maison avec les enfants…
La tempête fait rage…
Rachel.
Jane.
Sharon.
Le journal de 22 heures…
Le corps de Sharon Gallagher a été découvert dans un lieu qui ne sera pas divulgué…
Le tambourinement recommence.
Hébétée, elle réalise qu'on cogne à sa porte, juste sous sa fenêtre, la porte de service qui donne sur l'allée.
Elle sort de son lit pour se glisser dans le couloir.
Une idée la travaille tandis qu'elle se dépêche de descendre l'escalier…
Un détail qu'elle aurait dû relever, dont elle aurait dû se souvenir.
Remplie d'une appréhension inexplicable, elle a du mal à réfléchir. Son esprit est si confus, elle a tellement sommeil…
Ce doit être Joël qui frappe ainsi, se dit-elle une fois dans la cuisine. Elle essaie de se rassurer en posant la main sur la poignée de la porte. Il est le seul, avec elle, à utiliser cette porte, qu'on ne voit même pas de la route. Les journalistes n'auraient tout de même pas le toupet de la déranger à cette heure-là…
Quelle heure est-il ?
Elle jette un coup d'œil sur l'horloge du fourneau : minuit.
— Minuit, l'heure du crime, récite-t-elle machinalement avant de chasser cette idée avec horreur.
Ce ne peut être que Joël. Voilà pourquoi elle n'a pas réussi à le contacter !
Elle construit un scénario pour se rassurer : Stacey, la secrétaire modèle, s'est trompée. Joël s'est

bien rendu à Chicago, mais il a compris qu'il ne pouvait rester, il était trop inquiet. Il a essayé de l'appeler. Comme elle n'avait pas décroché, il a pris un avion pour rentrer, et en chemin il a égaré ses clés.

Mais oui, c'est ça, se convainc-t-elle, immobile devant la porte. Elle discerne une silhouette de l'autre côté de la vitre dépolie. Joël est plus grand.

Elle actionne l'interrupteur de la lumière extérieure, mais celle-ci ne s'allume pas. Encore une ampoule grillée, songe-t-elle distraitement.

— Qui est là ? demande-t-elle, la main sur la poignée.

— C'est moi, Paula, répond une voix familière.

Soulagée, mais perplexe, Tasha ouvre la porte.

Au même moment, elle réalise que le verrou n'était pas poussé.

Pourtant elle est sûre d'avoir vérifié plusieurs fois le verrouillage des portes avant de monter se coucher.

Vraiment ?

Elle essaie de se souvenir clairement, mais en vain. Elle a le cerveau encore engourdi de sommeil.

Paula est sur le perron, emmitouflée dans une parka sombre humide de pluie.

— Pardonnez-moi de vous réveiller ainsi, s'excuse-t-elle. J'ai essayé de vous appeler, mais votre téléphone est toujours…

Toujours quoi ? Oh !

— Oui, je sais, j'ai décroché, dit Tasha en bâillant.

Elle a du mal à aligner ses pensées. Est-ce ce foutu Tylénol ? Elle ne se souvient pas de l'avoir pris. Combien de temps fait-il effet ?

— Puis-je entrer ? demande Paula. Tasha, j'ai découvert quelque chose d'incroyable.

Mitch fourre son oreiller trempé sous sa tête et écoute en reniflant la tempête qui fait rage.

Dire que son père est dehors par ce temps-là...

Sa mère aussi.

Shawna lui a expliqué que papa allait essayer de la trouver pour lui apprendre la nouvelle, au sujet de Grand-Père.

L'infirmière a appelé plusieurs fois chez elle et laissé des messages, mais sa mère n'a pas rappelé. Elle a aussi essayé de la joindre sur son portable, en vain. Elle avait donc décidé de prévenir son père pour lui annoncer que Grand-Père était mort aujourd'hui, paisiblement, dans son sommeil.

Maman va être tellement triste quand elle le saura... Impossible de l'abandonner après ça. Jamais il ne viendra vivre avec son père et Shawna...

D'ailleurs, il n'en a pas du tout envie, se persuade-t-il.

*
* *

Dans la salle de bains du rez-de-chaussée, Tasha tend une serviette à Paula et la regarde s'éponger le visage et les cheveux. Trempée, elle frissonne.

— Ça ira ?

— Ça va aller, j'ai seulement besoin de me réchauffer un peu, répond Paula. Puis-je... euh... je comprendrais que vous refusiez, mais... puis-je allumer une cigarette ?

La première chose à laquelle songe Tasha, c'est que Joël serait contrarié de voir quelqu'un fumer chez lui. Il a horreur du tabac.

— Allez-y, dit-elle en lui tendant une tasse en guise de cendrier.

— Merci beaucoup. Je sais que c'est une sale

habitude, mais je n'ai pas encore réussi à m'en défaire.

Tasha regarde Paula allumer une cigarette dont elle aspire une longue bouffée.

Puis elle lui demande en étouffant un bâillement :

— Qu'avez-vous découvert ?

Mon Dieu qu'elle a sommeil !

Mais elle n'a plus envie de se coucher, surtout lorsque Paula lui annonce :

— C'est au sujet de Fletch Gallagher, Tasha.

— Quoi donc ? demande-t-elle nerveusement en s'efforçant de prendre un ton neutre.

Paula serait-elle au courant de son « aventure » avec Fletch ?

Tasha repense à cette fameuse journée, il y a plus de deux ans. C'était au mois d'août. Une de ces journées de feu où la chaleur faisait miroiter le bitume, sans le moindre souffle de vent dans le ciel sans nuages.

Tasha était dehors en train de laver la voiture, vêtue de son haut de maillot de bain et d'un short.

Joël travaillait. Hunter était au jardin d'enfants et Victoria dormait dans son berceau.

Il avait débouché dans la rue, tenant son chien en laisse. Elle avait reconnu le labrador noir, mais pas l'homme. D'habitude, c'était Sharon Gallagher qui promenait ce chien, et elles avaient pris l'habitude d'échanger un petit salut.

Il s'était arrêté et s'était présenté comme étant le mari de Sharon. Naturellement, elle avait entendu parler de lui, le célèbre champion de base-ball qui s'était reconverti en chroniqueur sportif.

Elle avait eu du mal à rester naturelle et à se concentrer sur son visage tandis qu'il lui expliquait qu'il se réjouissait de ne pas avoir de match, aujourd'hui, car il avait besoin de se reposer un peu.

Torse nu, il portait un vieux jean coupé en short. Avec sa poitrine bronzée, son ventre plat et ses biceps, il ressemblait à un mannequin de magazine.

Elle lui avait proposé d'entrer pour boire une limonade. Ou peut-être s'était-il lui-même invité ?

En quelques secondes, elle s'était retrouvée dans ses bras. Il l'embrassait.

Elle ne sait pas ce qui s'est passé – jamais elle n'avait imaginé une chose pareille en le faisant entrer. Ils parlaient normalement lorsqu'il s'était penché, et ses lèvres caressaient les siennes avant qu'elle n'ait eu le temps de protester.

Certes, elle ne s'était pas défendue.

Instinctivement, elle lui avait rendu son baiser.

Oui, elle l'avait embrassée et, à cet instant, Joël et les enfants étaient à mille lieues de là.

Il était tellement sexy... Et elle s'était sentie désirée comme jamais.

Cela faisait longtemps que Joël ne l'avait pas embrassée comme ça... Leur premier bébé était né, puis ils avaient acheté la maison, puis un deuxième bébé était arrivé. Il avait beaucoup de travail et elle était si fatiguée...

Elle se souvient encore de la fièvre érotique que ce baiser avait éveillée en elle, de l'odeur de la crème solaire au coco qui flottait dans l'air tandis que sa peau nue et moite effleurait celle de Fletch.

Ça n'avait pas duré longtemps.

Dès qu'elle avait repris ses esprits...

Une sonnette d'alarme s'était déclenchée dans sa tête, et elle s'était ordonnée d'arrêter tout. Qu'est-ce qui lui prenait ? Elle était mariée, lui aussi...

Puis sa femme était arrivée sur ces entrefaites.

Sharon Gallagher cherchait son mari. Elle avait vu le chien attaché à un réverbère, devant la maison des Banks, et avait frappé à la moustiquaire.

Mais la porte en bois, celle qui aurait pu l'empêcher de voir ce qui se passait dans la maison, était
grande ouverte à cause de la chaleur...

Tasha et Fletch se tenaient dans la cuisine, sur
laquelle on a une vue plongeante depuis la porte
d'entrée.

Sharon avait tout vu.

Jamais Tasha n'oublierait l'expression de son
visage : elle n'avait paru ni choquée ni même
embarrassée. Elle avait simplement dit :

— Ah ! tu es là, Fletch !

Puis elle avait tourné les talons et quitté la
maison.

— Ne t'inquiète pas, je t'appellerai, avait chuchoté
Fletch à l'oreille de Tasha avant de se précipiter à la
suite de sa femme.

À sa grande stupéfaction, il avait téléphoné le
lendemain et le surlendemain. Il lui avait fallu un
moment pour comprendre qu'elle n'avait aucune
intention d'entamer une liaison avec lui. Ensuite,
il était reparti avec les Mets et, à son retour, elle
l'avait évité comme la peste.

Tasha gardait un souvenir abominable des jours
qui avaient suivi ce baiser. Épouvantée par sa
conduite, elle vivait dans la terreur que Joël ne l'ap-
prenne. Elle redoutait que Sharon ne parle et que,
tôt ou tard, son faux pas ne revienne aux oreilles de
Joël.

Il ne s'était jamais rien passé.

Personne, excepté Fletch, Sharon et Tasha, se
semblait être au courant de ce qui s'était passé
dans cette cuisine par une torride journée du mois
d'août. Quelle qu'en soit la raison, Sharon avait
gardé le secret.

Et aujourd'hui, elle est morte.

Il ne reste plus que Fletch et Tasha.

Sauf si Fletch en a parlé à quelqu'un…

À Rachel, par exemple. Fletch a très bien pu le lui dire : ils étaient amants.

Mais si Rachel l'avait su, elle n'avait jamais rien dit, n'avait jamais abordé le sujet. Or elle était plutôt du genre pipelette…

— Tasha…

Paula Bailey s'adresse à elle.

Tasha se tourne vers la journaliste et regarde distraitement monter les volutes de fumée au-dessus de sa tête.

— Tasha, Fletch Gallagher a également eu une aventure avec Jane Kendall. Il n'y a pas eu que Rachel.

— Il n'y a pas eu que Rachel ? répète en écho Tasha.

Jane Kendall. La belle, la ravissante Jane, si parfaite. Elle avait donc un amant ? Fletch ? Comment se fait-il… ?

Mais Tasha sait pourquoi. Elle aussi est passée par là. Seule à la maison avec un mari qui travaille trop, enfermée chez elle des journées entières : la proie rêvée pour un homme comme Fletch Gallagher, un homme visiblement en quête d'aventures…

— Mais…

Tout à coup, elle entrevoit la vérité. Jane Kendall est morte, elle aussi.

— Je sais. Et n'oubliez pas Melissa Gallagher, la femme de son frère. Celle qui a péri dans un incendie.

— Vous voulez dire qu'elle aussi était sa maîtresse et que cet incendie n'était pas accidentel ?

— C'est bien ce que… Qu'est-ce que c'est que ça ? demande Paula en s'interrompant au beau milieu de sa phrase.

Elle désigne un objet sur le bar qui sépare la cuisine de la salle de séjour.

398

Tout est si propre, note Tasha, distraite. Joël a tout rangé avant de partir avec les enfants, ce matin.

Il n'y a rien sur ce comptoir, à l'exception de boîtes en métal, d'un distributeur de papier et d'un...

Et d'un...

Qu'est-ce que c'est que ça ?

Lentement, Tasha traverse la pièce pour s'approcher de l'objet plat et rectangulaire posé devant la rangée de boîtes.

Son cœur se met à battre.

Elle sait ce que c'est.

Un puzzle. Un grand puzzle en bois, posé sur le comptoir.

Rien de surprenant, les enfants en ont tellement...

Mais ce comptoir est bien trop haut pour eux.

Et il n'était pas là quand elle est montée se coucher.

Elle se souvient parfaitement d'avoir rangé la cuisine : elle a jeté le carton de pizza à la poubelle, essuyé la table et éteint la lumière.

Bon.

Peut-être qu'un des enfants...

Les enfants !

Tasha sent son cœur s'emballer.

Une fois de plus, elle s'efforce d'identifier cette idée qui la tracasse depuis un moment et qui va et vient dans son esprit. Elle se débat pour comprendre tout en regardant ce puzzle qu'elle voit pour la première fois : il s'agit d'une comptine.

Petit Bo Peep a perdu ses moutons...

Les vers familiers sont emportés par la tornade qui balaie l'esprit de Tasha au moment où elle se souvient enfin du fameux petit détail.

Ce matin, quand elle est descendue pour constater que Joël était sorti avec les enfants, elle l'avait déjà remarqué.

Elle l'avait deviné, son instinct de mère le lui avait dit dans l'escalier, et maintenant elle ressent la même chose : la maison est vide.

On a enlevé ses enfants !

15

— C'est encore loin ? demande Tasha, une heure plus tard.

Elle est assise à côté de Paula.

— Nous y sommes presque, répond Paula en regardant l'aiguille du compteur.

Elle roule à plus de soixante miles à l'heure, alors qu'en montagne la vitesse est limitée à cinquante-cinq et qu'il tombe des torrents de pluie. Ce n'est pas le moment d'avoir un accident... Elle n'a pas l'habitude de conduire ce type de voiture, on dirait un vrai camion, cette Ford Expédition. Elle avait elle-même fait remarquer à Tasha que sa Honda ne tiendrait jamais le choc pour monter là-haut.

— Vous êtes sûre que la police arrivera à temps ? demande Tasha pour la mille et unième fois.

— Je vous ai déjà dit que j'avais appelé l'inspecteur sur mon portable pour tout lui expliquer pendant que vous êtes montée vous habiller.

Les phares de la voiture qui les suit se réfléchissent sur la route trempée et l'éblouissent dans le rétroviseur. Elle le relève un peu, gardant les yeux rivés droit devant elle pour ne pas manquer le panneau.

— Que leur avez-vous dit exactement ?

— Que vos enfants avaient disparu après que vous les avez couchés, reprend patiemment Paula, concentrée sur la route glissante qui serpente devant elle.

Elle meurt d'envie d'allumer une cigarette, mais elle n'ose pas, elle a besoin de ses deux mains pour conduire. Le vent envoie des bourrasques furieuses sur la voiture comme s'il s'acharnait à lui faire quitter la route.

— Quoi d'autre ? insiste Tasha, dont le cœur de mère veut connaître tous les détails.

— Je leur ai dit que je pensais que Fletch avait fait le coup et que j'avais ma petite idée sur l'endroit où il les cachait.

— Mais pourquoi aurait-il enlevé mes enfants ? pleurniche Tasha.

— Il est aux abois, Tasha. On va l'arrêter pour trois meurtres.

— Il va s'en servir comme otages ? sanglote Tasha. Pourquoi mes enfants ? C'est absurde...

Sa voix se brise et elle se tait. Paula lui lance un coup d'œil : la jeune femme a détourné son visage et regarde par la fenêtre.

— Deux des femmes qu'il a assassinées étaient ses maîtresses, déclare-t-elle calmement. (Au loin, on entend gronder le tonnerre.) Trois, même, si l'on compte Melissa. Ce détail a échappé à la police, mais à moi, non.

— Vous le leur avez dit ?

— Non. C'est juste un pressentiment que j'ai, lâche-t-elle. Mais je suis sûre que j'ai raison. Et la dernière personne qu'il a tuée était sa propre femme... sans doute parce qu'elle avait découvert la vérité.

Tasha ne répond rien.

Alors Paula finit par lâcher le morceau :

— Réfléchissez bien, Tasha. Pour quelle raison voudrait-il vous faire du mal à vous ?

Pendant quelque temps on n'entend plus que le bruit des essuie-glaces qui vont et viennent sur le pare-brise.

Après avoir respiré profondément, Tasha se retourne vers Paula et lui avoue ce que celle-ci a appris vingt-quatre heures auparavant, quand elle est venue s'asseoir sur le canapé à côté de Sharon.

— Il s'est passé quelque chose entre Fletch et moi, Paula, une seule fois.

— Quoi donc ? s'exclame Paula, feignant la surprise. Vous avez eu une aventure avec lui ?

La réponse de Tasha la prend au dépourvu.

— Non.

Paula dissimule son étonnement :

— Que s'est-il passé, alors ?

— Il m'a embrassée. Une seule fois. Rien de plus. Je ne l'avais jamais vu et c'est la première fois que ça m'arrivait... Peut-être parce que j'étais bloquée à la maison avec un nouveau-né... Joël commençait à avoir beaucoup de travail, à l'époque, et je ne me sentais pas très bien dans ma peau, après cette grossesse. J'avais grossi... Bref, ça n'est arrivé qu'une seule fois et jamais je n'aurais laissé cet incident se reproduire.

— Et lui ?

— Il a essayé de me rappeler, à plusieurs reprises. Et puis il est allé voir ailleurs. Jane, peut-être. Ou Rachel. Ou une autre.

Ou une autre.

Paula étreint le volant pour amorcer un virage serré.

— Mais pourquoi ce puzzle ? s'enquiert subitement Tasha. Vous avez dit quelque chose à ce sujet à la maison, mais j'étais trop bouleversée pour y faire attention.

— J'ai mené ma propre enquête, Tasha. On a retrouvé des puzzles similaires chaque fois qu'un meurtre a été commis. Toujours une comptine. Il y en avait un dans la voiture de Sharon : *Pierre la fripouille aime les citrouilles…*

— *… Il n'a pas su garder sa femme…* achève Tasha.

Sa mère lui avait appris cette comptine lorsqu'elle était petite.

— Sharon aussi avait un amant. Le saviez-vous ?

Elle secoue la tête. Bien sûr que non, elle ne le savait pas. Mais au point où elle en est, plus rien ne l'étonne.

— Peu de gens étaient au courant, mais je pense que Fletch le savait, déclare Paula. *Il n'a pas su garder sa femme…* Vous connaissez la fin de la comptine ?

— *Alors il l'a mise dans la citrouille où elle s'est très bien gardée.*

— On a retrouvé le corps de Sharon dans une citrouille, derrière les ruines de la maison d'Aidan Gallagher, celle qui a brûlé.

— Mais… Comment le savez-vous ? Aux informations, ils n'ont pas précisé où…

— Je suis journaliste, j'ai mes sources, c'est mon boulot. Un puzzle a également été retrouvé dans la poussette de Jane Kendall. Celui-là représentait Humpty Dumpty. Vous savez, *Humpty Dumpty est assis sur un mur…*

— *Humpty Dumpty est tombé du mur*, continue Tasha d'une voix égarée. Seigneur Jésus ! C'est un malade mental ! Ce n'est donc pas sa sœur qui l'a tuée !

— La police ne le sait pas encore, ils n'ont pas fait attention au puzzle. Ils s'imaginent que c'était un jouet de sa fille, ils n'ont pas noté qu'elle était bien trop petite pour ce genre de puzzle.

— Comment ont-ils fait pour passer à côté de ce détail ?

— Il faut être une mère pour le relever, Tasha.

— Moi non plus, je ne l'ai pas remarqué. J'ai vu un puzzle chez Rachel : je n'y ai prêté aucune attention, mais maintenant je m'étonne de ne pas m'être interrogée – sa maison était toujours si bien rangée… Pas un jouet ne traînait. Qu'est-ce que ce puzzle faisait sur la table ? À présent, je comprends : *Il pleut, il mouille, le vieil homme ronfle…*

La voix de Tasha s'éteint dans un frisson.

— … *est monté se coucher, s'est cogné la tête. Et demain ne pourra pas se lever*, complète Paula d'une voix douce. Quand j'ai vu le puzzle dans votre cuisine, j'ai tout de suite compris qui avait enlevé vos enfants. *Petit Bo Beep a perdu ses moutons et ne sait pas comment les retrouver. Laisse-les tranquilles et ils reviendront…*

— Mais vous savez bien que non ! l'interrompt Tasha. Il ne faut surtout pas les laisser… Mon Dieu, pourvu que la police nous ait devancées… Mes pauvres petits bébés…

Elle éclate à nouveau en sanglots. Mais ce ne sont plus des sanglots hystériques, comme tout à l'heure dans la cuisine. Elle pleure depuis qu'elles ont quitté Orchard Lane. Plusieurs fois, elle a voulu appeler Joël, mais elle ignore comment le joindre. Elle n'a pas son numéro de téléphone à Chicago.

Soudain elle s'exclame :

— Comment n'y ai-je pas pensé plus tôt ? Passez-moi votre portable, Paula. Je voudrais vérifier si la police a bien contacté le FBI, comme vous le leur avez dit. C'est un enlèvement !

— Je sais, Tasha, je sais. Calmez-vous, je vous en prie. Moi aussi, j'y ai pensé, mais j'ai laissé mon portable sur la table de la cuisine, juste après avoir appelé la police. Je ne savais plus ce que je faisais. Tout ce que je voulais, c'était partir au plus vite pour récupérer les enfants à temps...

Elle laisse la suite en suspens.

Pour récupérer les enfants à temps...

Avant que Fletch Gallagher ne leur fasse du mal.

— Dieu merci, vous connaissiez l'existence de cette cabane! reprend Tasha d'une voix tremblante. Et s'ils n'y étaient pas?

— Ils y seront, la rassure Paula. J'ai fouillé la vie de Fletch Gallagher dans ses moindres détails. C'est ce qu'il y a de plus logique : cette cabane est son refuge. Peu de gens la connaissent.

— Comment avez-vous appris son existence?

Il n'y a aucune suspicion dans cette question, plutôt de la curiosité.

Mais Paula est prise de court.

Est-ce qu'elle peut dire la vérité à Tasha, maintenant? Ici? Elle ne voit aucun moyen de s'en dispenser, d'autant que Tasha reprend d'une voix redevenue calme :

— Vous aussi, vous avez eu une aventure avec Fletch Gallagher, n'est-ce pas, Paula?

Paula retient son souffle, sa respiration devient haletante.

Ce halètement et le frottement des essuie-glaces sur le pare-brise sont les seuls bruits qui résonnent dans l'habitacle.

Soudain, Paula entend comme un froissement léger.

Le bruit provient de l'intérieur de la voiture.

Fletch jette un coup d'œil à son rétroviseur.

Des phares aveuglants sont braqués sur la Mercedes : un camion déboule en grondant sur l'autoroute de montagne, à grande vitesse, comme s'il roulait en plein jour sur une route sèche en ligne droite.

— Lâche-moi, crétin, grommelle-t-il à l'adresse du conducteur tout en accélérant.

Le camion le serre de près, visiblement dans l'intention de le doubler. Quel culot ils ont, ces routiers ! Ils s'imaginent que la route leur appartient. Qu'il aille se faire voir !

Excédé, Fletch appuie sur le champignon. Il peut aisément distancer un semi-remorque et connaît cette route comme sa poche. Voilà des années qu'il monte dans les Catskills. De jour comme de nuit, et par tous les temps. La route n'a plus de secrets pour lui.

Mais il ne pensait pas s'y trouver ce soir. Tout ce dont il avait envie, c'était d'un verre de whisky et de son lit.

Mais le téléphone a sonné.

Et voilà où il se retrouve.

En train de galérer en pleine tempête sur une route de montagne.

Il n'est pas parti de gaieté de cœur, mais parce qu'il n'avait pas le choix. Bien sûr qu'il a raison : c'est sa seule issue…

Le silence de sa compagne révèle à Tasha qu'elle a deviné juste : Paula elle aussi a eu une aventure avec Fletch Gallagher. Seigneur, y a-t-il une femme dans cette ville sur laquelle il n'ait pas jeté son dévolu ?

Je le tuerai, se jure-t-elle en serrant les poings. Tout son corps se crispe de colère. Elle sait qu'elle en est capable : il lui a volé ses bébés. S'il touche à un cheveu de leurs têtes…

Elle ne peut s'empêcher de pleurer. Les sanglots secouent ses épaules et une vague de désespoir la submerge. C'est une véritable agonie.

Elle doit absolument sauver ses petits. S'il n'est pas déjà trop tard…

— Vous ne pouvez pas aller plus vite ?

— J'essaie, lui répond Paula, dont le visage devient soudain soucieux. Je vais aussi vite que je peux… Ah ! nous y sommes ! Voilà l'embranchement !

Elle freine.

La voiture dérape sur la route glissante.

Tasha s'affole, convaincue que Paula a perdu le contrôle de la Ford.

Tandis que la voiture part sur le côté vers un arbre énorme, Tasha songe qu'elle va mourir sans avoir retrouvé ses enfants.

Mais non, c'est impossible : ils ont besoin d'elle.

Elle ne veut pas mourir, mcrde ! Pas tout de suite. Elle veut d'abord les sauver.

C'est alors qu'elle sent le véhicule se redresser : Paula en a repris le contrôle.

— Excusez-moi, balbutie Paula, visiblement secouée.

Elle met la marche arrière pour reculer sur quelques mètres, puis s'engage sur une voie étroite qui les éloigne de la grand-route.

— Nous ne sommes plus très loin, accrochez-vous. Nous arriverons à temps.

Tasha hoche la tête sans répondre.

La route monte en lacets entre les arbres.

Encore un virage, qui débouche sur un chemin très raide, non goudronné.

— Comment savez-vous que c'est la bonne direction ?

— Je suis déjà venue, répond Paula, laconique.

Elles empruntent un petit sentier de terre bordé d'arbres dont Tasha réalise après coup qu'il s'agit d'un chemin privé lorsqu'elle aperçoit une cabane, perchée au sommet d'une pente raide entourée d'arbres qui dissimulent un ravin profond.

Il y a de la lumière à l'intérieur.

Et la Mercedes argentée de Fletch est garée devant la porte.

Dans la cabane, Fletch se raidit en voyant approcher l'arc lumineux des phares. Il boit une gorgée du liquide ambré qu'il s'est versé quelques minutes plus tôt.

Il en a fichtrement besoin.

Pour se calmer. Pour se préparer.

Car, à présent, il doit non seulement affronter son passé tourmenté, ses propres erreurs et celles de son père, mais il va aussi devoir l'affronter, *elle*.

Assis dans le grand fauteuil de cuir près de la grande cheminée en pierre, il lève son verre et le vide d'un trait.

L'alcool lui brûle le gosier.

Alors, prêt à affronter ce qui l'attend, il se lève et se dirige vers la porte.

— Où sont-ils ? hurle Tasha en sautant de la voiture.

Elle s'est ruée dehors dès l'instant où elle a vu la silhouette de Fletch sur le seuil de la cabane.

Elle se précipite sur lui sans se soucier de la pluie et remarque machinalement qu'il n'y a pas d'autre voiture que la sienne et celle de Fletch : la police et le FBI ne sont pas encore là.

Tant pis, elle gérera ça toute seule.

Elle fera ce qu'il faudra.

Un éclair déchire le ciel et éclaire son visage.

Fletch a l'air...

... stupéfait.

Stupéfait qu'elle l'ait retrouvé? Qu'elle se soit lancée à sa poursuite? Qu'elle n'ait pas peur de se mesurer à lui pour sauver la vie de ses enfants chéris?

L'éclair a jailli, immédiatement suivi d'un coup de tonnerre assourdissant.

Non, ce n'est pas le tonnerre, il s'agit d'autre chose.

Un bruit sonore.

Un coup de feu.

Karen se réveille en sursaut en entendant la sonnerie du téléphone. En ouvrant les yeux, elle s'aperçoit qu'il fait encore nuit noire. Son réveil indique 3 heures. Alors une nausée l'envahit et elle prend peur.

— Mon Dieu! dit-elle à Tom qui tâtonne à la recherche de ses lunettes.

Elle les lui passe et attrape le combiné.

— Karen? C'est Joël Banks à l'appareil.

— Joël!

Au même instant, elle devine ce qu'il va lui apprendre. Il est arrivé quelque chose d'horrible à Tasha. Elle est morte, comme les autres. Jane, Rachel et Sharon.

Je le savais! réalise Karen. La veille, elle n'avait cessé de penser à son amie. Pourquoi n'a-t-elle pas insisté, hier soir? Elle aurait dû forcer Tom à vérifier si tout allait bien, malgré la pluie!

— Karen, excuse-moi de te déranger en pleine nuit, mais sais-tu où sont passés Tasha et les enfants? Je viens de rentrer et il n'y a personne à la maison. J'ai d'abord cru qu'ils étaient partis chez mes parents, mais je viens de les appeler : ils n'y sont pas. Je t'en supplie, Karen, dis-moi qu'ils sont chez toi!

Il semble bouleversé.

— Oh! Joël... Non, ils ne sont pas là.

— Seigneur, mais où peuvent-ils bien être?

À côté d'elle, Tom remue, lui demandant ce qui se passe.

Elle lui chuchote que Tasha et les enfants ont disparu pendant que Joël poursuit :

— Jamais je n'aurais dû partir! Je le sentais, depuis hier matin. Pendant tout le trajet, j'ai eu un affreux pressentiment. Et puis mon vol a été retardé... j'aurais dû rentrer à la maison. Je l'ai su au moment même où j'ai embarqué. L'avion est resté bloqué sur la piste pendant des heures. Ensuite, il était trop tard, j'étais en route pour Chicago.

Karen essaie de suivre, mais son cerveau s'embrouille.

— Chicago? Mais tu disais que tu étais...

— Oui, je suis de retour à la maison... Dès que l'avion a atterri, j'ai pris un vol pour revenir. Mais la tempête nous a à nouveau retardés. J'ai essayé vingt fois d'appeler, c'était tout le temps occupé...

— Elle avait décroché à cause des journalistes.

— Je m'en suis douté. Il faut que je prévienne la police. À moins que... Tu as une idée de l'endroit où elle aurait pu aller, Karen?

— Non, mais...

— Dis-leur qu'ils ont arrêté quelqu'un... suggère Tom.

Il a raison. Ça lui était sorti de l'esprit.

— Joël, ils ont un suspect en garde à vue pour les meurtres de Rachel et de Sharon...

— *Sharon?*

— Tu n'es pas au courant? Sharon Gallagher. Elle a disparu la nuit dernière. On a retrouvé son corps aujourd'hui, c'est son neveu qui a fait le coup.

— Celui qui vit chez eux?

— Oui, Jeremiah. Il avait un comportement bizarre, Joël. J'en ai parlé à la police et c'est lui le coupable. Je t'assure.

— Il a aussi tué Jane Kendall ?

Elle lui raconte rapidement ce qu'elle sait au sujet de Margaret Armstrong, que la police la soupçonne d'avoir tué sa sœur parce qu'elle était éprise de son beau-frère, qu'il s'agit d'une simple coïncidence.

— Tu vois, Joël, tu n'as pas à t'inquiéter, achève-t-elle sans trop y croire elle-même.

Elle sent que Tasha est en danger, c'est plus fort qu'elle.

Néanmoins, elle reprend :

— Il n'y a plus de tueur en cavale. Tasha et les enfants sont probablement sains et saufs.

— Mais alors où sont-ils ? Leurs lits sont défaits. Tous. Or Tasha fait toujours les lits en se levant. Les draps sont encore froissés. Comme s'ils s'étaient enfuis en pleine nuit. Où sont-ils allés ?

— Je n'en sais rien, Joël, souffle-t-elle en éclatant en sanglots.

La première balle vient se loger dans le bras de Fletch.

Trébuchant en arrière, il regarde avec stupéfaction la tache rouge qui s'élargit sur la manche de son gros pull en coton. Une seconde après le choc, une douleur fulgurante le terrasse et il réalise qu'on l'a pris pour cible.

— Nom de Dieu, qu'est-ce que…

Hébété, pris de vertige à cause de la souffrance qui irradie dans son bras, il essaie de percer l'obscurité du regard mais il ne voit que des phares aveuglants et une silhouette féminine… Elle courait dans sa direction, mais maintenant elle reste pétrifiée, les bras ballants et les mains vides.

Qui est-ce ? Il ne distingue pas son visage.

Et qui a tiré ?

Médusé, soutenant son bras blessé de sa main valide, il recule. Il faut qu'il referme cette porte, qu'il appelle au secours.

Un second coup de feu retentit.

Une douleur abominable le déchire.

Fletch se tord de souffrance sur le plancher. Avant de perdre connaissance, il a juste le temps de se demander : *pourquoi* ?

Haletante, les bras tendus, crispée sur son arme, Paula tient le fusil de son père, l'un des rares souvenirs de lui qu'elle ait conservés. Elle a distribué tous ses maigres biens après la terrible chute qui l'a obligé à vivre dans cette maison de retraite avec un traumatisme mental irréversible.

— Il aurait pu y rester, lui avait confié le médecin responsable des urgences lorsqu'elle était arrivée à l'hôpital.

C'était Mme Ambrosini qui avait prévenu la police. Sa surdité ne l'avait visiblement pas empêchée d'entendre les cris du vieux monsieur qui était tombé la tête la première dans l'escalier et avait atterri devant sa porte.

La police avait essayé de joindre Paula au journal, et Tim avait fini par l'avoir sur son portable. Elle se souviendrait toujours du ton grave de son patron :

— Paula, je suis navré : ton père vient d'avoir un grave accident. Il est dans un sale état. Va vite à l'hôpital…

— Mon Dieu, mais vous êtes folle ? Oh ! seigneur Jésus…

C'est Tasha qui s'égosille ainsi, à quelques pas d'elle, éclairée par les phares.

Paula, un pied posé sur le marchepied de la voiture, s'oblige à revenir à la réalité. Le moteur du 4 x 4 ronronne toujours.

Fletch ne s'attendait visiblement pas à ça, elle l'a eu par surprise.

Tout comme il l'a surprise, elle, le jour où il lui a abruptement déclaré que c'était fini entre eux.

Tasha éclate en sanglots :

— Mes enfants !

Elle se rue vers la cabane.

Paula la regarde enjamber la forme recroquevillée du corps de Fletch et disparaître à l'intérieur.

Elle remonte sur le siège du conducteur, penche la tête et écoute...

Plus un bruit à l'intérieur. Son imagination avait dû lui jouer des tours, elle était tellement nerveuse...

Bon, c'est bientôt fini, de toute façon.

Elle fait demi-tour, reculant avec précaution, et vient se garer à l'extrême bord de la falaise, au bout du chemin qui mène à la cabane.

Toujours en marche arrière, le pied sur la pédale de frein, elle descend la vitre juste au moment où retentit le hurlement angoissé de Tasha :

— Ils ne sont pas là, Paula ! Ils ne sont pas là !

Karen, qui s'est habillée à toute vitesse, se rue sous la pluie pour rejoindre Joël qui vient de se garer devant chez elle.

Elle monte dans la voiture à côté de lui et le serre brièvement dans ses bras.

— On va les retrouver, affirme-t-elle avec une assurance qu'elle est loin d'éprouver.

— Merci d'être là, répond-il simplement.

Elle hoche la tête et attache sa ceinture.

— S'il leur est arrivé quelque chose... je ne me le pardonnerai jamais, je n'aurais pas dû partir...

— Tu ne pouvais pas le savoir.

— Je le sentais. Mais j'essayais de chasser ce pressentiment parce qu'il fallait absolument que j'y aille.

— Un travail urgent ?

— Pas exactement.

Mais il n'ajoute rien.

Elle attend. Comme il ne dit toujours rien, elle lui pose carrément la question. Elle pense à ce que Tasha lui a confié, l'autre soir, aux doutes qui la tracassaient. Ses craintes étaient-elles fondées ?

— Il s'agissait d'un entretien, Karen, lâche-t-il à contrecœur. Pour un boulot dans une agence plus petite. Je pensais que ça ferait plaisir à Tasha.

— Tu ne lui as rien dit ? s'enquiert-elle, soulagée d'apprendre que Joël Banks ne trompait pas sa femme.

Son instinct ne l'avait donc pas trahie.

Il secoue la tête.

— Tu es forcément au courant, Karen. Tu as bien vu comment elle était, comment ça se passait à la maison. Nous étions affreusement tendus l'un et l'autre. Elle à cause des enfants et moi à cause de mon travail. Ils me mettent une pression terrible. Les clients sont très exigeants et je sais qu'elle en a assez que je ne sois jamais là. Elle n'a pas compris que cette promotion, je l'avais acceptée pour elle et pour les enfants. Pour nous assurer ce train de vie et pour qu'elle n'ait pas à travailler. Alors quand j'ai décidé de me rendre à cet entretien, j'ai préféré ne pas lui en parler tout de suite.

— Pourquoi ?

— Ce genre de poste ne court pas les rues : c'est bien payé, je travaillerai moins et dans de meilleures conditions. Mais je n'étais pas sûr d'être pris. Si

Tasha avait su que j'envisageais de changer de travail, je l'aurais eue sur le dos jusqu'à ce que j'aie trouvé. Elle ne s'imagine pas la chance que j'ai eue de tomber sur cette opportunité.

— Et tu l'as laissée passer en revenant ici.

Il hoche la tête.

— J'avais déjà reçu le feu vert. Ils sont décidés à m'embaucher, mais je devais rencontrer le DRH et les directeurs responsables des gros clients. Si je passais le test avec succès, le poste était à moi.

— Et maintenant c'est fichu.

— Je m'en moque, Karen. Tout ce que je veux, maintenant, c'est retrouver Tasha et les enfants sains et saufs.

Ils restent silencieux jusqu'à leur arrivée au commissariat.

Prête à piquer une nouvelle crise de nerfs, Tasha ressort en trombe de la cabane et enjambe pour la deuxième fois le corps de Fletch Gallagher.

Elle s'est vaguement étonnée de voir Paula tirer ainsi sur Fletch, mais remet ce détail à plus tard : tout ce qui compte maintenant, c'est de lui faire avouer où sont ses enfants.

Elle le regarde. Du sang coule de son bras et de son côté. Les yeux fermés, il respire, mais avec difficulté. Il est donc encore vivant. Mais pour combien de temps ?

Elle s'accroupit près de lui.

— Espèce de salaud ! Dites-moi où ils sont !

Pas de réponse.

— Vous avez enlevé mes enfants !

Elle entend le timbre aigu de sa voix et essaie de ne pas paniquer. Ce n'est pas le moment, il faut qu'elle garde son sang-froid jusqu'à ce qu'elle sache. Où sont-ils ?

Il entrouvre les yeux et ouvre la bouche pour parler. Mais seul un râle franchit ses lèvres.

Que faire ? Mon Dieu, que faire ? Pas d'affolement.

Tasha sort comme une furie sous les trombes d'eau.

Paula est toujours au volant de la Ford. Elle aura peut-être une idée, ils sont peut-être dans une grange ou dans une cachette...

Mais à peine formulé, cet espoir s'évanouit. Il n'y a rien d'autre ici que cette cabane perchée en haut d'une falaise et entourée de pins.

Tasha court pour rejoindre la journaliste dans le 4 x 4. La vitre est baissée. Paula la dévisage avec un drôle d'air.

Elle est encore sous le choc, songe Tasha. Après tout, elle vient de tirer sur un homme qui va probablement mourir. Elle jette un coup d'œil au fusil qu'elle tient encore dans la main. Elle ne s'était même pas rendu compte que Paula l'avait emporté.

— Prenez-le, lui dit Paula en le lui jetant dans les mains.

Instinctivement, ses mains se referment sur l'arme quand elle réalise que Paula porte des gants.

La journaliste lui fait un signe de tête.

— Parfait, déclare-t-elle, je n'en aurai plus besoin. Il est mort, n'est-ce pas ?

— Je... je n'en sais rien, balbutie Tasha, au bout du rouleau.

Bon, tout sera bientôt fini. Tout le monde a eu son compte.

Ça n'a pas été une partie de plaisir. Il a fallu tellement batailler. Depuis le début. Dans le Bronx d'abord, puis pendant son mariage, et ensuite sa vie de mère célibataire, cette histoire avec papa...

— Pourquoi lui avez-vous tiré dessus, Paula ?

— Pourquoi ? répète-t-elle en écho.

Elle essaie de se concentrer sur la question de Tasha.

… Jusqu'à Fletch Gallagher, qui a surgi de nulle part pour la séduire. Jamais elle n'oubliera cette nuit où ils se sont connus, *Chez Jimmy*. Elle s'était arrêtée pour prendre un verre après une journée particulièrement éprouvante. Juste un verre, elle boit rarement – elle n'en a pas les moyens, le vin n'est pas donné, à l'auberge de la gare.

Quand le barman avait posé un deuxième verre devant elle, elle avait cru que c'était une erreur. Elle avait beau en avoir envie, elle ne pouvait pas se le permettre. Il ne lui restait qu'un dollar et son compte était dans le rouge. Elle allait refuser quand il avait prononcé les paroles qui avaient changé sa vie :

— Avec les compliments du monsieur assis là-bas.

Et, bien sûr, le « monsieur assis là-bas », c'était Fletch Gallagher. Paula savait qui il était, elle l'avait vu plusieurs fois en ville.

Mais ils ne fréquentaient pas le même monde.

Elle ne souvient pas en revanche de la nuit qui avait suivi. À cause du vin, probablement. Ou parce qu'elle ne veut pas s'en souvenir. Parce qu'il lui a menti. Cette nuit-là et après. Il lui avait dit qu'il veillerait sur elle.

Le lui avait-il vraiment dit ? C'était peut-être seulement ce qu'elle désirait entendre. Elle a déformé ses paroles pour se convaincre que c'était le Prince charmant qui venait les sauver, elle et Mitch, de leur petite vie minable.

Elle l'a cru quand il lui a promis qu'il quitterait sa femme dès que ses enfants seraient partis de la maison. Il lui a même dit : « J'ai passé un accord avec Sharon. »

Il s'est avéré que c'était vrai, d'ailleurs.

Mais jamais il n'avait quitté sa femme.

Pas pour Paula.

Ni pour personne d'autre.

Son Prince charmant l'a simplement quittée, elle, pour une autre princesse : Jane Kendall.

Et après Jane est venue Melissa...

Et après Melissa, Rachel...

Et quelque part au milieu, Tasha. Cette dernière information avait surpris Paula.

C'est par hasard qu'elle avait sonné ce jour-là à la porte des Banks. Elle avait seulement l'intention de poser à la jeune femme quelques questions au sujet de Rachel pour la citer dans son article. Pour couvrir ses arrières.

Elle a tout mené tambour battant.

Elle a fait celle qui menait sa propre enquête, prenant des notes pour que les interviewés témoignent en sa faveur s'il y avait l'ombre d'un doute à son égard. Tous pouvaient la couvrir : Minerva, Tasha, Brian Mulvaney.

Pour que personne ne se doute qu'elle ne faisait pas que son travail.

Pour que personne ne devine que Fletch Gallagher n'était pas l'assassin.

Paula contemple Tasha.

— Vous avez toujours eu tout ce dont vous aviez besoin, n'est-ce pas ? Comme vos amies ?

Tasha reste muette. Puis la stupeur sur son visage laisse place à la terreur. Elle a compris.

— Eh bien à mon tour, maintenant ! La roue de la chance a tourné, s'exclame Paula d'une voix stridente.

Elle repense à la vie qu'elle a menée jusqu'ici. l'heure est venue pour elle de se reposer. Elle s'est toujours occupée des autres. De Frank, de Mitch, de son père.

Elle se souvient de cette fameuse journée. De cette journée où tout a basculé, quand son père est tombé dans l'escalier.

Qu'avait donc dit Tim ?

Paula, je suis navré : ton père vient d'avoir un grave accident. Il est dans un sale état. Va vite à l'hôpital...

Elle sourit. Ça ne lui avait pris que quelques minutes.

Lorsque son portable avait sonné, elle était dans son appartement, à quelques centaines de mètres de l'hôpital. L'appartement qu'ils avaient cru désert. Personne n'avait deviné : pas plus Mme Ambrosini que la police ou les brancardiers...

Ils avaient tous cru que son père était seul et qu'il allait sortir quand il était tombé, qu'il avait fermé la porte derrière lui avant de trébucher et de tomber la tête la première.

Comment auraient-ils pu deviner que la porte était verrouillée de l'intérieur ? Que Paula s'était réfugiée chez elle après avoir poussé son père ?

Elle avait failli réussir...

Une grave commotion cérébrale, irréversible. Les médecins lui avaient dit qu'il y avait peu de chance qu'il puisse parler de nouveau et qu'il ne pourrait pas revenir habiter chez elle non plus, Dieu merci ! Elle s'était enfin débarrassée de lui.

Elle avait un peu raté son coup, mais cela pouvait aller comme ça. Enfermé entre les quatre murs de la maison de retraite, le vieil homme achevait sa vie en silence.

Jusqu'à ce que...

Jusqu'à ce que Frank surgisse pour lui mettre des bâtons dans les roues, alors qu'elle était si près du but.

Qu'avait bien pu dire Frank à son père ? Cela avait suffi pour que le vieillard prononce un mot, pour la première fois depuis des années. Et pas n'importe quel mot : son nom à elle, Paula.

Et s'il parlait encore ?

C'était un risque qu'elle ne pouvait pas prendre.

Voilà pourquoi elle était retournée à Haven Meadows aujourd'hui, pour presser l'oreiller sur son vieux visage ridé.

Exactement comme elle l'avait fait avec sa petite sœur lorsqu'elle était bébé, il y a très longtemps.

Cette petite sœur qui lui avait volé l'affection de son père et de sa mère. Mais pas pour longtemps, elle y avait veillé. Comme il avait été facile de s'en débarrasser ! Elle l'avait vu faire à la télévision, dans un de ces films d'épouvante que sa mère aimait regarder le soir quand son père était au travail.

Paula avait toujours cru que ses parents ne s'étaient jamais douté de rien, mais à l'époque où son père vivait chez elle... elle voyait parfois son regard se poser sur elle, comme s'il savait, pour le bébé. Que sa mort n'avait pas été un accident.

Quand elle avait compris qu'il la suspectait, elle avait dû se résoudre à le réduire au silence. Il n'aurait probablement rien dit, après toutes ces années, mais on ne sait jamais. Ça aurait pu lui échapper.

Frank l'avait-il deviné, lui aussi ? Était-ce pour cette raison qu'il était venu voir son père l'autre jour, en le laissant si agité ? Les infirmières avaient cru qu'il la réclamait.

Or elle sait que son père a senti ses mains le pousser juste avant qu'il ne tombe. Elle a entendu son cri d'effroi.

Ce matin, elle a eu peur qu'il n'ouvre les yeux juste au moment où elle posait l'oreiller sur son visage.

Mais non. C'est allé très vite, comme la première fois, il ne s'est même pas débattu. Sans doute à cause des somnifères.

Ils penseront qu'il s'est réveillé et qu'il a avalé par mégarde les deux cachets posés sur sa table de nuit. Comment pourraient-ils se douter que Paula les a subtilisés avant de partir ? Au moment où elle a croisé l'infirmière dans le couloir, celle-ci lui a demandé en souriant comment allait son père.

— Il dort tellement bien que je n'aie pas osé le déranger, a répondu Paula en lui rendant son sourire.

— Vous avez bien fait. Passez un bon après-midi.

— Oh oui !

C'est ce qu'elle a fait.

Elle est allée faire des courses. Acheter un nouveau puzzle pour compléter son scénario. Quand elle a trouvé ce qu'elle cherchait, elle n'en revenait pas ! *Petit Bo Beep.*

Il n'était pas en bois, contrairement aux autres, mais il ferait l'affaire.

Ont-ils découvert papa ? se demande-t-elle.

Certainement, à l'heure qu'il est, mais ils n'ont pu la prévenir : elle a fait en sorte d'être injoignable en laissant la batterie de son portable se décharger.

Elle ne peut pas se permettre d'être dérangée, pas aujourd'hui. Elle doit d'abord en finir. Ensuite, elle ira écouter ses messages à la maison.

Tout s'est passé comme sur des roulettes, s'émerveille-t-elle.

Grâce à son ingéniosité, outre la gloire d'avoir élucidé les meurtres et bravement sauvé les enfants de Tasha, elle recueillera la compassion du public à cause de la mort de son père. Cela lui fera encore plus de publicité ; cela lui vaudra même une audience nationale, voire internationale.

Désireuse d'en finir pour rejoindre le futur doré qui l'attend, elle explique posément à Tasha :

— Voilà ce que nous allons faire. Écoutez-moi bien.

Tandis que Paula lui explique son plan, les yeux de Tasha s'agrandissent d'effroi et elle se pétrifie, bouche bée.

Secoué de sanglots, le corps tendu et frissonnant, Jeremiah regarde successivement Joël Banks, Karen Wu, son père, son avocat et les détectives. Horrifiés, ils le dévisagent, ils attendent…

… quelque chose qu'il n'est pas en mesure de leur donner.

— Je ne sais pas ce qui est arrivé à votre femme et à vos enfants, répète-t-il à Joël Banks. Je vous le jure. *Je le jure !* De toute façon… j'ai passé la nuit au commissariat.

— Vous dites que votre femme a disparu aujourd'hui ? demande-t-on à Joël, qui hoche la tête. Mais vous ignorez l'heure exacte…

Joël Banks hoche lentement la tête et, fusillant Jeremiah du regard, il demande aux détectives :

— Quand l'avez-vous mis en garde à vue ?

— Il est ici depuis cet après-midi, précise le père de Jeremiah en serrant affectueusement la main de son fils.

Silence de mort.

Jeremiah entend résonner les battements de son cœur.

— Alors ça ne peut pas être lui ! s'exclame soudain Joël.

— Mais ça n'est pas moi ! crie Jeremiah. Je me tue à vous le dire…

Un des détectives le fait taire tandis qu'un de ses collègues demande :

— Qu'est-ce qui vous fait croire cela, monsieur Banks ?

— Ils ont passé le début de la nuit à la maison puisqu'ils se sont couchés. Les lits étaient faits, quand je suis parti.

— En êtes-vous certain?

— Sûr et certain. Tasha fait toujours les lits, c'est une vraie manie, chez elle.

— Ils se sont peut-être couchés tôt, suggère un policier.

Jeremiah a envie de lui sauter à la gorge, mais son père lui serre la main pour le calmer.

Joël Banks secoue la tête :

— En plein après-midi? Tous les quatre? C'est impossible. Non, quelqu'un est entré dans la maison et les a enlevés pendant la nuit.

— Vous avez dit qu'il n'y avait aucune trace de lutte.

— Non, rien de spécial. Juste un puzzle… déclare Joël d'une voix étranglée.

— Un puzzle comme ceux qui ont été payés avec la carte de crédit de Fletch Gallagher… (Le détective Summers regarde ses collègues.) C'est peut-être lui qui les a commandés, en fin de compte. Et si le gosse était innocent?

— Mais je *suis* innocent! s'époumone Jeremiah, hors de lui.

Cette fois, personne ne le fait taire.

— Avez-vous une idée de l'endroit où pourrait aller votre frère, monsieur Gallagher?

Jeremiah voit son père hocher lentement la tête. *La cabane.*

— Je ne vous crois pas, déclare Tasha, dont l'esprit fonctionne à toute allure.

Paula Bailey est folle à lier.

Pourtant, rien ne laissait présager…

Vraiment rien?

— Vous croyez que je bluffe? reprend Paula. Venez donc jeter un coup d'œil, Tasha, regardez à l'arrière.

Tremblant de tous ses membres, Tasha contourne lentement la Ford pour regarder à travers la vitre éclaboussée d'eau. En voyant une couverture jetée sur les sièges arrière, elle reconnaît le couvre-lit de Hunter.

Sous la couverture, elle distingue trois formes, dont la plus petite pourrait bien être Max. Les deux autres sont de la taille de Victoria et de Hunter.

— Sont-ils… vivants ? demande-t-elle en se tournant vers Paula.

La peur l'empêche d'y voir clair.

— Bien sûr que oui.

— Mais ils ne bougent pas.

— C'est qu'ils ont fait honneur à la pizza !

La pizza.

Les pensées affluent en vrac dans le cerveau de Tasha.

La visite de Paula.

La boîte blanche qu'elle a apportée.

Paula en train de distribuer les parts de pizza à la ronde, se réservant la dernière en expliquant avec un petit rire qu'elle préfère celle qui a le plus de pepperoni.

Elle avait mis une drogue dans les autres, un somnifère. Pas étonnant que Tasha ait réussi à s'endormir malgré son anxiété. Pas étonnant non plus qu'elle se soit sentie si vaseuse… au point de croire qu'elle avait pris du Tylénol sans s'en souvenir.

Tasha comprend alors que, pendant son sommeil, cette femme au cerveau dérangé s'est introduite dans sa maison et qu'elle a transporté les enfants l'un après l'autre dans la Ford. Puis elle les a cachés à l'arrière de la voiture avant de revenir lui faire son simulacre de visite.

— Mais comment avez-vous réussi à entrer ?

425

— Tasha ! Vous ne vous êtes même pas aperçue que votre porte-clés avait disparu ? Je l'aurais parié ! Vous étiez tellement bouleversée, après ce que je vous avais dit au sujet de Fletch et de Rachel... Vous êtes aussi naïve que lui. Il ne s'est même pas rendu compte qu'une de ses cartes de crédit avait disparu : je la lui avais chipée, une nuit où j'étais avec lui. Avec toutes les cartes qu'il avait, je me doutais bien qu'il n'y verrait que du feu... Je pensais m'en servir en cas de besoin...

— Fletch... C'est à cause de Fletch que vous avez fait tout ça ? demande Tasha en essayant de garder ses esprits.

Ah ! cette pluie qui tombe en rafales, ce tonnerre qui gronde, ces éclairs qui déchirent le ciel... Au-dessus de leurs têtes, les arbres ploient dangereusement.

— La première fois, je voulais me venger de Fletch, confesse Paula, candide. Ensuite, je me suis rendu compte que je me fichais éperdument de lui. C'est alors que j'ai monté ce plan.

— Quelle première fois ?

— Pour Melissa.

— Melissa...

Il faut un certain temps à Tasha pour comprendre de qui elle parle.

Melissa. La belle-sœur de Fletch.

— Je l'ai suivie un soir jusque chez elle et je les ai vus tous les deux par la fenêtre. Quand il est parti, je suis allée la voir et l'ai mise au pied du mur. Ensuite, je l'ai tuée. Ce n'était pas prémédité, reprend-elle comme pour s'excuser. Mais quand j'ai compris qu'elle était morte, et que j'avais laissé des empreintes partout, j'ai paniqué. Alors j'ai mis le feu à la maison.

— Comment ?

— Oh! c'était facile! Elle avait mis à bouillir une grosse casserole d'eau. Je me suis arrangée pour qu'on pense qu'elle avait oublié d'éteindre le gaz et que la flamme avait mis le feu à un tablier accroché non loin de là. Tout le monde a cru à un accident. Et c'est moi qui ai rédigé la rubrique nécrologique.

Muette devant tant d'horreur, Tasha sent percer la suffisance dans sa voix.

Elle est malade. Malade au point d'appliquer à la lettre le plan macabre qu'elle lui dévoile.

— Allez, il est temps d'en finir, coupe brusquement Paula, revenant à la réalité.

— Racontez-moi la suite, supplie Tasha en essayant de gagner du temps. Parlez-moi de votre plan. Qu'avez-vous fait à Jane, à Rachel et à Sharon ?

— Pourquoi ? Vous vous dérobez, Tasha. Allez-y !

Non ! Elle ne peut pas s'en tirer comme ça...

La faire parler. Oui, c'est ça, il faut continuer à la faire parler.

— Répétez-moi ce que je dois faire, bredouille-t-elle.

— Éloignez-vous, rapprochez-vous de Fletch. Ensuite, mettez le canon dans votre bouche et tirez. Ça ne devrait pas prendre longtemps.

Je pourrais la tuer, songe Tasha en reculant.

— Vous ne me tirerez pas dessus, aboie Paula, qui semble lire dans ses pensées. Si vous tirez, mon pied lâchera la pédale de frein et la voiture basculera dans le ravin avec vos enfants. Au cas où vous ne l'auriez pas remarqué, Tasha, le terrain est en pente, et les roues sont au bord du vide. J'ai mis la marche arrière. Vous n'aurez même pas le temps de sauter dans la voiture pour l'arrêter.

Elle a raison. Si Tasha tire sur Paula, ses enfants mourront.

— Allez-y, Tasha, s'impatiente Paula. Nous n'allons pas y passer la nuit.

— Qu'allez-vous faire de mes enfants ?

— Je vous l'ai déjà dit, il ne leur arrivera rien. Je les ramènerai à la police, à qui je raconterai que Fletch les avait enlevés. Je leur expliquerai que nous nous sommes lancées toutes les deux à sa poursuite, que Fletch vous a annoncé qu'il les avait tués et que, folle de rage, vous lui avez tiré dessus avant de retourner l'arme contre vous-même. Cela leur semblera plausible, vous ne croyez pas ?

— En quoi est-ce plausible ? rétorque-t-elle d'une voix faible.

— Vous êtes une mère, Tasha, et une mère sait que la vie ne vaut pas d'être vécue sans ses enfants. Jane l'a compris, Tasha. Elle a dû faire le même choix que vous.

Jane.

Elle l'a donc obligée à sauter de la falaise en la menaçant de faire du mal à sa fille ?

— Je dirai à la police que Fletch vous avait menti au sujet de vos enfants, je trouverai bien une raison. Et que je les ai découverts sains et saufs dans le coffre de sa voiture. Je vais passer pour une héroïne, Tasha. Les enfants ne se souviendront de rien. (*Fletch les avait drogués.* Elle se met à glousser.) Ils se rappelleront seulement que c'est moi qui les ai rendus à leur père.

Joël.

Que va-t-il croire ? Soupçonnera-t-il jamais la vérité ?

— Ensuite, je rédigerai un article sensationnel, en exclusivité, qui m'offrira enfin la reconnaissance que je mérite, de l'argent, aussi, et du respect. Plus personne n'osera me prendre mon fils, murmure-t-elle à voix basse.

Joël, viens à mon aide, je t'en supplie, prie silencieusement Tasha. Où que tu sois. J'ai besoin de toi, je t'en prie.

— Marche, ordonne Paula. Sinon je lâche le frein et je saute de la voiture pour venir te tuer moi-même. Je me fiche de tes gosses, je ne suis pas obligée de les sauver.

Les doigts serrés sur le métal glacé, Tasha fait un pas en avant comme un automate. Puis un autre. Elle est bien consciente que Joël ne peut rien faire pour elle, désormais.

Plus personne ne peut la sauver : personne ne sait où elle est.

C'est bel et bien fini.

C'était oncle Fletch, Pas moi.

Ils ont fini par comprendre… enfin.

Hébété, Jeremiah entend les détectives interroger son père sur la cabane.

Puis ils lui demandent s'il voit quelque chose de particulier dans le passé de son frère, quelque chose qui expliquerait ce dérapage.

Le père de Jeremiah secoue la tête.

— Je ne peux pas croire que mon frère soit capable d'une telle monstruosité, pas plus que je ne l'ai cru pour mon fils.

— Qu'est-ce qui aurait pu déclencher ça ? Avait-il des problèmes psychologiques ?

Son père hésite et finit par répondre :

— Je ne vois qu'une seule réponse à apporter…

Lorsqu'il se met à parler, Jeremiah se rend compte qu'il ne savait rien. Il ne connaissait qu'une partie de l'histoire.

Son père lui avait raconté que son grand-père avait abandonné sa grand-mère quand ils étaient petits, Fletch et lui. Mais Aidan ne lui avait jamais révélé pourquoi.

Ce n'était pas pour une autre femme, comme l'avait toujours cru Jeremiah.

Mais pour un homme.

— Votre frère a-t-il été traumatisé en apprenant que son père était homosexuel ?

— Oui, approuve Aidan. Cela nous a bouleversés, tous les deux. Nous nous sommes juré de garder le secret. Je n'ai jamais rien dit à personne, et lui non plus.

— Comment a-t-il réagi, sur le moment ?

— Fletch a toujours été du genre macho. Il n'y avait que le sport et les filles qui l'intéressaient. Mais quand il a appris la vérité sur notre père, c'est devenu une véritable obsession. Il faisait partie de toutes les équipes, sortait avec toutes les filles.

— Pour prouver sa virilité, présume le détective Summers.

Le père de Jeremiah acquiesce.

— J'ai fait comme lui. Sauf que moi, je me suis engagé dans l'armée. Mon frère s'est lancé à corps perdu dans l'athlétisme. Il a remporté des championnats, il a eu des femmes superbes, a même épousé l'une d'entre elles. Mais ça ne l'a pas arrêté. Il enchaînait conquête sur conquête.

— Tasha Banks en faisait-elle partie ?

Jeremiah entend un cri étouffé.

Joël Banks est devenu blanc comme un linge.

— Non, pas Tasha, proteste son mari. Elle en est incapable.

— Madame Wu, votre amie avait-elle une liaison avec M. Gallagher ?

Karen hésite et finit par secouer la tête.

— Ça m'étonnerait, Joël a raison : ce n'est pas le genre de Tasha.

— Je persiste à dire que mon frère ne ferait pas de mal à une mouche, explose soudain Aidan. Où voulez vous en venir ?

— Votre frère était un personnage, ici, il avait une image à préserver. Si quelqu'un avait découvert le secret de votre père ?…

Le père de Jeremiah secoue la tête.

— Fletch n'est pas un saint, mais je sais qu'il n'a pas tué ces femmes.

Dubitatif, le détective Summers demande calmement :

— Alors qui cela peut-il être ?

Tasha compte ses pas.

Un…

Deux…

Trois…

Quatre…

— C'est bon, ça ira comme ça, fait la voix de Paula dans son dos, couvrant le bruit de la pluie qui ruisselle sur les arbres.

— Non ! chuchote Tasha. Mon Dieu, je vous en supplie…

Ce n'est pas vrai, ça ne peut pas être vrai.

— Enfonce le canon dans ta bouche, ordonne Paula.

Paralysée de terreur, Tasha n'ose plus bouger, tentant désespérément de trouver une issue pour échapper au terrible destin planifié par Paula.

— Je peux lever le pied d'un moment à l'autre, rappelle celle-ci, menaçante.

Tasha lève une main. Introduit le canon entre ses dents qui claquent.

— Bien. Maintenant, arme le chien du fusil.

Je ne peux pas.

Mon Dieu, aidez-moi !

Je n'y arriverai jamais.

— Vas-y ! hurle Paula d'une voix perçante.

Tasha tâtonne à la recherche du chien.

Il faut qu'elle le fasse, elle n'a pas le choix.

C'est le seul moyen de sauver ses enfants.

— Combien de temps faut-il aux policiers du coin pour monter jusqu'à la cabane de votre frère ? demande le détective Summers.

— Disons dix minutes en temps normal, en supposant qu'ils connaissent les lieux, répond à contre-cœur le père de Jeremiah. Mais certainement plus par une nuit comme celle-ci, surtout s'ils ne savent pas où se trouve la cabane.

— Dix minutes ? répète Joël Banks. Alors appelez-les et envoyez quelqu'un là-haut le plus vite possible.

Immobile, les yeux fermés, Paula attend le bruit de la détonation. Elle n'a pas vraiment envie de voir Tasha se faire sauter le crâne. Elle a horreur du sang.

La mort de Jane a été plus facile.

Celle de Tasha sera violente, mais c'est elle qui se la donnera. Pas Paula.

La mort de Melissa n'a pas été trop difficile, non plus, cela s'est passé si vite. Paula ne s'est pas vraiment rendu compte de ce qu'elle faisait tandis qu'elle lui plongeait la tête dans la casserole d'eau bouillante, la maintenant fermement jusqu'à ce qu'elle ait fini de se débattre.

Mais Rachel...

Et Sharon...

Pour ces deux-là, elle s'était bien préparée. Elle savait parfaitement qu'elle devrait assommer Rachel avec son haltère jusqu'à ce qu'elle soit sûre qu'elle était morte. Pas question de se cantonner à une commotion cérébrale, cette fois-ci.

Et Sharon...

Elle avait vraiment fait preuve de génie en l'attirant jusqu'à la maison en ruine de North Street. C'était tout de même risqué : tout dépendait du retour de Fletch. Dire que ses nièces écoutaient leur musique dans leur chambre pendant tout le temps où elle avait été là.

Mais ça avait marché. Elle avait eu de la chance, malgré ce coup de fil inattendu sur son portable.

Quand Tim l'avait appelée pour la prévenir qu'on avait retrouvé Jane Kendall et qu'une conférence de presse allait commencer, elle était en train d'annoncer à Sharon que son mari était coupable des meurtres de Rachel et de Melissa.

Avant de partir, elle avait juste lancé à Sharon que la preuve de ce qu'elle avançait se trouvait dans l'abri de jardin de North Street, sans s'attarder sur les détails.

Elle avait vu dans les yeux de la jeune femme qu'elle mordait à l'hameçon.

Qu'elle se précipiterait là-bas dès que Paula serait partie.

Tant mieux : Paula avait un alibi en or.

Elle avait filé en ville pour garer sa voiture bien en évidence dans l'allée réservée aux pompiers, devant l'hôtel de ville. Tout le monde serait convaincu qu'elle avait assisté à la conférence de presse – il y avait une telle foule que son absence passerait inaperçue. Qui pouvait se douter que, à la faveur de la nuit, elle avait rapidement rejoint North Street, à quelques centaines de mètres de là ? Elle s'était faufilée derrière Sharon Gallagher et lui avait tranché la gorge d'un geste si vif et si féroce que sa victime n'avait pas eu le temps de pousser un cri.

Le tout lui avait pris cinq à dix minutes. Elle avait même pris la peine de creuser la citrouille pour y fourrer le cadavre de Sharon, et avait eu le temps de se laver les mains au robinet du jardin.

Ensuite, elle était revenue à toute vitesse en ville et s'était mêlée à la foule qui sortait de la conférence de presse, juste au moment où Brian Mulvaney...

Quel était ce bruit ? Ce n'était pas un coup de feu. Elle fait volte-face, trop tard : il y a quelqu'un derrière elle.

Qui ouvre la portière à toute volée, plonge à terre et tire le frein à main.

— Non ! hurle Paula en levant le pied qui maintenait le 4 x 4 en équilibre précaire au-dessus du ravin.

La voiture reste perchée au bord du gouffre tandis que résonne le déclic du frein à main.

Des bras vigoureux éjectent Paula de son siège et la projettent dans la boue.

Relevant la tête, sidérée, écumant de rage, elle aperçoit le visage de l'homme qu'elle hait : son ex-mari.

Saisie par le hurlement de Paula et par la dispute qui s'ensuit, Tasha baisse le fusil et se retourne instinctivement.

Paula est étendue à terre, tenue en respect par un inconnu brun et trapu.

— Donnez-moi le fusil, crie-t-il à Tasha. Vite !

Elle court lui apporter l'arme, qu'il pointe immédiatement sur Paula, allongée sur le sol détrempé à ses pieds.

— Fini, lui dit-il d'un ton amer. J'ai tout entendu. Tout.

— Mais comment... ?

— Ma voiture est garée dans le virage, explique-t-il en désignant le chemin en contrebas. J'ai roulé tous feux éteints et attendu après l'embranchement. Ensuite, je t'ai retrouvée.

— Tu te cachais ? Tu m'as entendue ? (Paula le

dévisage, les yeux brillant de haine.) Mais comment savais-tu… Comment es-tu arrivé jusqu'ici ?

— J'étais parti à ta recherche à Townsend Heights. Je suis allé partout, même à Orchard Lane. J'avais suivi l'affaire dans les journaux, je savais que c'était là que vivaient deux des victimes : je me doutais que je te trouverais là en train de fureter, et je ne me trompais pas. C'est du moins ce que j'ai cru quand j'ai vu ta voiture garée au bout de la rue. Alors je t'ai attendue.

— Vous l'avez vue sortir mes enfants de la maison ? demande Tasha, hors d'haleine.

Il ne la regarde même pas. Ses yeux et son arme sont braqués sur Paula.

— Non, j'ai dû arriver après, mais je vous ai vu sortir toutes les deux. Quand vous avez démarré, je vous ai suivies. Je pensais que vous auriez remarqué mes phares derrière vous, sur l'autoroute, mais vous n'avez rien vu. Tu n'as même pas pensé à vérifier que personne ne te suivait, Paula, tu t'es crue trop maligne !

Paula ouvre la bouche mais elle est incapable de prononcer un mot : elle bout de rage.

— Je me doutais que tu tramais quelque chose, Paula, mais jamais je n'aurais imaginé que…

Il s'interrompt avant de jeter un coup d'œil à Tasha.

— Ça va aller ?

Elle acquiesce, muette.

— Elle a dit tout à l'heure que vos enfants étaient dans la voiture, poursuit son sauveur. (D'un signe de la tête, il désigne l'arrière du 4 x 4. Son regard est revenu se poser sur Paula.) Assurez-vous qu'ils vont bien.

Elle se précipite pour grimper dans la voiture. Retenant son souffle, elle ferme les yeux et tire la couverture en proférant une prière silencieuse.

Puis elle ouvre les yeux pour apercevoir ses trois petits pelotonnés les uns contre les autres.

Ses trois petits *endormis*, la bouche entrouverte. Leurs poitrines se soulèvent régulièrement.

— Merci, mon Dieu ! murmure-t-elle avant de grimper sur la banquette pour les serrer dans ses bras.

Ils se réveillent et la contemplent, effarés.

Victoria est la première à ouvrir la bouche. Elle bredouille un seul mot, d'une voix embrumée mais soulagée.

Le mot le plus tendre qui soit au monde.

Maman.

Épilogue

— À quoi ça ressemble, San Diego ? demande Lily en sautant sur le siège arrière.

— Il y fait chaud, répond Jeremiah en voyant son père disparaître dans l'agence immobilière de Townsend Avenue pour régler la vente de leur propriété de North Avenue.

Assis sur le siège du passager, Jeremiah se retourne vers ses sœurs : les cheveux de Lily ont repoussé et atteignent ses épaules. Daisy a coupé les siens à la même longueur la semaine dernière. Elles se ressemblent à nouveau comme deux gouttes d'eau.

Mais c'est la seule chose qui soit redevenue comme avant.

— Tout le temps ? insiste Daisy.

— Presque, répond leur frère, comme s'il en était certain.

Il n'y a jamais mis les pieds mais il a beaucoup lu sur le sujet. Il veut tout savoir sur sa nouvelle vie.

Son thérapeute, le Dr Stein, lui a dit que c'était bon signe qu'il soit ainsi tourné vers l'avenir. Papa ne repartira pas : il a promis de ne plus jamais les laisser. Ils vont aller vivre tous les trois en Californie. Personne ne dévisagera plus Jeremiah dans les couloirs de l'école.

Le Dr Stein lui a même trouvé un thérapeute à San Diego, un spécialiste des psychoses obsessionnelles, comme lui. Jeremiah est content d'avoir quelqu'un à qui parler, là-bas, ça l'aidera. Il a le sentiment que tout va s'arranger dès qu'il aura quitté Townsend Heights.

— Il y a des palmiers ? demande Lily.

— Ouais. Et un tas de piscines. Et aussi des plages.

— On pourra aller à la plage quand on voudra, alors ?

— Quand on voudra.

— Ce sera bien de revoir le soleil, observe Lily après un long silence.

Jeremiah suit son regard par la fenêtre.

Il commence à neiger sur Townsend Avenue.

C'est joli, avec ces réverbères décorés de guirlandes et ces magasins qui arborent des nœuds et des couronnes de Noël. Les arbres scintillent de lumières et un faux père Noël secoue une cloche sous un sapin devant la gare de Metro North, au bout de la rue.

— Mouais, reprend Jeremiah, le nez contre la vitre, ce sera bon de revoir le soleil.

— Est-ce que tu peux me passer le scotch ? demande Mitch.

— Bien sûr.

Shawna lui passe le rouleau en souriant.

Elle est ridicule avec ce bonnet de père Noël sur la tête, songe-t-il. Mais ça n'a pas l'air de la déranger.

Elle fredonne un chant de Noël tout en attrapant un morceau de papier cadeau.

— Accroche le houx dans le couloir...

Mitch dépose un paquet rectangulaire sur une feuille de papier imprimé. Sous le papier de soie se cache un pastel encadré qu'il a réalisé en classe. Son nouveau professeur d'arts plastiques de Long Island l'aime beaucoup. Ici, tout est différent. Sans

438

doute parce qu'il a enfin les baskets dont il rêvait, celles que portent tous ses copains. Il en a même trois paires. Et Shawna prétend qu'il lui en faudrait encore une autre.

Plus de baskets minables.

Plus de Mlle Bright.

Plus de Robbie Sussman.

Mitch retourne le paquet pour s'assurer qu'il est bien centré.

Il a soigneusement enlevé le verre du cadre avant d'y glisser son dessin.

C'est pour sa maman; le verre est interdit dans sa prison.

— Tu as besoin des ciseaux? demande Shawna.

— Non.

— Si nous faisions des biscuits de Noël? suggère sa belle-mère quelques minutes plus tard.

Mitch hausse les épaules:

— Pourquoi pas?

Shawna fredonne doucement en enveloppant un de ses paquets. Elle achète des cadeaux pour tout le monde, remarque Mitch. Elle a des tonnes d'amies, tout le monde l'aime.

Même Mitch.

Mais tout n'est pas rose pour autant, il pense souvent à sa mère.

Son père lui a expliqué qu'elle était malade, qu'elle l'avait toujours été. Quand ils se sont mariés, il savait qu'elle avait des problèmes et l'avait même envoyée plusieurs fois chez le psychiatre: c'est comme ça qu'il avait découvert sa maladie, le «trouble narcissique du comportement».

Mitch ignore ce que ça veut dire. Il paraît que c'est à cause de ça qu'elle a commis ces vilaines actions. Si elle s'était laissé soigner, cela aurait pu s'arranger. Mais elle avait arrêté de voir le psychiatre et mis papa à la porte quand il avait voulu l'y obliger.

Papa avait appris l'existence de Mitch au printemps dernier, quand elle était venue lui demander de l'argent. Elle ne lui avait pas dit qu'elle était enceinte quand elle l'avait mis dehors.

— Si je l'avais su, Mitch, jamais je ne serais parti.

Mitch le croit volontiers.

Maman lui a toujours raconté que son père était parti, qu'il les avait abandonnés. Mais il sait maintenant qu'elle lui mentait.

Il lui a fallu un certain temps pour croire ça, et toutes ces choses affreuses qu'elle a faites. Il a encore du mal à s'en convaincre. Mais ce doit être vrai puisqu'elle est en prison. Pour toujours.

Estimant qu'elle n'avait pas les facultés requises pour élever Mitch, son père et Shawna voulaient qu'il vienne vivre avec eux. Son père a fouillé dans le passé de Paula pour trouver des informations susceptibles de l'aider à obtenir la garde de son fils.

Papa est allé voir grand-père à Haven Meadows pour lui parler de sa fille. C'est grâce à ça que l'infirmière a pu le joindre quand il est mort. Elle a retrouvé son numéro de téléphone sur le registre des visiteurs.

Il refuse de lui dire de quoi ils ont parlé, tous les deux. Son père voulait seulement lui poser une question sur un événement très très ancien, datant de l'époque où maman était une petite fille.

Mitch entend claquer une portière de voiture.

Il relève la tête et voit Shawna qui lui sourit.

— C'est ton papa qui rentre du travail, annonce-t-elle.

Il lui rend son sourire. C'est plus fort que lui : elle a l'air tellement bête avec ce chapeau sur la tête.

Et papa est de retour.

Quelques instants plus tard, son père entre dans la cuisine en secouant la neige de ses bottes. Il serre Shawna dans ses bras et pose un baiser sur sa joue.

Puis il se tourne en souriant vers Mitch et ouvre grands les bras.

Mitch lui saute au cou et, prisonnier de cette étreinte chaleureuse, il change d'avis : finalement, tout va peut-être s'arranger.

— Tu as bien pris les billets ? demande Tasha à son mari, qui s'installe au volant de la Ford.

— Ils sont là, fait-il en tapotant la poche de sa veste.

Elle lui sourit et s'assied à côté de lui tandis qu'il branche les essuie-glaces pour chasser les gros flocons de neige qui tombent du ciel.

Si Tasha se laisse aller, ce bruit la ramènera à cette nuit pluvieuse où, assise à cette même place, elle regardait conduire Paula…

Non. Plus jamais.

— Parée ? demande Joël en la regardant.

— Parée, répond-elle, aux anges.

— Nous sommes parés, nous aussi, papa, fait Victoria d'une voix flûtée.

Elle est attachée sur son siège entre ses deux frères.

Joël quitte l'allée et passe devant l'ancienne maison des Leiberman, où sont garées les voitures des nouveaux propriétaires. Tasha ne les a pas encore rencontrés, mais elle a vu le camion de déménagement arriver, le week-end dernier. Un berceau, une chaise haute, un lit de bébé.

— Ils ont peut-être des enfants de notre âge, maman ? avait déclaré Hunter.

— Peut-être, avait-elle répondu, refoulant ses larmes.

Elle pensait à Rachel, à Ben, à Mara et à Noah qui se retrouvent seuls.

Elle a vu Ben la semaine dernière, pour la visite annuelle de Max. Il lui a dit que ça pouvait aller, mais que Hannukkah avait été un moment difficile. Il essaie de recoller les morceaux avec ses enfants dans leur nouvelle maison de Bedford, près de l'endroit où vit sa sœur.

Les essuie-glaces frottent doucement le pare-brise tandis que Joël remonte Orchard Lane.

La voiture longe la maison de Tom et de Karen, puis celle des Gallagher, où l'on vient d'installer une rampe électrique. Tasha a entendu dire l'autre jour que Fletch Gallagher était revenu chez lui. Karen est allé lui apporter un dîner, l'autre soir. Elle lui a raconté que les médecins ne savaient pas s'il allait pouvoir marcher à nouveau et que Fletch n'était plus le même homme. Il refusait de parler de ce qui s'était passé.

Comme tout le monde.

Joël prend le virage et traverse les rues de la ville. Toutes les maisons arborent des décorations de Noël. Tasha reconnaît l'air que sifflote son mari : *De retour à la maison*.

— Essaies-tu de me dire quelque chose, Joël ?

Le nouveau Joël, détendu, sourit en la regardant.

— Non, ça m'est venu comme ça. Tu sais bien que j'avais envie d'aller à Centerbook, j'adore cet endroit.

— Tu crois que le père Noël saura nous retrouver, là-bas ? s'inquiète Victoria.

— Sûrement. Je lui ai écrit, tu ne te souviens pas ? lui répond Hunter. Je lui ai dit que nous serions chez Grand-Mère.

Tasha sourit. C'est elle qui l'a aidé à poster sa lettre, au lendemain de Thanksgiving.

Le lundi suivant, Joël avait commencé son nouveau travail, un poste confortable de directeur dans une agence à taille humaine. Il était mieux payé, avait moins de travail, et des horaires corrects : il obtenait enfin tout ce qui lui semblait inconciliable.

Joël en a reparlé à Tasha bien après qu'ils furent tombés dans les bras l'un de l'autre au commissariat tandis que l'aube se levait sur un lundi tourmenté. Il pensait que c'était fichu et que, en quittant Chicago cette nuit-là, il avait à tout jamais perdu ses chances d'obtenir le poste.

À la lumière des événements, l'agence avait convaincu le DRH de remettre l'entretien à plus tard, et il avait décroché le poste.

Même après leur avoir annoncé qu'il lui fallait une semaine de vacances avec sa famille pour Noël.

— Oh ! regardez ! s'exclame Hunter au détour d'un virage.

— Que c'est beau ! souffle Victoria, médusée.

Townsend Avenue s'offre à leurs regards : le spectacle de ces guirlandes vertes ornées de nœuds écarlates est féerique sous la neige éclairée par mille lumières scintillantes.

Tasha regrette presque de laisser tout ça derrière elle pour partir en Ohio.

Après tout, c'est ici, chez elle.

Non, se ravise-t-elle en regardant Joël et les enfants.

Ma maison est là où ils se trouvent...

C'est là que je veux demeurer.

Le 20 août   *Romance d'aujourd'hui*
Au nom de mon enfant
de Jill Marie Landis (n° 6982)
Jake, détective privé, reconnaît dans un magazine une peinture qui
pourrait être l'œuvre de Caroline Graham. La fiancée de son meilleur
ami, décédé dans d'étranges circonstances, s'est enfuie six ans plus tôt
avec son fils. Partant à leur recherche en Californie, Jake découvre
une jeune femme séduisante, une mère dévouée et une artiste talen-
tueuse. Alors qu'il tente de comprendre les raisons de ce départ précipité, il tombe peu à peu amoureux...

Le 27 août   *Intrigue*
L'élixir de la vengeance
de Annie Solomon (n° 7400)
Angelina Mercer est le dernier espoir de l'agent fédéral Finn Carver.
Son objectif sera de s'introduire sur la propriété du dangereux Victor
Borian et de trouver où il cache des armes de destruction. Victor
Borian a été marié à la mère biologique d'Angelina, et la jeune femme
accepte la mission car elle est prête à tout pour en savoir plus sur la
femme qui l'a abandonnée. Finn sera son contact et le seul en qui elle
peut avoir confiance. Cependant, il refuse de se laisser aller, bien
qu'Angelina représente tout ce qu'il désire...

Ce mois-ci, retrouvez également
les titres de la collection

Aventures et Passions

7344

Composition Chesteroc Ltd
Achevé d'imprimer en France (Manchecourt)
par Maury-Eurolivres
le 9 juin 2004.
Dépôt légal juin 2004. ISBN 2-290-33792-7

Éditions J'ai lu
84, rue de Grenelle, 75007 Paris
Diffusion France et étranger : Flammarion